LES BOURGEOIS

DU MÊME AUTEUR

LE VENTRE DE LA FÉE, Actes Sud, 1993 ; Babel nº 1387.
L'ÉLÉGANCE DES VEUVES, Actes Sud, 1995 ; Babel nº 280.
GRÂCE ET DÉNUEMENT, Actes Sud, 1997 (prix Culture et bibliothèques pour tous) ; Babel nº 439.
LA CONVERSATION AMOUREUSE, Actes Sud, 2000 ; Babel nº 567.
DANS LA GUERRE, Actes Sud, 2003 ; Babel nº 714.
LES AUTRES, Actes Sud, 2006 ; Babel nº 857.
PARADIS CONJUGAL, Albin Michel, 2008 ; Babel nº 990.
PASSÉ SOUS SILENCE, Actes Sud, 2010 ; Babel nº 1126.
CHERCHEZ LA FEMME, Actes Sud, 2013 ; Babel nº 1276.
LE RÈGNE DU VIVANT, Actes Sud, 2014 ; Babel nº 1427.
LES BOURGEOIS, Actes Sud, 2017 (prix *Historia* du roman historique) ; Babel nº 1662.

© ACTES SUD, 2017
ISBN 978-2-330-12430-4

ALICE FERNEY

LES BOURGEOIS

roman

à la mémoire, à l'avenir, à la fraternité des temps

Le temps passera, et nous quitterons cette terre
pour toujours,
on nous oubliera, on oubliera nos visages,
nos voix,
et combien nous étions.

ANTON TCHEKHOV,
Les Trois Sœurs.

9 NOVEMBRE 2013

Je n'ai pas posé de questions bien sûr, ces moments-là ont quelque chose d'ombreux et de sacré, mais j'ai su qu'il s'était levé pour aller chercher du bois, qu'il avait arrangé les bûches dans le feu, et qu'à peine s'était-il rassis, satisfait des flammes relancées, ayant posé le tisonnier contre le coin de la cheminée, il était mort. Cela n'avait duré que quelques secondes. Si d'aventure il s'était apprêté à reprendre la conversation, il n'avait pu le faire. Sans avertissement, les battements de son cœur s'étaient interrompus, au moment du café, juste après le déjeuner. Sa femme n'avait pas eu le temps de dire un mot. Jérôme, qu'as-tu ? Ou bien : Jérôme, ça ne va pas ? La syncope avait été immédiate, le sang n'était plus propulsé au cerveau, la mort cérébrale adviendrait. Toute sollicitude avait été inutile, comme devient sans usage, abrogé d'un seul coup, ce qui fait partie de la vie et que l'on n'a plus à offrir aux défunts. De quoi ont-ils besoin ? De rien sinon de notre mémoire. Jérôme Bourgeois n'était plus. Sa tasse pleine fumait encore et il ne la boirait pas. Peut-on boire le café d'un mort, si on le fait pense-t-on ce qu'on pense habituellement d'un café (il est froid, il est trop sucré, trop fort, il est bon) et si on ne le fait pas, que pense-t-on au moment de le jeter dans l'évier ? Je me le demanderais en songeant à ce détail, parce que je connais cette éducation qui interdit de gâcher et que la génération de Jérôme l'avait reçue. Mais non, penserais-je, dans l'instant où quelqu'un vient de mourir personne alors ne boit plus, le temps de la vie se suspend, le trépas accapare l'attention, l'aspire comme un trou noir la matière cosmique, et tout le café de ce jour funeste est jeté. Peut-être même, dans l'affolement, les tasses avaient-elles été renversées, et Jérôme, immobile et silencieux malgré ce fracas (ayant enfin atteint l'indifférence), prouvait de cette façon qu'il n'était bel et bien plus de ce monde réel et prosaïque où les objets tombent, où nous sommes émus et maladroits, où nous mangeons et buvons. Il avait fini d'entendre ceux qui tout de même lui parlèrent à cet instant, une dernière fois, doutant encore à côté de son corps affaissé de ce qui semblait lui être si vite arrivé : mourir.

Était-il déjà mort vraiment lui qui venait de charger le feu ? La rapidité de l'événement expliquait que l'on n'y crût pas. Jérôme ? Jérôme, m'entends-tu ? avait dû demander son vieux camarade, pour être sûr, et pour donner de la noblesse au malheur. N'est-ce pas épouvantable d'admettre dans l'instant et sans hésitation la disparition d'un ami ? Comme si on s'en accommodait aussitôt, qu'on s'y était attendu et que c'était une évidence. Comme si, à tout moment, on avait à l'esprit que la mort peut fondre sur un malheureux sous nos yeux coutumiers du drame.

— Tu ne m'entends pas, Jérôme ?

Avec espoir l'ami avait répété sa question, mais sans insister, car Jérôme de toute évidence avait cessé pour toujours de répondre. Quelque chose d'inhabituel, un *jamais vu de son visage*, indiquait qu'il n'était pas seulement évanoui. Et l'ami pensa : Oh oui, hélas, il est mort ! Et il avait aussitôt regardé Clarisse, saisie elle aussi, qui s'était précipitée vers son mari puis figée.

Si absent, Jérôme Bourgeois se présentait peut-être déjà devant le Seigneur, contemplant enfin sa grandeur, comme on le croyait dans sa famille, comme il l'avait entendu dire toute sa vie chaque dimanche, et comme on l'affirmait à toutes les funérailles – comme on le dirait bientôt pour les siennes : *Bienheureux ceux qui ont le cœur pur car ils verront Dieu*. Jérôme avait le cœur pur, personne n'en doute et ce consensus est remarquable ; Jérôme pouvait voir Dieu, il le méritait. Il était assis – écroulé – dans le canapé rouge défraîchi et presque défoncé (celui que Clarisse avait acheté au temps de leur installation près d'un demi-siècle plus tôt, râpé et avachi, encore en usage car dans les grandes maisons on garde tout), en face de ce couple qui était venu déjeuner, mais il ne se tenait plus avec ses compagnons, le mouvement avait déserté son corps, aucune parole ne sortirait plus de sa bouche (quels avaient été ses derniers mots, est-ce que quelqu'un se le rappelait ?), et Clarisse s'était penchée sur lui. Avait-elle frôlé sa joue, saisi son bras, posé une main sur son front ? Ou au contraire plaqué une main sur sa propre bouche ? Les amis avaient peut-être aperçu l'expression de son visage pendant qu'elle contemplait celui de son mari défunt (ses traits, l'expression déjà modifiée de sa figure, ce masque qu'elle découvrait et qui lui dérobait celui qu'elle connaissait). J'ignorais si elle avait crié, pleuré, essayé de le réanimer, si elle avait été capable de regarder dans les yeux de Jérôme et de les fermer elle-même (comme on le voit faire dans les films : la paume de la main caresse les paupières d'un geste qui va de l'arcade sourcilière au nez), ou au contraire si elle s'était détournée. Comment on regarde ou non la mort concrète dépend sûrement de la façon dont on l'envisage, et qui peut savoir ce que les autres ressentent, à quel point ils en ont peur, s'affolent, l'attendent, y sont accoutumés ou refusent absolument d'en affronter la réalité. Il me semble que l'effroi et la stupeur me figeraient, mais Clarisse ? Clarisse qui, ayant atteint l'âge de l'expérience, était restée si énergique et forte, si vivante et incarnée alors même qu'elle avait déjà perdu depuis longtemps ses parents, et même un frère plus jeune, Clarisse qui *connaissait la mort*, comment avait-elle pris cette éclipse soudaine de celui avec qui elle vivait depuis cinquante-trois ans ? Je n'ai pas cherché à le savoir. On ose rarement demander ces choses si intimes. Et l'on craint d'évoquer cette seconde où une personne s'évapore, où le corps est rendu, cesse d'être le véhicule d'un esprit qui lui conférait un style et devient l'enveloppe vide, encombrante, vouée à se corrompre et disparaître et, pour cette raison, inquiétante, presque indécente.

Je me demande toujours si vraiment l'on se prépare à la mort. Il paraît que cette idée répandue est un leurre : la mort serait si étrangère à la vie qu'on ne pourrait en réalité la penser et qu'il ne servirait à rien de l'apprivoiser, ce que l'on apprivoise d'elle n'étant jamais elle. Y penser serait peut-être même une véritable idiotie : une obsession qui nous ferait souffrir pendant la vie sans pour autant nous faire accepter la fin de la vie quand elle vient. Certains cependant s'y appliquent consciencieusement. Mais ils ne pourront jamais nous dire s'ils ont mieux traversé leur propre mort, et j'ai remarqué qu'ils y pensent justement parce que celle des autres les a terrifiés. Vivons-nous d'ailleurs notre disparition ou bien n'en faisons-nous jamais l'expérience que du dehors, à travers celle de nos proches, en imagination et avant qu'elle advienne ? Ou bien ne la connaîtrons-nous pas du tout ? Car celui qui raconte *Je me suis vu mourir* a été sauvé. Et celui qui traverse en conscience sa propre agonie est encore vivant. Il faudrait être mort sans avoir à mourir, voilà le fond de ma pensée. Jérôme, qui était médecin, savait les façons de mourir. Était-il prêt ? Et qu'est-ce que cela veut dire *être prêt* ? Et qui doit être prêt, celui qui va mourir ou celui qui verra mourir l'autre ? Et faut-il se préparer pour mourir ou se préparer pour assister, alors que l'on ignore ces ultimes préséances ? Clarisse avait-elle pensé qu'elle survivrait à Jérôme au lieu de mourir avant lui ? Les statistiques le prédisaient (les veuves sont plus nombreuses que les veufs), mais chacun de nous demeure un cas singulier qui peut rompre avec la règle. Peut-être Clarisse n'était-elle pas surprise, pensais-je. La plupart des hommes de la famille Bourgeois

étaient *morts du cœur*, leurs artères en vieillissant se rétré-
cissaient, on le disait de cette manière, et c'était un fait
médical que personne n'ignorait. Pas plus qu'on ignorait
le diabète ou l'asthme du père Bourgeois, dont avaient
hérité certains de ses enfants ou petits-enfants, car les
maladies, les faiblesses, les codes secrets de la chair traversent le temps, voyageurs immortels, de génération
en génération.

Clarisse s'était-elle rappelé son beau-père ? Henri
Bourgeois, qui se faisait chaque jour deux piqûres d'insuline, avait eu une crise cardiaque, le 22 janvier 1968,
chez lui, à l'âge de soixante-treize ans. Dès le matin il
avait ressenti une douleur à l'épaule, mais il ne *s'écoutait pas* (comme on le disait alors), il ne livrait à personne, pas même à son épouse, la distinguée Gabrielle,
ses maux physiques et moraux. La plainte était bannie
de ce monde-là. La souffrance d'Henri avait été enfouie
dans le silence le plus digne et la mort l'avait pris sans
que des soins l'eussent devancée. L'avertissement aujour-
d'hui si identifié – cette douleur à l'épaule – ne l'était
pas encore. Le Samu n'avait pas dix ans. La publicité, la
radio ou la télévision n'avaient pas formé l'esprit de pré-
vention. Henri s'était écroulé, on dit *foudroyé*, il avait
été foudroyé de l'intérieur par le muscle même qui battait la mesure de sa vie. Sa seconde épouse l'avait trouvé
évanoui. Ses dix enfants l'avaient inhumé à côté de
leur mère, Mathilde qui était morte longtemps avant
lui. Trente années avaient encore passé jusqu'à ce que
le muscle familial trahît à nouveau l'un des Bourgeois.
Pensait-on encore (et qui y pensait ?) à Henri, lorsque

son premier-né, le frère aîné de Jérôme, Jules, qui avait subi plusieurs opérations à cœur ouvert, était mort à son tour au début du mois de décembre 1999, lui aussi d'un arrêt cardiaque ? La forme de la mort a quelque chose de familial, il arrive qu'on en hérite.

Jules avait alors soixante-dix-neuf ans. La barre des quatre-vingts semblait fatale aux Bourgeois. Aucun des frères ne la passait. Ni André, ni Joseph, ni Nicolas – qui pour d'autres raisons était mort jeune. Jérôme fut le premier de sa fratrie à fêter ses huit décennies dans le monde. C'est pourquoi on ne s'étonna pas de sa mort. À vrai dire on la vanta. C'est une belle mort, disait-on. Et cette expression qui peut paraître étrange signifiait : une mort sans agonie, sans l'annonce d'une longue maladie à venir qui vous épuisera et les vôtres avec vous, sans calvaire ni angoisse. Une mort soudaine comme un éclair dans le ciel, que l'on n'a pas vue venir de loin, que l'on n'a pas pu craindre. Jérôme Bourgeois disparaissait quinze ans après son frère aîné Jules et quarante-cinq ans après son père Henri. À quatre-vingts ans ! Que demander de plus qu'une si longue vie qui s'achève sans souffrance ? Jérôme avait eu une belle existence et une belle fin. Jusqu'au dernier jour, il avait été cet homme qui offrait simplicité, générosité et gaieté à ceux qu'il rencontrait. Il avait vécu sans peur et sans reproche comme un chevalier de la foi, de la joie et de la science, sans compter ni ce qu'il donnait ni ce que les autres recevaient de plus que lui, ni les jours passés ni ceux qui restaient. Comme si la mort n'existait pas, comme s'il était décidément quelqu'un qui ne la connaîtrait pas, tout occupé à soulager les souffrances que la vie vaut aux plus malheureux. Et hop ! le tigre avait bondi et l'avait emporté.

8 NOVEMBRE 2013

Un couple était venu la veille visiter la maison, en vente depuis deux ou trois ans. C'était un jeune couple avec des enfants, j'ignore combien, mais assez pour rechercher une maison immense comme celle de Jérôme et Clarisse qui, sous ce toit, en avaient élevé six. Jérôme avait accueilli et promené les visiteurs dans le labyrinthe des bâtiments et des pièces qu'il habitait depuis quarante ans, et s'il en faisait l'éloge à la manière d'un vendeur motivé, ce n'était pas qu'il souhaitât s'en défaire mais plutôt qu'il racontait la vérité de sa vie. Il ne s'empêchait pas de le dire : il avait été heureux dans ces lieux. Il s'y promenait comme dans l'album de ses souvenirs et parlait avec la volubilité enthousiaste qui avait toujours été l'apanage de la fratrie Bourgeois.

— Voici la *petite* maison, disait-il plein d'entrain en désignant une chaumière sur la gauche quand on avait passé le portail.

Il avait autrefois installé son cabinet au rez-de-chaussée.

— Je ne consulte plus, mais quelques vieux patients et amis passent encore me dire bonjour et je continue de les recevoir dans mon bureau.

En refermant la porte, se dirigeant vers une autre qui perçait à côté la façade crépie de la maisonnette, il dit :

— Il y a vingt ans mes trois filles aînées habitaient au-dessus. Mes patients pouvaient les entendre parfois se chamailler ! dit-il en s'amusant de la remémoration. Faites attention, l'escalier est raide.

Trois pièces avaient été aménagées à l'étage.

— La grande chambre aux fleurs bleues était celle de notre aînée Brigitte. C'est elle qui avait choisi le papier peint. Brigitte a maintenant trois enfants.

Il murmurait cela comme une incroyable concrétisation du temps. Il habitait tout le territoire de sa vie, pendant que le jeune couple se disait peut-être que le papier peint était en bon état malgré les années.

— Les deux autres chambres sont plus petites, annonça Jérôme en ouvrant une nouvelle porte.

Le jeune couple était ravi, regardant tout du sol au plafond. Ils redescendirent l'escalier, Jérôme ferma à clé, traversa le jardin qui séparait les corps de bâtiment.

— Le chaume a été traité il n'y a pas si longtemps. Tout est en bon état, dit-il en contemplant le toit. Voici la maison principale. Vous m'accompagnez ?

Quand ils entrèrent, après s'être essuyé les pieds sur le paillasson, ils trouvèrent Clarisse qui les attendait.

— Bonjour madame, dirent les visiteurs.

— Enchantée, dit Clarisse en leur serrant la main.

— Vous avez une très belle maison.

Ils semblaient enchantés de l'avoir dénichée. Ils étaient au commencement de leur vie, à ce moment d'efflorescence et peut-être d'inconscience que seuls peuvent apercevoir ceux qui savent l'inexorable avancée du temps, la file des générations qui se succèdent, et comment chacun passe par les mêmes étapes. Cette visite était ce croisement de ceux qui arrivent et de ceux qui partent, de ceux qui donnent la vie et de ceux qui la perdent. La seule différence entre les uns et les autres, me dis-je, c'est que les premiers aiment penser à ce qu'ils font alors que les seconds veulent oublier ce qu'ils subissent. On commence (parfois) par faire ce qu'on veut, mais ensuite les choses se gâtent, on perd le contrôle, on est interrompu. Et l'on n'est jamais préparé à ce qui va arriver ! Ce pourrait être la définition exacte de la vie : une promesse d'être surpris. Le couple d'acheteurs se déployait, Clarisse et Jérôme s'en allaient.

— Oui, nous aimons beaucoup cette maison, elle est très agréable, dit Clarisse en souriant à son tour.

Et elle se garda bien de dire ce qu'ils étaient capables de voir tout seuls pensait-elle, que c'était une immense baraque, impossible à entretenir et à chauffer, épuisante pour n'importe quelle maîtresse de maison, dans laquelle on finissait par accumuler des milliers de choses inutiles, et qui semblait atrocement vide après que les enfants étaient partis faire leur vie çà et là dans le vaste monde. On l'aura compris, Clarisse était beaucoup plus motivée que Jérôme pour vendre et s'installer dans un joli appartement, dans le quartier de la cathédrale pourquoi pas, ils auraient assez d'argent pour cela. Et Clarisse pourrait aller au bridge à pied, voir ses amies quand elle le voulait, se simplifier enfin l'existence !

La visite se poursuivait maintenant à quatre, le jeune couple à la suite du vieil attelage que formaient Clarisse et Jérôme.

— Voici la salle à manger, dit Clarisse, elle est notre pièce à vivre, comme vous le voyez très spacieuse, et la cheminée tire très bien.

Elle allait dire "Ce qui compense le plafond bas", mais non, elle ne laisserait filtrer aucune critique et la pièce était réellement spacieuse.

— C'est le moins qu'on puisse dire ! plaisanta le jeune mari.

— Un peu plus de cent mètres carrés, dit Jérôme.

Nul besoin de mesure pour noter que tout le mobilier meublait à peine : une grande table de ferme, un vaste canapé (rouge défraîchi, celui dans lequel Jérôme s'écroulerait le lendemain), quatre fauteuils, un buffet, et l'ensemble paraissait encore vide !

Les yeux des acquéreurs potentiels couraient le long des poutres, scrutant les peintures, et quand ils passèrent sur l'escalier dont les marches grimpaient le long du mur du fond, Jérôme dit :

— On accède par là à l'étage des chambres. Mais je vous propose de finir d'abord avec le rez-de-chaussée.

Il entraîna les visiteurs vers une double porte qui séparait l'immense pièce à vivre d'un salon-bibliothèque qui n'était pas moins vaste.

— Ah ! fit le mari en entrant dans l'espace magnifique.

Les bibliothèques anciennes lui tiraient cette exclamation, ces boiseries du sol au plafond, l'échelle d'époque, sculptée, qui roulait le long des rayonnages, les dos décolorés des vieilles reliures, ces objets et aménagements raffinés qui ne se fabriquent plus et sont en train de disparaître.

— Cette maison a une histoire, dit Jérôme en souriant. Vous êtes dans le salon où se déroulaient les fameux *ballets roses*.

Le couple était trop jeune pour avoir connu l'affaire et Jérôme, avec prodigalité, se lança dans un récit animé de cet épisode sulfureux qu'il avait cent fois raconté : des parties fines étaient organisées pour de vieux messieurs riches qui venaient se rincer l'œil. Des filles mineures, entre quinze et vingt ans, étaient attirées là au prétexte de profiter, dans leur carrière de danseuse ou d'actrice, de l'aide de ces gens influents devant lesquels on leur demanderait bien sûr de se déshabiller. Révélée par la presse, l'affaire avait eu un grand retentissement à cause d'un proche du général de Gaulle, ancien résistant, qui s'y trouvait mêlé.

— L'estrade est restée en place, disait Clarisse, montrant du doigt le piano installé comme pour un récital.

— C'est là, dit-on, que les jeunes filles exécutaient des spectacles érotiques. En 1960, l'année de notre mariage, il y eut un procès et plusieurs condamnations. La maison à ce moment commença à passer de mains en mains. Nous l'avons achetée dix ans plus tard, conclut Jérôme.

C'était amusant, tout le monde s'amusa. Puis on monta à l'étage où l'on vit un défilé de chambres et de salles de bains.

— Il y a aussi une grande chambre au rez-de-chaussée, dit Jérôme, attenante à la salle à manger, de sorte que vous pouvez installer tous les enfants en haut et être tranquilles en bas.

On redescendit, on alla voir la grande chambre en question, agréable, dont la fenêtre s'ouvrait sur le jardin que l'on avait traversé tout à l'heure pour venir de la *petite* à la *grande* maison, puis l'on marcha dans l'immense cuisine où il faisait déjà froid (on était en novembre), la buanderie (ne regardez pas le désordre, supplia Clarisse), la salle de jeu, accolée à la maison, dans une sorte de longue annexe construite ultérieurement, où se trouvaient pêle-mêle une table de ping-pong, un baby-foot, un punching-ball, des landaus de poupées, voitures de kart…

— Nous avons douze petits-enfants, dit Clarisse en guise de commentaire à cet étalage.

— Et voilà le jardin, dit Jérôme, en ouvrant la porte.

Une longue parcelle rectangulaire montait en pente douce jusqu'à un petit bois qui n'appartenait pas au terrain.

— C'est immense ! s'exclama le mari.

— Le tennis est en quick, dit Clarisse. Vous avez même un lanceur de balles au cas où vous décideriez de fabriquer un nouvel André Agassi !

On le sentait à son intonation, Clarisse se moquait un peu de son mari qui avait autrefois acheté cette machine contre son avis. Machine qui avait plus servi aux amis qu'aux enfants, et grâce à laquelle Jérôme n'avait même pas fait d'un de ses enfants un joueur de tennis classé (alors que son frère Claude, par exemple, sans machine et sans court de tennis personnel, à Paris, avait eu une fille en seconde série).

— C'est vrai qu'elle n'a pas beaucoup servi, plaisanta Jérôme qui avait fort bien capté le message de sa femme.

On termina par le sous-sol plein de congélateurs, de vieux frigidaires et autres articles ménagers qui avaient accompagné l'intendance et contribué à l'entretien de la famille nombreuse.

— Vous garderez ce que vous voulez, dit Clarisse, comme si la grande baraque était déjà vendue.

— C'est très gentil de votre part, répondit la jeune épouse.

La visite était finie.

— Je crois que vous avez tout vu, dit Jérôme.

— Nous sommes emballés, dit le mari. N'est-ce pas, chérie ?

— Y a-t-il autre chose que vous aimeriez savoir ? demanda Jérôme.

Le jeune père voulut quelques précisions – le montant des taxes foncières et des impôts locaux – et la femme demanda à Clarisse où elle faisait ses courses. Et puisque les impôts étaient honnêtes et les courses faciles ils s'étaient souri, oui c'était bien ce qu'ils voulaient, une grande maison pleine d'enfants. Ils avaient déjà quelques enfants et venaient de trouver la maison.

— Le court de tennis plaira beaucoup à mes fils ! se réjouit la mère.

Elle sembla les imaginer et dit :

— J'aimerais beaucoup revenir demain avec eux. Cela ne vous ennuie pas ?

— Pas du tout ! dit Clarisse.

Ils avaient refait une visite le 9 novembre avec trois garçons et deux filles qui couraient de pièce en pièce et se distribuaient déjà les chambres en se chamaillant gentiment. La transaction devenait réelle. Ils voulaient acheter. Leur notaire allait prendre contact pendant qu'eux-mêmes passeraient à l'agence signer le compromis.

Quand ils étaient repartis, se retournant sur la route pour regarder de loin l'ensemble des corps du logis, parents et enfants réunis et enchantés, heureux et jeunes, Jérôme avait senti sa poitrine se contracter. Quitter ce lieu, les murs de sa propre famille, quel crève-cœur. Jamais il ne serait capable de vivre ailleurs. Il le voulait oui, et pas seulement pour faire plaisir à Clarisse, il le voulait comme on se plie au mouvement de la vie (car on s'y efforce bel et bien), mais il ressentait qu'il n'y réussirait pas. Il était attaché. Une part de lui collait à cette maison et allait se séparer de lui avec elle. Il serait amputé du corps de son passé. Or ce passé n'était pas si loin du présent et pouvait se prolonger dans l'avenir : Jérôme aimait encore s'occuper du jardin, regarder ses petits-enfants se rouler dans l'herbe, même si ça n'arrivait que deux ou trois fois par an, même s'ils avaient grandi, même si tout se transformait constamment. Le temps lui sembla une tenaille qui ne vous lâche pas, doucement serre et tire, vous entraîne loin de l'origine, vous apetisse et vous sépare de ce qui vous était consubstantiel. Le temps était une cruauté sans visage. Voilà ce qu'il pensait. Comme tous les enfants Bourgeois, il était plus sentimental et mélancolique qu'il ne le montrait ou n'en avait lui-même conscience. Son sentiment profond était authentique, il ne se laissait pas contrôler ou travestir par l'éducation, les bonnes manières, ou l'utilitarisme.

— Jérôme ? dit Clarisse que la rêverie de son mari agaçait.

La conscience aiguë que Jérôme avait de la vie et de lui-même donnait à ce moment la texture d'un interminable souvenir dans lequel il plongeait. Le présent était plein de passé, le passé était présent, Jérôme acceptait tout à coup ses propres limites, se disant : la sagesse réclame de vendre et d'avancer mais je ne sais pas m'y résoudre. Oui, ce jour-là, Jérôme Bourgeois, quatre-vingts ans, osa laisser se dire en lui son propre refus devant les obligations de la vie, les renoncements à quoi nous forcent notre âge et la marche impitoyable des années. Il se blessa contre sa propre incapacité, il rencontra sa limite et, on peut maintenant le savoir, il n'y survécut pas.

— Excuse-moi, dit-il à sa femme, je pensais à notre vie et à cette vente qui me rend si malheureux.

Clarisse ne releva pas. Ils en avaient parlé des dizaines, des centaines de fois, ils étaient tombés d'accord, elle ne reviendrait plus sur cette décision qu'ils avaient prise ensemble.

— Tu n'as pas oublié que Jacques et Micheline viennent à midi ? dit-elle à son mari.

Jérôme n'avait pas oublié et ils rentrèrent préparer le déjeuner. Le dernier déjeuner de Jérôme.

— Cette vente l'a tué, me disait maintenant son fils. Papa ne voulait pas quitter sa maison.

10 SEPTEMBRE 2014

C'était une supposition bien sûr, au mieux une intuition invérifiable. Le fils de Jérôme avait besoin d'une raison. Un décès étonne toujours ceux qu'il fait souffrir, il les surprend dans l'amour qu'ils éprouvent, il interrompt cette évidence des sentiments réciproques. Il leur semble souvent inopportun, survenu trop tôt. Pour eux la mort de leur père ou de leur mère, de celui ou de celle qu'ils aimaient, n'est pas dans l'ordre des choses (comme elle le serait pour un étranger qui verrait froidement l'événement) mais un pur arrachement que rien ne justifie. Personne ne se résout à perdre personne. À son fils qui l'aimait, la disparition de Jérôme, malgré ses quatre-vingts ans, ne paraissait pas seulement *naturelle*, elle avait eu un déclencheur.

Presque personne n'a envie de mourir et presque personne n'a envie de voir mourir les autres. On voudrait que le monde dont on goûte la composition ne change pas, que la vie demeure dans les êtres éphémères qui l'accueillent, simplement parce que l'on tient à eux. On supplie que les tombes attendent éternellement vides ceux qui ont vieilli jusqu'à s'approcher des âges où l'on meurt. On voudrait avoir l'éternité avec ceux qu'on aime. On voudrait exactement le contraire de ce qui est. Et l'on oublie les cycles, les nécessités, l'évidence. On extrait l'individu du grand mouvement vital auquel il appartient. On resserre la vie aux dimensions des attachements qu'on a. Par quel maléfice faudrait-il que le bel ensemble perde une de ses pièces et se disloque ? Quand un homme, comme Jérôme, a six enfants et douze petits-enfants, une multitude d'amis, une épouse, des frères et sœurs, une maison et un jardin, une énergie intacte, des engagements jusqu'au bout du monde et le sourire, quand tant de gens tiennent à lui et attendent quelque chose de lui, quand il sait le donner, pour quelle raison faudrait-il qu'il meure ? Comment son cœur qui battait devrait-il d'un seul coup s'arrêter ?

— Justement quand papa s'était remis de son opération à la hanche et retrouvait le plaisir de marcher ! déploraient ses enfants.

Pourquoi à ce moment si mal choisi et pas plus tard ? Il fallait une réponse à cette question. L'esprit occidental aime tant les causalités, les explications rationnelles, les fondements. Eh bien voilà, Jérôme était mort parce que sa vie et sa maison étaient une seule et même chose. En perdant l'une, il avait perdu l'autre.

— La seule idée de quitter sa maison lui a brisé le cœur, dirait Bertrand Bourgeois, son fils.

Et je le comprends bien.

11 SEPTEMBRE 2014

Je le comprends bien parce que je sais de quelle manière l'essentiel de la vie adulte de Jérôme Bourgeois se passa dans le village de Saint-Pâtre. Ce ne fut de sa part ni erreur, ni étrécissement ou limitation, ni refus ou fermeture, mais sa manière de créer et d'accueillir. Jérôme ne chercha pas le trésor de sa vie ailleurs que dans sa propre maison. Il ne courut pas le rêver sur les routes du monde. Il ne leva pas le regard vers le vent. Il se préoccupa de ceux à qui le liait sa vie. Il ne laboura pas un autre champ que celui des siens. Comme un végétal, un grand arbre rejet d'un grand arbre, il enfonça ses racines là où se présentait l'occasion de croître et de servir. Amarré à son épouse, lesté de six enfants nés en neuf années, riche de son diplôme et de son élan, il s'était ancré dans ce jardin, sous ce chaume dont il prenait grand soin, car on a besoin d'un toit sur sa tête et Jérôme avait assez de tête pour le savoir. S'il voyagea, ce ne fut jamais que pour l'agrément, en touriste qui rentrera chez lui et ne fait qu'effleurer du regard des pays où il ignore à quoi ressemble une journée de la vie quotidienne. Jérôme fut résolument français et provincial. Il ne fut pas médecin du monde, il fut médecin de son monde : il soigna les gens du coin. C'était peut-être moins glorieux, personne d'ailleurs ne lui remit de décoration, mais ce fut bon pour ceux qui étaient là. Généraliste, Jérôme recevait tous ceux qui le demandaient : les personnes âgées solitaires et les nourrissons avec leur mère, les enfants qui étaient à l'école *avec ceux du docteur* et venaient se faire soigner en même temps que jouer chez lui, les ouvriers, les derniers agriculteurs, les commerçants, les notables. Il n'en avait jamais assez des gens, il disait oui je vous attends. Parfois on le payait en nature : un pain, une poule, un lapin. Clarisse embarquait l'animal à la cuisine. Jérôme avait accepté le suivi médical des détenus de la prison voisine. C'était le temps où Michel Foucault militait. Jérôme ne lisait pas le théoricien des châtiments, il pénétrait dans la détention. Pas un appel d'autrui qu'il n'entendît ! Quand on se donne à dévorer aux autres, on n'a jamais le temps de s'inquiéter pour soi. Jérôme était une énergie en mouvement.

Rien de poncif dans cette disponibilité remarquable, l'homme y mettait du cœur, qu'il avait singulier. Élevé dans le 16ᵉ arrondissement puis installé dans la petite province qu'étouffe la proximité de la capitale. Né chez les nantis et soignant les pauvres. Éduqué par les livres et la science, mais plus soucieux de découvrir le malade que la maladie, devenu homéopathe. Nourri en somme de plusieurs mondes, il était sans le vouloir un original. Un hurluberlu, disaient ses frères. Un bon zigue : charitable, fervent, conseiller municipal, adepte du vélo, du bridge et de la rigolade, aussi unique que chaque vivant peut l'être s'il se donne la peine de laisser le courant l'envahir. Et à la fin de sa vie le docteur Bourgeois fut légendaire – ce qui n'est pas donné à tout le monde. Mais parce qu'il était dans l'instant, il fut sans prétention. Pas de retour vaniteux sur les accomplissements passés, pas de plans sur la comète : l'existence telle qu'elle vient, l'existence sans économie ni cérémonie de soi. Jérôme Bourgeois avait la sagesse de s'installer ici et maintenant.

Fréquemment appelé au-dehors, passant une partie de ses journées en visites, Jérôme était toujours absent lorsque l'on arrivait chez lui à l'heure prévue. Il accourait ensuite. Je me souviens que son visage luisait et rayonnait comme s'il finissait une course, heureux d'avoir réussi l'épreuve : essoufflé et suant. Il s'était d'avance réjoui de cette journée.

— Qu'est-ce que tu as ? demandait immanquablement Claude chaque fois qu'il passait le dimanche à Saint-Pâtre, accompagné de ses filles et de sa femme, et s'agaçait de l'allure rustique qu'il trouvait à son frère.

— Rien ! Pourquoi me demandes-tu ça ? s'étonnait Jérôme, qui ne comprenait même pas la question et ne s'en vexait jamais, hilare parce qu'il était heureux, un peu éberlué parce qu'il acceptait de ne pas comprendre.

Je me plais à croire qu'il fut, un temps du moins, le plus heureux de tous les frères, profitant sans question de ce tempérament qui cherchait la vie comme l'eau et n'en voyait que le meilleur. Jérôme était-il même capable de se laisser aller à être malheureux ? La médecine lui avait enseigné la sagesse. La vie, c'était cette chose immense à laquelle il fallait s'abandonner sans peur, cette force en nous et tout autour de nous, ce maelstrom de la chair et du sang, éternels, passant de corps en corps, cette danse à laquelle nous étions conviés, cavaliers parmi des millions d'autres. Jérôme ne refusait jamais de danser, il dansait avec le monde, il emportait la terre entière dans sa sollicitude, il allait à droite et à gauche rendre service, recevait à toute heure ses patients, écoutait des plaintes et apaisait des souffrances, devenait volontiers le larbin de ses enfants et de sa femme, parce que si l'on se donne aux uns on ne peut pas se refuser aux autres. Jérôme courait toute la journée et à la fin de sa vie son dos se courberait un peu, il courrait la tête baissée. La joie de l'âme est dans l'action, il avait fait sienne cette devise que le maréchal Lyautey avait empruntée à Shelley le poète et que ceux des Bourgeois qui choisirent la carrière des armes avaient apprise à Saint-Cyr. Devise d'officier pour un médecin qui entretenait une vision sociale de son métier et avait réussi le mariage parfait pour concrétiser l'idée qu'il s'était faite de sa mission.

Car Jérôme ne s'était pas trompé en épousant Clarisse, une énergie de la même farine, capable de suivre et d'agir dans ce mouvement impétueux qui fut le rythme ordinaire de leur ménage. Comme on le dit à la guerre : l'intendance suivait. La porte et la table étaient ouvertes. Quantité d'invités s'ajoutaient aux huit couverts quotidiens. Clarisse ne s'en plaignait jamais et s'organisait en conséquence. Deux congélateurs, deux réfrigérateurs, des sacs de frites de cinq kilos, des escalopes de dinde congelées par vingt, Clarisse nourrissait une colonie de vacances. Jérôme ne perdit jamais ce goût de la compagnie à laquelle son enfance l'avait accoutumé ; dans des temps modernes où la domesticité n'existait plus il avait trouvé l'épouse capable d'assumer seule cette charge énorme. Elle en avait fait la matière de sa vie, comme si le soin qu'elle prenait des affaires matérielles la contentait, comme si l'amour maternel était suffisant. Et il l'avait été, Clarisse n'avait rien demandé pour elle seule, pas de métier, pas de loisir, juste autour d'elle le tourbillon des six enfants. Je m'en émerveille et je comprends comment, la vieillesse arrivant, elle avait voulu un appartement coquet en centre-ville. Et comment elle devint, avant cela, une de ces femmes qui parlent fort plutôt que l'une de celles qui pleurent.

20 JUIN 1984

En plus d'abriter sa nombreuse progéniture et ceux qui avaient besoin d'un réconfort, la maison de Saint-Pâtre accueillait les fêtes familiales. Quel aurait été le plaisir ou l'intérêt de jouir d'un si vaste salon, d'une salle de jeu et d'un tennis, si ce n'était pour y recevoir familles et amis ?

Jérôme et Clarisse ne manquaient ni des unes ni des autres. Ce samedi 20 juin, premier jour de l'été 1984, tous les Bourgeois avaient été conviés aux cent ans de Jérôme et Claude. Des deux frères, l'un avait cinquante et un ans et l'autre quarante-neuf dès juillet. Jérôme avait eu cette idée de les fêter ensemble, officialisant la quasi-gémellité qui depuis un demi-siècle était la leur. Il était près de midi. Les voitures se garaient les unes derrière les autres en bordure de la route. On entendait claquer les portières et les coffres, bruits typiques du voyage motorisé, comme dans une transhumance les cris des bergers et les aboiements des chiens. Chaque famille passait le portail et entrait dans le jardin, deux parents, leurs enfants, en grappes plus ou moins fournies – deux, trois, quatre, six, sept – et toujours la mère portant le plat qu'elle avait cuisiné.

— On pose tout sur la table et chacun se sert sans cérémonie, disait Clarisse à chaque nouvel arrivant.

Pas de tire-au-flanc chez les Bourgeois : on avait appris à faire ce qu'on disait et pas moins. Tout le monde avait donc apporté quelque chose et la profusion de cakes, salades, gâteaux et autres tartes faites maison répondait sans pénurie à la profusion des bouches qui, pour commencer, embrassaient des joues et ne réprimaient pas les exclamations. Le brouhaha s'amplifiait de minute en minute au fil des arrivées.

— Chacun se sert ! répétait Clarisse, d'une voix tonitruante qui était devenue un sujet d'amusement pour la famille, comme si elle avait crû avec la maisonnée, le nombre d'enfants et le tour de taille de leur mère.

— Posez tout sur la table !

— Mais servez-vous !

— Servez-vous les enfants ! Allez ! Allez !

Quelques-uns commençaient à remplir une assiette en carton. Près de quatre-vingts Bourgeois avaient répondu à l'invitation. Certains avaient traversé la France. La famille méritait tous les efforts et d'ailleurs, on était heureux de venir à Saint-Pâtre. Hélas, Clarisse n'avait pu dresser la table dehors, la pluie éreintait le chaume et enfermait l'assemblée dans la salle à manger au plafond bas ou dans le salon des ballets roses. Ils l'avaient annoncé ! entendait-on répéter par-ci par-là, parce que le commentaire météorologique est une incontournable entrée en matière des conversations dans les rassemblements où le nombre interdit que quelque chose se dise. Chez les Bourgeois, on ne se disait pas, on se retrouvait et on se reconnaissait. À la première génération, dix frères et sœurs c'était facile, les *pièces rapportées* (ainsi appelait-on les conjoints) étaient un peu submergées mais elles savaient qui était qui. On se perdait davantage dans la descendance nombreuse. La nouvelle génération avait fini de naître et cette postérité proliférante – quarante cousins germains – était une incarnation de la vitalité de Jérôme et de sa fratrie. Des nuées d'enfants couraient et riaient, les cousins renouaient. Ils vivaient à Paris, à Lyon, Toulon, Annecy… et depuis la mort de la grand-mère Gabrielle, personne n'organisait plus le Noël qui longtemps les avait rassemblés une fois par an. Les oncles et tantes ne reconnaissaient plus leurs neveux et nièces qui grandissaient. De temps en temps, le verre ou l'assiette à la main, l'un des adultes attrapait par le chandail un gamin monté en graine.

— Tu es qui, toi ? plaisantait-il.

Cela voulait dire : Duquel de mes frères et sœurs es-tu l'enfant ? Et la réponse prenait la forme d'une filiation : Je suis la fille de Claude. Je suis le fils aîné de Marie. Ah ! répondait celui qui ne s'y retrouvait pas. Et quel âge as-tu ? Vingt-trois ans. Dix-sept ans. Et que fais-tu dans la vie ? Je viens de finir HEC. Je passe le bac. Je parie que tu es bon élève, disait l'oncle ou la tante avec espièglerie. Et le jeune homme ou la jeune fille faisait une moue souriante. Ça peut aller !

— Tu te rends compte, c'est le fils de Marie, il passe le bac !

Le saisissement devant la vie se répétait. L'information circulait entre adultes. Et chacun s'étonnait en effet de n'avoir pas reconnu l'enfant qui était petit la dernière fois qu'on l'avait vu. Ou bien les années passaient trop vite ou bien on ne se réunissait pas assez souvent. En vérité, me dis-je, c'est l'immobilité du monde – la lenteur des destructions – qui crée l'invisibilité du temps. Parce que les objets ont une apparence immuable, parce que les hommes faits ne se défont pas si vite, parce que le monde familier en se transformant sous nos yeux cache sa métamorphose, nous oublions le temps, sa puissance et ses effets.

Le temps passait déjà sur eux tous et ils ne le voyaient pas, stupéfaits quand les choses ou les personnes avaient tellement changé qu'il fallait bien en convenir. Alors les anciens réalisaient ce qui avait disparu ou ce qui était apparu. Les anciens voyaient tout. Ceux qui vieillissent regardent ceux qui deviennent adultes alors que l'inverse est rare. La jeunesse est aveuglée par la jeunesse, elle n'a même pas idée des âges de la vie : à l'adolescent, le trentenaire paraît vieux. Ainsi ceux des Bourgeois qui se déployaient ne prêtaient pas attention à ceux qui se courbaient. Leur perception n'était pas encore affinée. L'avenir les occupait, le passé n'existait pas encore parce que leur propre passé était minuscule. Ils n'avaient pas compris que le présent convertit l'un dans l'autre à grande vitesse. Combien de temps met-on à le comprendre ? Combien de temps faut-il pour *voir* le temps ? Il faut avoir passé le sommet. Alors vient l'idée de se retourner. Lorsque ce col est franchi la perspective s'élargit en même temps que le regard gagne en puissance, devient extraordinairement perçant et avisé.

Voyons.

23 SEPTEMBRE 2014

Jérôme, qui avait été le cinquième à mourir, était le septième de dix enfants. Six sont morts maintenant, les quatre autres ont passé l'âge de faire des projets.

Ils sont les enfants d'Henri et de Mathilde.

D'abord je pense à leur nombre : dix.

Ensuite à leur genre : huit garçons et deux filles.

Enfin j'écris leur nom, si bien porté : Bourgeois.

Ils ont été baptisés dans l'Église catholique : Jules, Jean, Nicolas, André, Joseph, Louise, Jérôme, Claude, Guy, Marie.

Ils sont venus au monde entre deux guerres, d'une hécatombe à un génocide, ils ont traversé le cœur du siècle noir, ils ont mordu dans des jours qui mordaient.

Dans la vie, ils sont allés par équipes. *Les grands* étaient nés en moins de trois années, de 1920 à 1923 : Jules, Jean, Nicolas. Jules fut l'enfant unique dix-sept mois durant, seul souci de Mathilde pendant les huit premiers mois où il fut le fils aîné sans successeur, avant que les forces et les pensées de sa mère n'allassent aussi à l'enfant qu'elle attendait : Jean.

— Jules et Jean étaient de très bons élèves, me confie Claude qui n'en fut pas un.

Dois-je en déduire que Nicolas ne l'était pas. Le troisième garçon, né quinze mois après Jean, fut-il le premier rebelle de la famille bien élevée ? Je crois que la réponse est oui.

— Fallait pas l'emmerder, Nicolas, dit Claude, il avait le sang chaud.

Après ces trois fils, Mathilde connut le répit de quelques fausses couches. À l'été de 1926, une seconde cascade d'enfants allait dégringoler dans sa vie. Personne alors n'en savait rien car, disait-on, Dieu donne et Dieu reprend. Dieu donna. André naquit au mois de juillet. À peine quinze mois plus tard il avait un petit frère Joseph, né le 22 octobre 1927. Et enfin, deux ans après cette fraîche paire mâle, un événement se produisit : la première fille vint au monde. L'année 1930 approchait de son printemps. Le bon Jules avait presque dix ans. La famille d'Henri et de Mathilde était déjà nombreuse : cinq garçons et Louise nouvellement née. La petite était ravissante et promettait de ressembler à sa mère. André, Joseph, Louise firent le second trio. Ils n'étaient ni *les grands* ni *les petits* car Mathilde et Henri ne s'arrêtèrent pas à cette glorieuse descendance. Trois ans après la naissance de Louise ce fut le tour de Jérôme, un an plus tard Claude, et ces deux-là, qui avaient treize mois d'écart, vivraient collés l'un à l'autre, à la façon de certains jumeaux. Ils formeraient la fine équipe par excellence. Jérôme et Claude verraient naître encore deux enfants : un petit frère, un dernier fils, Guy en 1937, enfin Marie la deuxième et dernière fille. Elle naquit en 1940, le Vendredi saint de cette année malencontreuse. Le compte y était. Mathilde et Henri n'auraient pas d'autres enfants. *Les petits* seraient quatre : Jérôme, Claude, Guy et Marie.

Une même femme peut mettre au monde pareille fratrie. Il lui suffit de devenir à dix reprises cette chrysalide ardente et lasse qui couve, accouche, allaite, berce. Il lui suffit, sans simagrées ni coquetterie, d'être tour à tour vacante et habitée, toujours affairée dans la fatigue ou dans la plénitude, pendant vingt ans. Vingt ans : juste le temps de fabriquer un homme. D'ailleurs l'aîné Jules en était un, il fut le parrain de Marie, et la première fille Louise la marraine du dernier garçon, Guy. On peut naître avec un frère déjà passé du côté des adultes. On peut, comme Marie, être le dixième enfant d'une mère qui donne sa vie de toutes les manières possibles. Et peut-être faut-il dire qu'alors, on n'a pas sa mère pour soi.

Personne, non, n'avait Mathilde pour lui tout seul. Mais chacun avait la compagnie des autres, le grand mouvement du groupe (les uns qui sortent les autres qui entrent, les uns qui jouent les autres qui étudient, celui qui pleure et celui qui s'amuse, celui qui boude ou celui qui hurle…), l'exemple que donnaient les grands et les espiègleries des petits, le chaud de leurs corps dans la chambre, le chaud des larmes partagées, le chaud des rires et des bêtises, un vaste réconfort dont la saveur était aussi multiple que l'étaient les caractères. Chacun recevait la force et l'appui des autres. Aucun n'était seul pour ressentir ce qu'il ressentait. Les épinards, personne ne les aimait, mais tout le monde les mangeait. En se faisant des grimaces et en rigolant. Le grec et le latin, nul n'y coupait, Henri y tenait, Nicolas fouillait dans les vieux devoirs de Jules ou Jean. Quant à la musique, le piano ne fut obligatoire que pour Louise. As-tu fait ton piano ? demandait Henri à sa fille. Les petits écoutaient leur sœur. Plus tard Louise fut désignée pour enseigner Marie. Ça n'était pas une sinécure ! Le verdict tomba très vite : Marie était anti-douée pour le piano. Tout le monde en rigola : Louise était-elle vraiment pédagogue ?

On se tenait les coudes. Le surveillant des neuvièmes était méchant, toute la troupe le savait. Conseils et préventions circulaient. Être dix, c'était avancer dans la vie comme une étrave avec derrière soi le tonnage d'une énorme famille. C'était une force inouïe, la force du nombre. C'était se présenter devant le père avec l'encouragement des autres, et s'agglutiner autour de la mère dans la chair des autres, et goûter à la table des autres. C'était ne se sentir jamais seul mais aussi être heureux quand par miracle on l'était, séparé soudain de l'essaim, dans un silence éblouissant ou près d'une mère disponible. C'était exister dans dix au lieu de n'être qu'en soi. C'était avoir grandi à la source de la vie, dans sa division cellulaire : spectateur de l'apparition d'autrui. Je n'ai connu maman qu'enceinte, remarque souvent Claude. Tous les deux ou trois ans la famille revivait une naissance : un nouveau-né criait, mangeait, grandissait, souriait, vous regardait, vous reconnaissait et enfin vous parlait. Quand il venait au monde, dans le silence de la maison inquiète, tout à coup un accueil joyeux, des dames affairées sortaient de la chambre de maman, Henri appelait alors ses enfants. Venez voir ! disait-il. Chut, indiquait son index, en travers de la moustache, aux plus petits qui se bousculaient pour approcher. Ne faites pas de bruit, vous allez faire pleurer le bébé. Et l'on prenait le temps de faire une photographie : Mathilde assise contre l'oreiller blanc, dans le creux de son bras la petite boule noire que fait la tête du nourrisson, de part et d'autre de ce lit d'accouchée Henri et ses enfants.

— Quand on est nombreux on ne pense pas à la mort, dit Marie à l'occasion des obsèques de Jérôme.

On pense à la vie ! Elle apparaît sous vos yeux ! Et le fait est indéniable : être vivant était pour eux, les Bourgeois, plein de saveur. Tandis que leur éducation leur avait appris à se tenir, c'est-à-dire à se retenir, leur tempérament était vif et émotif. Leurs passions les prenaient en entier. Ils ne connaissaient pas l'indifférence mais la plainte et le déballage public avaient été rayés de leur monde. Rêveurs ou sentimentaux, ils ne s'autorisaient pas à l'exprimer. Le flux intérieur se libérait par le mouvement. Deux militaires, un héros devenu invalide, deux marins, un avocat, un homme d'affaires, un

médecin, et quarante enfants : ils affrontèrent la matérialité du réel. Ils furent une lignée active. Je les qualifie
par là, des personnes pratiques, disposées à l'action, qui
avaient su risquer leur vie.

Et je songe : être dix cela signifiait peut-être se sentir invincibles. C'était une puissance, une floraison
charnelle qui avait l'allure d'un spectacle éternel. Dix
ne meurent pas. Il reste toujours quelqu'un ! La tribu
Bourgeois, sa saga bruyante le disaient à leur manière : la
mort était une bagatelle défaite par la fratrie compacte.
Quand André avait rejoint Nicolas auprès du Seigneur,
les mêmes explications avaient apaisé l'inquiétude : une
faute chirurgicale l'avait épuisé comme sa prothèse avait
épuisé Nicolas. À huit, la fratrie tenait bon. Lorsque Jules
était mort, on avait pu le croire encore (il était le plus
âgé, les opérations l'avaient sûrement fatigué, il n'avait
pas pris soin de lui), mais la confiance avait senti sa première faille. En prenant Jérôme, en s'immisçant tout à
coup chez *les petits*, la mort les ébranla tous. Est-ce que
les petits meurent aussi ? semblait s'étonner Claude. La
joie d'être nombreux s'évanouissait un peu plus. Oui les
petits mourraient aussi. Car ils n'étaient plus les petits
mais désormais les anciens, la génération qui allait passer. C'était fini la force et la saga, voilà, c'était en train de
finir, pensait Claude en baissant la tête. Je le connais si
bien lorsqu'une pensée l'attriste et qu'il combat comme
un bouc qui ne veut pas s'effondrer ou comme la petite
chèvre de M. Seguin, si courageuse et folle, dont enfant
il aimait l'histoire. Il était arrivé à ce moment d'ébahissement où je suppose que chaque homme parvient un

jour s'il ne meurt pas avant. On a mangé tout le temps dont le corps dispose, on a dévoré la jeunesse et avalé la maturité et commencé de goûter la vieillesse et on se dit : Comme c'est passé vite ! À quoi cela rime-t-il ?

Ceux qui naissent et vivent dans le même temps, sauf accident, mourront dans le même temps et le nombre ne change rien à l'affaire, au contraire. Qu'est-ce qui ne se paie pas en argent comptant dans l'existence ? La joie de chaque naissance recevra sa réplique en tristesse du décès. Voilà la règle de la vie et de la chronologie, sa marche inexorable, son arithmétique parfaite. Il n'y a pas de fin heureuse, la mort n'oublie personne, c'est une mécanique parfaitement huilée, il n'y a jamais d'erreur. Il faut ou bien mourir ou bien voir mourir les autres. Une tendresse m'habite pour celui ou celle qui restera le dernier vivant de la flamboyante fratrie, ultime témoin du déploiement joyeux puis du repli des forces fraternelles. Celui-là aura connu neuf fois la peine du deuil et l'angoisse de la perte, et la solitude pour vivre et mourir. Fin de la fraternité.

On ne pense pas à ces choses dans l'enfance. Et parfois une qualité particulière de l'élan en soi permet durant toute la vie d'oublier la fin de l'histoire. Claude avait possédé cette énergie inconsciente, cette pulsion d'aveuglement et de vitalité, comme si l'ordre naturel des choses ne s'était pas fait connaître de lui, lui épargnant les lucidités sur la cruauté ou l'inanité de l'existence. De la même manière que Jérôme, il se dépensait dans l'instant, il ne se perdait ni dans l'imagination de l'avenir ni dans la remémoration.

— Je ne pense jamais à la mort, me disait-il à moi qui y pense sans cesse.

Et maintenant "son" Jérôme, le témoin et le compagnon, a terminé sa vie. Claude Bourgeois survit à son quasi-jumeau, il n'en croit pas ses yeux, il ne s'accoutume pas à l'affreuse idée, il ne peut pas s'y faire. Nous sommes ensemble au théâtre du Vieux-Colombier, assis autour d'une petite table, au milieu des maquettes d'anciens décors des pièces du répertoire.

— C'est fou ce qui est arrivé à Jérôme, me murmure-t-il tout à coup.

Le voilà à nouveau qui s'étonne d'un extraordinaire ordinaire. Alors que Jérôme, me dis-je, vient de mourir à quatre-vingts ans, ce qui n'a en vérité rien de fou ou d'étonnant.

J'acquiesce. Est-ce qu'on discute le désarroi du deuil ? Bien sûr que non.

— Oui c'est fou, dis-je à Claude.

Et je pense : oui c'est fou de mourir si vite, en quelques minutes, fou et merveilleux à la fois.

Claude me sourit tristement, sans savoir à quoi je pense, sans savoir jusqu'à quel point je l'estime, combien je suis touchée, ou comment je devine et me représente la vie qui fut la sienne, avec Jérôme et tous les autres. Le culte du souvenir me paraît une forme d'accomplissement, qui perce les énigmes, s'émerveille des réussites anciennes et s'épouvante des drames, critique avec la bienveillance de l'amour et la clairvoyance que donne le recul. Il forge des exemples, il éclaire le présent : il émancipe par la racine. Il anéantit le biais de rétrospection et forge ainsi une fraternité des temps.

— Claude ? appelle Solange, son épouse.

Nous entrons dans la salle du théâtre ; elle fut inaugurée en 1913, au temps où le père de Claude avait l'âge d'aller au spectacle. Ce soir, les acteurs joueront *Othello*. Ce soir Othello va mourir, il tuera Desdémone avant de se planter le poignard dans le cœur, et à ce moment précis où l'acteur tombera sur la scène, juste sous nos yeux, Claude pensera à nouveau à son frère, Jérôme. Mort lui aussi.

7 JUILLET 1934

Claude quant à lui était le huitième de la tribu. Jérôme avait treize mois lorsque ce petit frère lui arriva. C'était un cadeau vraiment, même si Jérôme ne le pensa pas étant donné son jeune âge, et parce que l'on ne sait jamais quelle tournure prennent les liens, quelle nourriture ils deviennent et le socle invisible qu'ils constituent. Parce que l'on n'a jamais assez idée des dérélictions qui auront besoin en nous d'être consolées et du pouvoir d'une présence. Séparé de ses cinq frères aînés par Louise – une sœur –, Jérôme aurait pu sans Claude se retrouver étrangement isolé : seul au milieu de sept. Jules, Jean et Nicolas avaient grandi, adolescents qui étendaient déjà leurs mains et leurs pensées vers le dehors. Joseph avait six ans et vivait dans l'ombre d'André, il ne se tournait pas vers Jérôme. Louise était une fille, si proche de sa mère qu'entre elles deux nul ne se glissait. Jérôme vivrait avec Claude. Leurs nuits, leurs jeux, leurs larmes, leurs attentes, leurs vacances, leurs bras, leurs jambes, leurs cheveux, leurs maladies, tout se mélangerait dans un côtoiement perpétuel. Dans la chambre, dans la salle de bains, dans la charrette à foin, à la campagne et à la plage, et même au chevet de leur mère, et plus tard, après tous les accidents, en pension, ils seraient tous les deux. Jérôme était aussi blond que Claude était noiraud, aussi joyeux que Claude était sensible et facilement peiné. Dans le bureau d'Henri, le blond et le brun étaient convoqués ensemble. Jérôme et Claude ! Votre père vous demande ! Ah vous voilà enfin tous les deux ! Regardez ça ! La fine équipe regardait son œuvre. Un foutoir, une faute, un manquement. Et lorsque Jérôme à quinze ans s'approcha tout près de la mort, Claude passa ses journées de vacances à son chevet.

Claude naquit pendant l'été de 1934, six jours après la Nuit des longs couteaux, et quelques semaines avant que la mort du président Hindenburg ne laissât accessible aux manipulations de son chancelier la place de chef suprême des armées allemandes. Pendant le premier mois que vécut le huitième enfant d'Henri et de Mathilde, exactement à ce moment, le Führer concentra un pouvoir absolu entre ses mains criminelles, devenant contre tous ses mérites plus puissant qu'un roi ou qu'un empereur, et le futur fossoyeur d'une illusion européenne. On dit que les nourrissons absorbent toutes les émotions qui secouent leur univers. Mathilde fut-elle émue par une quelconque perception de ce qui montait en Europe ? Que pensa-t-elle de ces chefs qui excitaient à la haine et à la tuerie ? En conçut-elle du désespoir ? Un comité de vigilance des intellectuels antifascistes s'était créé à Paris au mois de mars. L'an II du régime national-socialiste en Allemagne avait été acclamé par des vivats formidables. L'Allemagne renaissante dans sa mythologie guerrière fit-elle peur à Mathilde ? Les affiches antisémites commençaient de couvrir les murs de Berlin et la presse parisienne s'entretenait avec Alfred Einstein qui avait fui l'Allemagne. Une gigantesque émigration de l'intelligence vidait le pays déjà maudit et abandonné depuis 1918. *Le Figaro* révélait l'état d'âme d'un peuple qui brûlait ses livres et la progression dangereuse des persécutions ouvertes. Les juifs d'Europe auraient tous bien fait de se sauver vers l'Amérique ou la Palestine et d'oublier qu'ils étaient allemands, intégrés, cultivés, et que trente ans plus tôt ils avaient donné leurs fils à la Patrie en guerre. Beaucoup ne purent l'imaginer, s'y résoudre, ou y parvenir, et la suite tragique est connue. Qu'acclamaient les gens ? se demandait peut-être Mathilde. Sûrement leur impression d'une résurrection de l'Allemagne, après les années de la défaite et de la crise, après le chômage et l'inflation, la famine et la honte. Mais comment Mathilde aurait-elle pu le savoir puisque le pays de Goethe et de Heine depuis quinze ans était le grand banni de l'Europe, isolé comme un malade contagieux ?

Comment aurait-elle pu le décrypter, prise par ses occupations, pendant que le monde allait sans elle – car c'est bien ainsi qu'il va autour de nous. Et où allait-il ? Qui pouvait le savoir ? La France était tout occupée à ses affaires financières et la révolte sociale couvait. Les gogos et les puissants s'étaient ensemble laissé duper par le charme d'un bandit de grande classe. Par chance ce Stavisky s'était suicidé dans le froid savoyard. Le silence de la mort arrangeait bien la classe politique. Voilà ce que sentait le peuple en quête d'assainissement. À Paris, place de la Concorde, à moins de un kilomètre de l'appartement des Bourgeois, les grèves de février avaient tourné à l'émeute. Henri Bourgeois y pensait. Après l'hécatombe tragique de 1914, verrait-il la guerre civile ? La ruée des manifestants contre les forces policières était-elle le signal d'une révolution ? Lycéens à Janson-de-Sailly, Jules et Jean avaient assisté aux journées dramatiques du plus près qu'ils avaient pu : le 6 février avait été un choc. Des hommes étaient morts dans la même ville qu'eux, des hommes qui l'instant d'avant chantaient ensemble *La Marseillaise* et *L'Internationale*. Qu'est-ce que c'était *L'Internationale* ? Que fallait-il penser de la réconciliation des syndicats et de l'extrême gauche ? Ils avaient entendu un camarade répéter cette question que se posait son père. Les deux garçons parlaient le soir dans leur chambre. Ne fallait-il pas, comme le disait ce Gide que honnissait Henri, se placer résolument *du côté des porte-monnaies vides* ? Les autres n'étaient-ils pas tous salis par des trafics d'influence, des escroqueries ? Jules et Jean voulaient comprendre quelque chose à la marche du pays. Peut-on traverser l'existence sans éclaircir ses opacités ? Et quand leur mère venait les embrasser, quand ils étaient à genoux au pied de leur lit pour dire leurs prières, ils savaient que le catholicisme généreux était la réponse de leur famille aux questions qu'ils se posaient. Dieu nous regarde ! Jean et Jules dans leurs intentions lui confiaient le bonheur de tous. Ils ne seraient pas les pourfendeurs de la religion transmise par leurs parents. Ils seraient pieux jusqu'à leur mort. Et comme leurs parents, ils seraient de la droite chrétienne parce que la gauche était anticléricale.

L'hiver était passé sur le sang versé pour l'équité. Il y avait eu des rondes de la police montée. Des agents cyclistes circulaient dans Paris. Tout fichait le camp, disait-on. Vers quelle société nous entraînaient ces violences ? Mais les morts seraient oubliés, la justice attendrait, et pour Mathilde, *l'heureux événement* serait heureux. Ses sept enfants étaient partis en vacances dans la maison de campagne de leur grand-mère Valentine. Avant de les rejoindre, Claude, au cœur de ce climat pernicieux, ouvrait de plus en plus souvent ses yeux bleus, levait ses petits bras dans l'atmosphère brûlante de la ville, découvrant l'air, le mouvement, et qu'il possédait un corps.

14 NOVEMBRE 2013 À DIX HEURES

Pour l'instant, presque quatre-vingts ans après les émeutes qui annonçaient le Front populaire, Claude venait de perdre *cet imbécile de Jérôme* et je le conduisais prudemment (avec sa femme Solange et sa sœur Louise) à la messe d'enterrement dans l'église de Saint-Pâtre. Je dis *prudemment* pour marquer l'anormale attention aux désastres qui surgit après un décès. L'idée de la mort nous rappelle à des précautions que nous n'avons pas toujours, parce que vivre réclame en réalité de ne pas continuellement se défendre de mourir. Il pleuvait comme vache qui pisse, la route était éclaboussée et j'avais charge d'âmes, des âmes en peine, qui m'étaient plus précieuses soudain par cette ordinaire alchimie du deuil.

Le Bassin parisien, lugubre et dégoulinant dans l'absence de lumière, les villes que l'on dépasse en partant vers l'ouest – Vélizy, Bièvres, Orsay, Dourdan –, ce paysage de banlieue pavillonnaire relié à la voie rapide se tenait sous la mitraille et les cordes drues de l'averse frappaient un silence de mort dans l'habitacle. À ma droite, Claude était immobile. Lui d'ordinaire si loquace et plein d'allant semblait évaporé, l'esprit ailleurs. Il était sonné comme l'est un boxeur qui vient de prendre un coup, saisi par la stupeur et la douleur. Il avait perdu quatre frères avec une force impassible, il en allait cette fois autrement. Jérôme, c'était lui. Son enfance était la sienne, et sa jeunesse et sa mémoire. En somme, confondu avec son quasi-jumeau, Claude venait de mourir.

— C'est comme si *moi* j'étais mort, dirait-il quelques semaines après la mort de Jérôme, confirmant cette intuition d'une confusion des morts qui était une fusion des frères.

Claude avait toujours oublié et accompli, et voilà que la mort de Jérôme avait déchiré le rideau derrière lequel longtemps ils avaient caché l'idée même que l'on meurt.

— Je n'ai jamais pensé à la mort et maintenant tous mes frères meurent ! répétait-il, comme stupéfait par une chose pourtant si naturelle et prévisible.

Et je savais que cet évitement salvateur (et désormais anéanti) était venu des premiers âges, où l'esprit barricadé dans une grotte sécrétée contre le mal souffre sans mot.

— Quand on nous a emmenés à la clinique pour la voir, maman était morte, m'avait dit Claude au sujet de ce deuil originel.

— On sera bientôt deux garçons, disait-il maintenant.

Il voulait dire deux sur huit. Après la mort brutale de Jérôme, il anticipait celle de Jean, le doyen vivant de la fratrie Bourgeois, qui avait quatre-vingt-douze ans, vivait alité depuis six mois, incapable de lever un bras ou une jambe, et dont la faiblesse croissante prenait la forme d'une agonie indolore. Claude le visitait de plus en plus souvent, prenant le TGV pour Lyon, passant deux heures au chevet du vieil officier de marine, celui-là même qu'il pouvait encore se rappeler en uniforme de capitaine de vaisseau, autrefois, dans un temps qui était perdu et qui semblait si proche.

— J'ai vu Jean. Il va très bien ! racontait Claude. Il ne se lève plus. Sa femme le lave. (Je savais que pour l'homme élégant qu'il était cette idée figurait la déroute de l'être, un élément prosaïque qui lui faisait presque aussi peur que de perdre la mémoire ou la raison.) Il a toute sa tête. Il parle, il est souriant. Ses jambes sont grosses comme mes bras. (Ce détail stupéfiait Claude, l'éternel sportif qui n'avait jamais cessé de faire de la musculation.) Les médecins disent qu'il ne passera pas la fin de l'année, concluait-il avec mélancolie, hochant la tête d'un air résigné.

C'est une chose rare au demeurant, Jean mourait de vieillesse.

J'avais quitté l'autoroute. Les flèches de la cathédrale apparurent fugacement, voilées par les nuages et la pluie, très loin au-delà des platitudes cultivées, avant que je m'engage dans la campagne sur la route départementale.

— Pauvre Jérôme, dit Claude, ne s'adressant à personne, mais comme cela, pour rien, juste parce qu'il y pensait, sans doute parce qu'il avait commencé de reconnaître le paysage au fur et à mesure que nous approchions du village où son frère avait vécu. Pauvre Jérôme, répéta-t-il quand apparut le nom de ce village.

Et personne dans la voiture ne répondit rien à cela dont je m'étais toujours dit que c'était une méprise, parce que le pauvre n'est pas celui qui est mort mais celui qui le pleure et reste seul devant l'absence et le souvenir. Pourquoi prêtons-nous nos désespoirs aux morts qui ne ressentent rien ? On dirait que les vivants, au fond, ne croient pas à la mort. Pauvre Claude, pensais-je en rectifiant *in petto*. Il avait l'air aussi perdu qu'un enfant qui cherche sa mère. Et l'on ne saurait mieux dire, comme nous l'apprendra son histoire.

14 NOVEMBRE 2013 À ONZE HEURES

L'immense famille était rassemblée devant l'église de village qui serait à peine assez vaste pour l'accueillir. Chaque arrivant embrassait ceux qui l'avaient précédé. Sourires tristes, questions à voix basse, commentaires en sourdine : à l'abri des parapluies, imperméables et chapeaux, devant le portail orné de l'édifice religieux, les oncles, tantes, cousins, cousines, frères et sœurs, deux générations d'adultes et leurs enfants et petits-enfants parlaient, qui ne s'étaient pas vus depuis longtemps (la famille était maintenant dispersée) et déploraient de ne plus se trouver réunis que par les enterrements. Le plaisir des retrouvailles se mêlait à la tristesse du deuil. Ils savaient que l'expérience se reproduirait plusieurs fois dans les années à venir. Les anciens atteignaient les derniers âges, ils allaient tous mourir, et leurs enfants les accompagneraient à leur tombe, chaque fois rassemblés, l'un d'eux plus touché que les autres et entouré par eux, parce que c'était son père ou sa mère cette fois qu'on enterrait. Les grandes familles n'en finissent pas de mourir, me dis-je, comme si elles payaient la rage qu'elles avaient eue de proliférer. On attendait la mort de Jean et voilà que sans crier gare Jérôme était le défunt. On répétait l'inattendu que ça avait été.

— Quand Claude m'a téléphoné, je me suis exclamé : Tu es sûr que tu ne parles pas de Jean ?

Et je pensais : c'est vrai, quel étrange renversement pour Jérôme d'attendre la mort de son frère et de mourir à sa place. Et cela n'empêchera pas ce vieux frère de disparaître aussi.

Occupé qu'il était à mourir – on ne dit pas assez que mourir est une tâche –, Jean bien sûr était absent. Il accompagnerait Jérôme par la prière, dans son lit comme lorsqu'il avait appris la nouvelle de sa disparition. J'imaginais ce qu'il avait pu se dire, quelque chose comme *Tu me devances, je vais bientôt te rejoindre et nous serons réunis dans la paix du Seigneur.* C'était à quoi Jean croyait de toute son âme. J'entendais maintenant que tout le monde sur le parvis parlait de lui. Comment va Jean ? demandait-on à sa fille aînée qui avait fait le voyage jusqu'à Saint-Pâtre. Dans sa maturité, encore jolie et gracieuse comme elle l'avait été, elle répondait que Jean était serein. D'autres qui étaient allés faire des visites au vieux malade le confirmaient.

— Je l'ai vu, il ne souffre pas du tout. Françoise (il s'agissait de sa femme) est admirable comme toujours.

Je détestais ce commentaire qui semble dire que nous devons toujours être forts, sans quoi nous pesons d'un poids trop lourd sur les autres, leur demandant par notre seule existence – parce que nous ne mourons pas – d'être *admirables*.

Un break noir arriva, la double porte de son coffre s'ouvrit et les employés des pompes funèbres, à quatre, attrapèrent le cercueil. C'était la dernière fois que Jérôme pesait. Toute sa famille se dirigeait vers l'église dans un flux qui contournait et enveloppait le corbillard. Promis à l'exil, bientôt déposé sous la dalle scellée, dérobé à nos regards – dérobé comme une chose abominable parce qu'elle renoue déjà avec les quatre éléments –, Jérôme méritait la dernière escorte que nous lui faisions.

La veuve, ses enfants et petits-enfants occupaient les premières rangées dans la nef, autour du cercueil installé au milieu de l'allée centrale. Sur la gauche dans le chœur, je voyais assis côte à côte, silencieux et peinés, les quatre derniers vivants de la grande fratrie : Louise et Marie, Claude et Guy. Comme ils se ressemblaient ! Vieillir les avait unifiés, réunis dans une étonnante similitude. Le temps passé sur eux avait révélé la parenté autrefois moins apparente, comme si chaque année avait décapé les mines multiples des frères et sœurs pour n'en conserver que le socle commun. On oubliait complètement le visage qu'ils avaient eu dans leur jeunesse – chacun le sien –, pour ne plus voir maintenant que le vieux visage qu'ils partageaient, ou du moins les marques semblables que déposait l'âge sur leurs traits à l'origine dissemblables. Ils avaient vieilli de la même façon. Même ovale, mêmes cheveux blancs et le même blanc par extraordinaire, même teint bistré et taché, même yeux bleus minuscules, enfoncés au-dessus de la pommette, même bouche fine comme un trait. Ce visage était aussi dans le cercueil et je savais que j'aurais à mon tour le même, dans trente ans, et parfois – les jours de fatigue – je l'aperçois déjà dans le miroir. Les quatre frères et sœurs baissaient la tête de la même façon, comme s'ils venaient de se faire réprimander. Jérôme était mort. Oui la mort réprimandait la vie. Plus jamais vous ne verrez votre frère ! La punition ne serait jamais levée. La mort était impitoyable. Ne comptez pas sur moi pour le revoir ! disait le silence qu'elle engendrait. Je m'étais assise derrière le quatuor survivant. À ce moment, ils pouvaient se dire : les uns après les autres nous mourons, qui de nous sera le suivant ? Et cette cérémonie devenait pour chacun la répétition générale de ses propres obsèques.

Le livret de messe était une simple feuille A4 pliée en deux et imprimée comme un livre. La photographie de Jérôme restituait fidèlement celui qu'il était encore cinq jours plus tôt : un homme qui répond présent. Son regard plongeait droit dans l'objectif du photographe (j'ignorais qui avait pris le cliché), il lui souriait et semblait attentif, malicieux aussi (les fameux petits yeux bleus), une heureuse nature voilà ce qui était capté. À la posture de ses épaules, on devinait que Jérôme était assis. Peut-être un cliché lors de son dernier anniversaire ? Il portait une chemise d'un blanc immaculé. Ses cheveux aussi étaient blancs, son front dégarni haut sur le crâne accentuait la forme ovale de sa tête. Jérôme était sympa, tout le monde le pensait, et cela se voyait sur cette image de lui que, pour ne pas pleurer, je regardais.

Je lus qu'il était né le 30 mai 1933, un an avant Claude. 1933, une porte vers l'horreur, que les nations ont franchie sans savoir ce qu'elles trouveraient de l'autre côté du temps. L'année de l'accession d'Hitler au pouvoir, de l'entrée de François Mauriac à l'Académie française, l'année à la fin de laquelle Édouard Daladier avait annoncé à la Chambre l'échec de la Conférence sur le désarmement, en raison du retrait de l'Allemagne. Comme c'est vertigineux n'est-ce pas de coller *ex post* les événements remarquables les uns à la suite des autres et de connaître, puisque tout est consommé, ceux qui furent prémonitoires des drames qu'on a traversés. Et comme on regrette que les avertissements confus qu'ils avaient donnés n'eussent pas été entendus dans le temps où ils pouvaient l'être. *Appartenir à une époque c'est être incapable d'en comprendre le sens*, tout nous désigne que le temps dans lequel nous vivons forme une tache aveugle, l'angle mort de notre vision intelligente. Assise sur le banc de l'église, je n'avais pas pensé tout cela, je m'étais dit : 1933, une mauvaise année. Et j'avais imaginé la distance, à la fois spatiale et mentale, qui sépare les événements de la grande Histoire et ceux de la vie privée. Le 30 mai 1933, Mathilde Bourgeois avait mis au monde le septième de ses enfants, le petit Jérôme, il était vigoureux, on ne l'entendait pas, il tétait avidement, il faisait de bonnes nuits, et elle avait dû se réjouir de tout cela plutôt que se dire : Ce nouveau chancelier, ce M. Hitler, est-il bien convenable pour l'Allemagne ? C'est vrai, pensais-je, comment fait-on pour agir et réfléchir, a-t-on le temps de penser à ce qui arrive quand chaque jour apporte sur notre table sa charge de travail et qu'on l'abat, peut-on encore se soucier du monde une fois que l'on a fini de s'occuper de ceux qui habitent sa propre maison ? Quelle énergie reste-t-il pour percer l'énigme du présent et de l'Histoire ? Mathilde avait langé, nourri, baigné, aimé, promené, éduqué neuf enfants, avait-elle jamais trouvé le temps d'autre chose ? me disais-je pour l'abstraire de tout reproche.

La célébration commençait. L'assemblée chantait à tue-tête le chant d'entrée. *Ils ont marché au pas des siècles vers un pays de joie. Ils ont marché vers la lumière pour habiter la joie. Ils ont laissé leur cri de guerre pour des chansons de paix.* Je reconnus, dépassant toutes les autres, la voix de Marie. Le visage de Claude se tourna vers moi, me souriant tristement. Il ne chantait pas. Guy regardait la couverture du livret de messe. En dessous de la photographie de Jérôme, un dessin stylisé représentait une silhouette noircie allongée face contre terre figurant de toute évidence le corps mort. Les contours d'une autre s'en détachaient, se relevant en tendant la main à une main tombée du ciel. C'était le schéma de l'espérance des croyants. Renaissance. Renouvellement. Vie éternelle. *Je ne sais rien de la mort mais je sens que c'est une bonne surprise*, lisait-on à côté du croquis, phrase tirée de l'œuvre d'Éric-Emmanuel Schmitt dont on sait que la foi l'a foudroyé une nuit dans le désert. Les enfants de Jérôme avaient choisi cet optimisme qui était aussi celui de leur père.

Bien sûr on fit l'éloge du défunt et pour cette fois, pensais-je, c'était un éloge mérité. L'indulgence des paroles d'adieu – qui n'engagent plus à rien – est parfois choquante et entendre louer des salopards sans scrupules m'a déjà été difficile. Pas besoin d'enjoliver la vie de Jérôme. Son existence était digne d'être évoquée telle quelle, une existence claire, sans mégalomanie ni mesquinerie, un édifice fécond et équilibré. La vie de Jérôme Bourgeois disait ce que peut un homme.

Jérôme n'avait pas vécu en bourgeois – en nanti –, il avait appartenu à son siècle, celui de la fin des rentiers. Il n'avait eu ni rente ni domesticité, il avait beaucoup travaillé, il n'avait pas méconnu la pauvreté des autres, il avait donné ce qu'il pouvait. De l'argent, du temps et de la sollicitude. Ses patients aimaient ce docteur Bourgeois qui parcourait la campagne en écoutant Péguy.

Sur le souffle de cette prose – en la récitant parfois –, il savait entrer dans les maisons, entendre et réconforter, laisser une ordonnance. Il respectait le rite et ce respect induisait une relation et une guérison. Puis il rentrait chez lui, dans sa vaste maison et sa famille nombreuse, il se faisait houspiller par sa femme et ses filles. Il maintenait le cap. Ses enfants avaient fini leurs études. Un à un, ils s'étaient envolés et tous s'étaient mariés, preuve que l'alliance de leurs parents n'était pas un poison dissuasif. Dans la chaumière désertée, Clarisse avait fait des chambres d'hôtes pour ne pas s'ennuyer. Café-couette. C'était beaucoup de travail. Jérôme aimait bien : cela faisait du monde autour de lui. Il n'avait jamais levé le pied lui non plus. À la retraite – prise tardivement –, il avait distribué ses forces et sa liberté. Les enfants handicapés, les infirmes moteurs, les pauvres des Philippines, tous ces gens qui défilaient maintenant devant son cercueil le connaissaient parce qu'il s'était soucié d'eux. Jérôme, que la tradition familiale disait dingo – c'est une autre histoire –, avait fait mieux que tenir le choc de la vie.

Claude pleurait. Ses yeux étaient deux fentes remplies d'eau jusqu'au bord. Les sursauts de sa mémoire, comme des fugues dans le passé et l'enfance partagée avec son frère, devaient être des petites lacérations douloureuses, des coups de canif au cœur. Dans le secret de son cinéma intérieur défilaient les épisodes anciens d'un temps que je n'avais pas connu. Ainsi sont séparées les générations : chacune ignore la jeunesse de celle qui l'a précédée. Et les souvenirs sont des mystères (comment ils se constituent, se transforment, s'effacent), un invisible. Claude se rappelait des moments et des faits que je n'avais ni vécus ni imaginés, il pleurait, et je me demandais : y a-t-il des souvenirs qui ne font pas mal ?

Étoile de la mer voici la lourde nappe
Et la profonde houle et l'océan des blés
Et la mouvante écume et nos greniers comblés,
Voici votre regard sur cette immense chape

Et voici votre voix sur cette lourde plaine
Et nos amis absents et nos cœurs dépeuplés,
Voici le long de nous nos poings désassemblés
Et notre lassitude et notre force pleine.

La poésie de Péguy, que lisait une femme debout au pupitre, était la présentation de Jérôme au Seigneur. Jérôme allait rencontrer son Père dans les cieux. Il allait contempler sa splendeur et humblement s'avancer pour être accueilli dans le Royaume. Je savais que l'assemblée le croyait avec ferveur. Comme à la communion des saints, aux retrouvailles de tous les vivants, à la résurrection des morts. Comment pourraient être morts ceux qui sont si présents dans nos cœurs ? disait-on chez les Bourgeois. Tous croyaient que Jérôme allait retrouver l'auteur de ses jours, Henri Bourgeois, mort quarante-cinq ans plus tôt, et bien sûr sa mère, Mathilde, celle qui l'avait bercé, et dont le visage dans ses souvenirs s'était estompé. Jérôme rejoignait ses parents. Cette pensée était aussi un acte de foi raisonnable.

L'auteur de tant de jours ! Au lendemain de la victoire, Henri Bourgeois avait été la sève de sa famille endeuillée. Le monde venait de faire dix millions de morts, Henri fit diligemment virage vers la vie. Il n'était pas le plus âgé des fils de Valentine que la guerre n'avait pas tués, mais il était peut-être le plus entreprenant. Il se maria le premier, avant son frère Adrien qui avait trois ans de plus que lui. Il se maria sans atermoyer. Ce n'était pas de sa part précipitation, mais esprit de décision, sursaut et renaissance, et certitude de l'amour.

L'année précédente à la même date, le 4 juin 1918, il se battait encore sur la Marne, il écrivait à sa mère, chère maman, ce qui voulait dire qu'il était vivant. Et il demandait des nouvelles d'Adrien qui avait reçu le même jour l'extrême-onction, la Légion d'honneur et la grâce de guérir. Ce sont des choses qui se sont passées exactement de cette façon. À des jeunes gens de vingt ans, le pays réclama cet héroïsme-là et il l'obtint. Il faut essayer de l'oublier pour désamorcer l'insupportable impression d'une bêtise des puissants. Les rois et les chefs avaient droit de vie et de mort sur les citoyens de leur pays et les ont envoyés au casse-pipe. Les généraux les firent fusiller quand ils reculaient d'une position intenable qu'on leur avait pourtant ordonné de tenir. Comme si vouloir tenir, savoir qu'on en a le devoir, et réussir, étaient une seule et même affaire. Henri était revenu de ce front et maintenant il s'engageait dans un plus doux combat. Il avait vu mourir des soldats et de chagrin s'éteindre autour de sa mère les vieilles dames et les jeunes filles. Ayant appris combien la guerre faisait le malheur des familles, il se battrait pour fabriquer de la joie. Qui a dit que l'amour était le contraire du bonheur, c'est la mort qui l'est.

Henri épousait Mathilde, une lointaine cousine qu'il avait toujours connue et peut-être toujours aimée, mais sauf à l'intéressée pour lui demander sa main, un jeune homme bien élevé ne parlait pas de ses sentiments. De quoi parlait-il alors ? Que disait-il s'il taisait son amour, se contentant de le vivre, tour à tour vif ou faible à la manière d'une flamme dans le déploiement des années. Il parlait de ce qu'il voulait faire avec ce feu : de la famille, de la maison, de la vie, de la décision de construire et de la foi dans laquelle il se tiendrait. Il parlait de la sécurité qu'il offrait, de celui qu'il était pour oser proposer à une femme de partager son avenir. C'est bien cela, me dis-je : on ne disait pas que l'on était amoureux, on montrait que l'on possédait la dignité d'un compagnon pour les années d'une vie. La jeune fille demandée comprenait sans paroles. Elle comprenait le mot *mariage* (sûrement pas le mot *désir* qui l'aurait fait rougir jusqu'à la racine des cheveux) et ne réclamait pas le mot *amour*, dont elle rêvait bien sûr mais se méfiait aussi, elle voulait la chose sans le mot, car *amour* était le vocabulaire des séducteurs plus que des hommes du monde, la fausse promesse des imposteurs qui n'attendaient qu'un flirt, tandis que *mariage* justement, les mauvais larrons ne l'employaient jamais. Henri Bourgeois connaissait ces usages, il respectait les formes, et c'est bien de mariage qu'il parla. Il demanda la main de Mathilde sans détailler le halo de l'aspiration qui commandait cette prière. Il ne disait pas que l'amour était joyeux, il disait que le mariage était un havre et qu'il en ferait ce refuge à tous les malheurs. Peu d'épanchements, jamais de jurons, pas de roucoulements et d'effleurements, de la tenue, voilà leur façon d'être, je le sais, je l'ai vu. Mathilde avait dit oui.

Ce fut la première date officielle de la famille telle que bien plus tard je la connaîtrais : le 4 juin 1919. Mathilde et Henri scellèrent le pacte civil et sacré d'une alliance jusqu'à ce que la mort les sépare (et c'est exactement ce qui se passerait). Il aurait bientôt vingt-quatre ans, elle en avait vingt et un. La beauté est un hasard prometteur, Mathilde était belle, à Henri elle offrit cette promesse. L'église était baignée par un soleil tendre. Il ne faisait pas trop chaud ce jour-là et le ciel était dégagé quand les mariés descendirent les marches du porche à l'issue d'une célébration sobre et grave. On avait prié pour tant de défunts qui n'avaient pas l'âge de mourir et que la guerre avait pris, celle qu'on avait imaginée courte, qui avait mangé quatre années, et qui laissait des fous et des veuves à foison. Dans le cortège de la noce chacun pouvait *voir* le résultat du massacre. Parce que le summum que peut donner un homme à sa patrie est sa vie, toutes les femmes en âge d'être mariées étaient en noir. Les invités masculins, qui avaient précédé dehors les mariés et les attendaient en conversant librement, portaient des vestes ou redingotes foncées. Jamais encore un deuil de cette ampleur n'avait frappé un peuple. L'idée naissait que l'Europe s'était suicidée.

Son désir de réparation, imposé avec intransigeance au vaincu, serait une de ces mauvaises idées de l'Histoire : on croit se dépêtrer de la nuit et l'on s'y enfonce un peu plus. L'armistice avait six mois.

L'heure est venue des lourds règlements de compte, avait-on dit aux plénipotentiaires allemands rassemblés au Trianon Palace pour recevoir les conditions de la paix demandée par leur gouvernement. Dans quelques jours la France en signerait le traité avec l'Allemagne. Le sujet faisait des conversations : ce jour serait historique, dans la galerie des Glaces du château de Versailles, ce que notre pays a de plus majestueux en matière d'architecture et de décoration. Cette seconde paix de Versailles pouvait-elle échapper à la mesquinerie nocive et blessante de toute vengeance ? Ces fastes si peu à propos, cette mascarade de puissance par la magnificence, à qui Clemenceau chercherait à rendre un peu de vérité (il aurait l'audace d'asseoir des gueules cassées au premier rang des places officielles), faisaient-ils oublier ce qu'il en avait coûté de gagner ? Pas une famille épargnée. Se remet-on d'un désastre pareil ? Est-ce forcément au prix d'un second désastre ? peut-on se demander aujourd'hui. Déjà veuve, Valentine Bourgeois, la mère du marié, avait perdu ses deux fils aînés Louis et Jean. Ils avaient eu vingt ans, ils avaient ardemment étudié, fait preuve de talent et atteint le début de leur rêve, puis ils avaient rencontré le feu. Personne ne les avait revus. Ils étaient restés dans la terre des champs de Moselle et d'Alsace. Portés disparus. Mais la joie d'une noce doit être pure, Valentine était une grande dame, derrière la voilette noire qui tombait de son petit chapeau plat, elle souriait. Elle réussissait ce tour de magie d'avoir à la fois l'âme en joie et l'âme en deuil, de participer au jeu renouvelé de la vie sans oublier un seul jour de prier ses morts. Après tout, elle avait encore trois fils jeunes et vaillants : le Seigneur avait bien voulu ne pas emporter son grand Adrien, Henri se mariait, et elle aimait Pierre comme aucun de ses enfants (parce que celui-là, c'était seule qu'elle l'avait aimé).

Lieutenant-observateur dans l'aviation, Adrien Bourgeois – le frère du marié – était tombé avec son appareil au cours d'un vol de reconnaissance. Se retrouver ainsi au mariage d'Henri équivalait à revenir du pays des morts. Et maintenant il se tenait dans le cortège rassemblé à la sortie de l'église, silencieux, altier à la manière de la plupart des Bourgeois. On venait le saluer comme un miraculé et un héros. Son tout jeune frère, Pierre, qui venait de fêter ses onze ans, lui donnait la main, et ils attendaient l'un et l'autre le couple qui allait apparaître à la porte.

— Comme tu as grandi ! disaient à Pierre quelques dames qu'il ne connaissait pas.

C'était la deuxième fois que Pierre portait un costume et une cravate à l'occasion d'une cérémonie d'importance. Au mois de septembre 1914, Valentine avait soigné la raie qu'elle faisait dans les cheveux de son fils avant qu'ils s'en allassent ensemble vers les Invalides, où dans la cour immense, le garçon de six ans que Pierre était alors avait reçu, décernée à titre posthume, la Légion d'honneur de son frère Louis mort pour la France.

— Les voilà ! exulta tout à coup Pierre en serrant la main d'Adrien.

Henri et Mathilde sortaient de l'église et entraient dans le soleil. Derrière eux l'ombre de la nef faisait un encadrement noir dont ils émergeaient vers la foule massée dehors. Sous le porche ils s'arrêtèrent un instant. Le voile de la mariée traînait sur le tapis qui couvrait les marches de pierre comme une rivière de sang (mais personne ne pensait cela, c'était un tapis rouge !). Le drapé étagé de sa robe donnait à sa silhouette un air de vestale. Mathilde Bourgeois regardait ses pieds et Henri, la tête moins baissée, fixait le bas des escaliers qu'ils s'apprêtaient à descendre ensemble. Aucune joie sur leurs visages, les jeunes époux étaient graves, empruntés, mais déjà unis par un accord apparent. Celui qui épouse une femme la protège. Valentine avait-elle expliqué cela à son fils et sinon, où l'avait-il appris ? Henri le savait. Il faisait plus que donner le bras à sa femme, on eût dit qu'il la soutenait et la tenait, je ne vous lâcherai jamais ma chère, il la gardait comme un joyau. Il savait que maintenant dans le monde et dans la vie, dans le jour et dans la nuit, dans la joie et dans la peine, il était deux. Et jamais mieux que celle-là, j'imagine, une jeunesse ne sut le cadeau que c'est d'être à deux dans la paix.

Je regarde les clichés à la loupe. Excepté celui de Valentine, je ne vois pas un seul sourire. Solennité, sérénité, dignité, gravité, probité aussi : ainsi les mariés se prêtèrent-ils à la cérémonie et au photographe. Mathilde et Henri Bourgeois se présentaient aux familles réunies.

Ils étaient le premier avenir de l'après-guerre, le recommencement : avec eux, l'univers des vivants se remettait en place et en marche. Ils incarnaient l'espoir du jour, comme les petites et les jeunes filles, dont les robes faisaient des taches blanches sur le deuil collectif. Henri portait l'uniforme de l'artillerie, la capote marquée au col du numéro de son régiment, 202, le pantalon gonflé au-dessus des bottes lacées, le ceinturon de cuir à la taille. L'épée tombait le long de sa jambe gauche. Une décoration était accrochée à sa poitrine. Le 202ᵉ régiment d'artillerie de campagne s'était illustré dans la défense de Nancy. Henri avait-il réfléchi à cette décision de se marier en uniforme ? Car en somme il s'agissait d'inviter la guerre à son mariage, ou le souvenir de la guerre, c'était prendre avec l'assemblée présente le risque d'une remémoration. De la main gauche, Henri tenait son képi, le bras droit serrait Mathilde contre lui. Mathilde était aussi grande que son mari mais en retrait, un petit pas derrière lui, comme s'il la tirait devant leurs invités. Sa robe simple s'arrêtait à la cheville, laissant voir la timidité de ses pieds sur le tapis. Mathilde faisait une apparition sur la pointe de ses souliers ! Dans ses cheveux noirs une fine couronne de fleurs blanches retenait le tulle derrière lequel on aurait dit qu'elle se cachait. Bientôt Henri mettrait de côté sa raideur et Mathilde oublierait sa pudeur, ils s'enlaceraient avec la bénédiction de Dieu, transformant leurs ivresses en flopée d'enfants (le péché de chair en chair miraculeuse). Leurs souffles et leurs sommeils se mêleraient. Bientôt naîtraient Jules et les autres, et l'amour inconditionnel lèverait dans le cœur de Mathilde. Il s'emparerait de sa vie aussi sûrement que le ferait la mort quand l'heure viendrait.

2 OCTOBRE 2014

— Je ne savais même pas que papa s'était marié en uniforme, dit Claude à qui je parle de ces photographies.

Je n'en suis pas étonnée : l'oubli marche sur nos talons. Il faudrait tout écrire, tout consigner, dessiner la forme des visages, photographier l'installation des appartements et des chambrées, noter les événements et les humeurs, mais si l'on écrit sans cesse quand vit-on ? Et comment vit-on lorsque l'on se regarde pour s'écrire ? Les Bourgeois avaient vécu et n'avaient pas écrit. Mais non, me dis-je, l'un d'eux avait écrit, c'était Henri. Avec la méticulosité d'un greffier, il avait enfermé dans un carnet tout ce qui concernait ses enfants. Taille, poids, dents, maladies, et naissances bien sûr. *Le 17 avril 1930, à 16 h 05 : 49 cm, 3 kg 100, les yeux sont bleus, nous l'appelons Louise.* Cette attention à noter disait la vérité de son tempérament, à la fois sensible et vétilleux. Derrière ses silences se tenait en éveil un esprit attentif à qui sa vie n'échappait pas. S'il achetait le journal, il écrivait. *Journal, 30 centimes.* S'il donnait aux pauvres, il notait. *Mendiant, 1 sou* (il appelait ainsi la grosse pièce de cinq centimes en bronze trouée en son milieu). Il conservait toutes les lettres. À sa mort, elles furent rendues, rangées par dates, nouées d'un ruban, à chacun de leurs auteurs. Henri Bourgeois était le spectateur engagé du cours de l'existence.

Mais il n'avait pas écrit son propre mariage. Il s'intéressait à l'avenir. Personne ne se souvient du lieu vers lequel était partie la noce. Il ne subsista aucun cliché d'un repas ou d'un bal. Deux images montraient Mathilde assise sur une chaise dans un salon. Sage et soumise, elle avait dû se plier à l'idée du photographe. Voilà, comme cela, posez vos mains sur votre jupe. C'est parfait. Ne bougez plus. Puis deux images du couple avaient immortalisé leur installation dans un appartement cossu et sobre. La mariée n'avait pas bougé de la chaise tandis qu'Henri était venu se poster debout derrière elle. Ils étaient terriblement sérieux. Ils posaient peut-être pour la postérité, pour eux-mêmes ou leurs enfants, ils ignoraient qu'ils posaient aussi pour moi, aujourd'hui dépositaire de leur *petite éternité*. Le voile de la mariée tombait en torrent de tulle au pied de la chaise (j'imagine bien le photographe occupé à l'arranger pour que le mouvement soit joli), et je vois le teint bistré de Mathilde, son regard sombre – elle paraît plus âgée qu'Henri dont les joues sont claires –, son visage à l'ovale allongé, son nez un peu fort et sa bouche fine. Une frange ondulée lui mangeait le front et donnait à son expression quelque chose de fermé qui disparaîtrait sur les clichés ultérieurs. Elle était belle d'une beauté qui allait venir. Elle le serait davantage dans quelques années, mûrie par la maternité ou illuminée par le plaisir, ou les deux ensemble. Déjà, sur la promenade à Menton, sous un grand parapluie, elle était émouvante, élégante avec simplicité dans sa robe blanche au large col de dentelle, portant un chapeau cloche et des chaussures à bride, à la mode de l'époque. Ce voyage de noces sous la pluie fine, en guettant dans le ciel les éclaircies, avait fait d'Henri et de Mathilde un couple d'amants.

Ils deviendraient une source, ils écriraient une épopée de l'incarnation. Ils atteindraient un sommet formel de ce temps révolu où les naissances et les décès étaient plus nombreux qu'aujourd'hui, comme si la famille alors était une multiplication qui subit quelques soustractions. Ils seraient les représentants d'une époque et d'un milieu typiquement bourgeois, parisien, catholique, très "Action française" comme on le dit maintenant, avec la sévérité de ceux qui viennent après et n'ont guère de mérite, puisqu'ils savent où mènent certaines idées et que l'Histoire a jugé.

Ils furent un moment des cycles inexorables qui abolissent et remplacent. Ils appartinrent à l'éternité qui nous passe sur le corps, qui passe de corps en corps. Ils me disent la mort comme un poison noir que l'on boit en naissant et quelle réalité contient un arbre généalogique. L'arbre est l'image naturelle qui me vient quand je pense aux Bourgeois. Cet arbre était touffu et vivace, une formidable prolifération de branches, rameaux, ramilles et bourgeons. Le génie des Bourgeois fut de vivre, d'enfanter et d'agir, de s'impliquer dans la vie physique à la manière de chevaliers modernes. Il fut de croire que le monde est une œuvre bonne et qu'ils pouvaient y contribuer. Il fut la confiance dans l'existence et une envie de vivre que le malheur n'enlève jamais, une plénitude spontanée dont ils étaient doués, cette disposition d'esprit qui les portait à s'engager corps et âme sans capituler.

Jamais ils ne perdaient la passion de la vie comme si la vie les avait particulièrement aimés et qu'ils l'aimaient en retour. Toutes les forces de l'homme furent en eux.

14 JUILLET 1919

— Entendez-vous ? demandait Mathilde à Henri.

De chacun des forts qui ceinturaient Paris, les canons avaient tiré. Ce tonnerre était moins familier aux femmes qu'aux soldats et Mathilde avait sursauté, avant de comprendre que le jour de gloire était lancé.

— Ce sont les canons, dit Henri à sa femme.

Son regard se porta instinctivement vers la grande fenêtre du salon, vers le dehors d'où venait le bruit, tandis que celui de Mathilde s'arrêtait sur le visage de son mari, guettant une expression douloureuse. La famille avait payé son tribut à la grandeur de la nation et la paix n'avait pas un an.

— La journée sera longue. Ce sera terrible et magnifique, murmura Henri.

Puis il ajouta :

— Adrien ira à la Concorde avant de déjeuner chez mère.

— Ne vouliez-vous pas l'accompagner ?

Henri avait hésité à rejoindre son frère puis décidé de rester chez lui. Il déplorait que cette journée fût résolument laïque. Quatre ans plus tôt l'Union sacrée avait demandé leur sang aux catholiques et, pour l'obtenir, mis de l'eau dans le vin de sa politique anticléricale, et la victoire serait maintenant tout entière républicaine ? La foi chrétienne qui s'était mêlée aux combats n'aurait plus droit de cité ? Constance, fidélité ou reconnaissance n'étaient décidément pas les vertus des hommes politiques. On pouvait le penser et ne pas faire confiance à l'État. C'était le cas d'Henri. Quant à la gauche qui refusait de célébrer la fin d'un conflit dont les travailleurs avaient été les grandes victimes, ignorait-elle le sacrifice des officiers ? pensait Henri fâché par cette erreur. L'hécatombe de l'élite était pourtant une évidence ! L'élite intellectuelle, administrative, militaire. La France était décapitée et exsangue. On n'avait jamais vu victoire si chèrement payée. Et chacun revenait à son petit intérêt ! Les survivants n'étaient pas heureux, pensa Henri. Il n'était d'accord avec personne. Le pape et le maréchal, voilà ceux qui restaient droits après ce désastre !

La journée serait longue. Dès huit heures, le chef du gouvernement et le président de la République s'étaient installés dans la tribune. Georges Clemenceau, le tigre victorieux, âme de chef, soutien du peuple, adulé comme personne, et Raymond Poincaré, le Lorrain, qui la veille avait remis à Joffre, Foch et Pétain leur épée de maréchal. La porte Maillot voyait s'ébranler le défilé qui passerait sous l'Arc de Triomphe, descendrait les Champs-Élysées jusqu'à la Concorde. Deux millions de personnes étaient dans les rues, c'étaient moins de vivants que les morts qu'ils honoraient. Cinq millions de soldats alliés étaient dans leurs tombes, trois millions et demi d'ennemis avaient été tués, le jour de gloire était un jour de deuil. Un gigantesque cénotaphe, aux morts de la Patrie, était là pour le rappeler. Trente tonnes, vingt mètres de haut, dix de large, déplacé à l'entrée des Champs-Élysées : la gloire des morts surplombait les vainqueurs. Clemenceau et Poincaré auraient pu pleurer, comme le ferait – dans l'avenir inconnu – le chancelier allemand Willy Brandt en rendant hommage aux victimes de la Shoah à Varsovie. Chaque fois que l'Histoire s'obscurcit, frappe-t-elle plus fort ? Est-ce la direction du progrès ?

La foule en liesse était massée sur la place de la Concorde et sur tout le parcours des Champs-Élysées, une foule parisienne piquetée de provinciaux qui avaient fait le voyage exceptionnel vers la capitale pour acclamer le passage de leur régiment. Les meilleures places avaient été prises dès trois heures du matin. Des trains bondés avaient convoyé ces voyageurs à la naïveté restaurée, qui chantaient *La Madelon* ou criaient *À Berlin !* dans l'inconscience, dans l'ivresse singulière de ce jour, comme d'autres l'avaient fait quatre ans plus tôt, dont les bouches pleines de terre ne chantaient plus, non pas oubliées mais promises à trop le devenir, parce que le temps est un médecin pour l'âme et la vie un mouvement oublieux. Mais la mémoire nationale se déclarait et la nation se rassemblait autour des soldats. C'était le défilé de la Victoire, un défilé magnifié comme l'avait voulu Clemenceau, non pas une fête mais une commémoration, un hommage à tous les sacrifices. Les armées alliées et les régiments français remonteraient bientôt la plus belle avenue du monde. D'immenses drapeaux bleu-blanc-rouge semblaient suspendus dans l'air (en vérité plantés au pied des réverbères). Les fontaines étaient en eau. Des panaches blancs s'élevaient et retombaient en myriades de gouttes. Les hommes avaient été eux aussi des myriades à jaillir et retomber, et de ce massacre restait cette écume dans les bassins et la parade militaire.

La marche des hommes avait commencé. Pourquoi les femmes ne défilaient-elles pas ? Mathilde aurait pu se le demander, peut-être le fit-elle, en pensant à l'enfant qu'elle attendait et qu'elle ne voudrait ni donner ni perdre si c'était un garçon. Les veuves, les mères, les ouvrières, les infirmières, n'avaient-elles pas gagné leur tour d'honneur ? Elles avaient donné et perdu ceux qu'elles chérissaient. Reléguées maintenant, le défilé les faisait spectatrices de l'horreur qu'elles avaient imaginée le soir dans leur lit, pendant quatre interminables années vouées à l'attente. Avant les soldats vaillants marchaient les soldats brisés. Voilà ce qu'on avait fait aux hommes quand ils n'étaient pas morts. Les milliers d'âmes de la foule se serrèrent dès l'ébranlement du défilé. Mille mutilés partaient en tête, les gueules cassées, les unijambistes, les manchots, dans le frémissement du silence qu'ils semaient comme un nuage. Ceux qui avaient perdu un œil, une bouche, le nez, ceux qui avaient eu l'oreille ou la face arrachée, qui avaient passé des jours et des jours dans les bandages, loin du monde, ils étaient là, offerts à tous les regards. La victoire n'avait pas beau visage. L'enfer passé et l'enfer à venir, à la lumière du jour, montraient leur figure détruite. C'était le prix épinglé sur la marchandise. Des femmes pleuraient et des enfants dans leurs jupes se cachaient les yeux. Désolation irrémédiable devant l'œuvre humaine. Et l'on tenait pourtant au secret ceux qui avaient perdu l'esprit, ceux qu'on avait soumis à l'électricité et soupçonnés de lâcheté, parce que quoi ! croire que la guerre rend fou n'était pas patriotique. On les avait renvoyés dans la boue, sans respect. Et ceux qui étaient revenus vivants et encore plus fous, ces blessés sans blessure, de grands murs les gardaient. *Qui aurait pu prévoir, avant d'entrer vraiment dans la guerre, tout ce que contenait la sale âme héroïque et fainéante des hommes ?* allait écrire dans dix ans l'un de ces combattants que la guerre avait horrifiés. Il ne défilait pas mais l'âme héroïque et épouvantée battait le pavé de Paris. Cela dura longtemps comme une image persistante. Les jeunes Alsaciennes en tenue traditionnelle avaient beau passer sous l'Arc de Triomphe, l'horreur des hommes fracassés étourdissait encore ceux qui les avaient regardés.

Adrien pensa-t-il à ses deux frères défunts, Louis et Jean ? Pensa-t-il que le destin de gueule cassée valait mieux que celui de mort, disparu et enseveli ? Il attendait maintenant les soldats. Les pays défilaient par ordre alphabétique. Les Américains, les Belges, les Britanniques… Il reconnut le général Pershing. À celui-là, des années plus tard, on reprocherait d'avoir anéanti l'Allemagne au-delà de ce qui était nécessaire. Le but de la guerre est la paix, un stratège ne doit jamais l'oublier. L'humiliation de l'ennemi est-elle un moyen d'installer la paix ? Sûrement pas. Les Américains portaient des centaines de drapeaux. Les Écossais étaient en kilt. La

France fermait la marche. Le maréchal Joffre et le maréchal Foch, à cheval, avançaient en tête. Philippe Pétain, sur un cheval blanc, seul, marchait après eux. Il entraînait derrière lui l'armée française. Les bataillons se suivaient en ordre. Ceux de la Somme, de Verdun, ceux qui étaient revenus du Chemin des Dames, tous mettaient leurs pas dans ceux du vainqueur de Verdun. Des fantassins, des dragons, des artilleurs, des chasseurs, des fusiliers marins, des spahis et des goumiers. Maurice Genevoix était peut-être là, me dis-je. Ceux du 106e régiment d'infanterie levaient les bras en s'apercevant puis se serraient dans de longues embrassades. Adrien Bourgeois reconnut le général Mangin, sabre dégagé, en tête des représentants de l'armée coloniale. Il vit les zouaves avec leur chéchia rouge. Il vit aussi les chars Renault qui annonçaient la forme à venir de la guerre. Les FT 17 roulaient au milieu de la voie triomphale que décoraient des urnes de feu, des rubans tricolores, des écussons et des trophées en forme de montagnes : l'empilement des canons pris à l'ennemi. Adrien pensa aux avions qui avaient failli lui coûter la vie, Dieu sait ce qu'ils feraient dans un nouveau conflit. Puis il pensa à sa mère qui l'attendait et, aussitôt, à ce qu'elle avait enduré, aux fils élevés pour leur sacrifice. Lui aussi aurait pu ne pas être là. Il aurait pu manquer le mariage d'Henri et de Mathilde. Et en ce jour national, il n'aurait pas déjeuné rue de Rennes chez Valentine. *Qui a vu ce jour a vécu.* Clemenceau le dirait à Philippe Pétain. Et cette phrase ne voulait pas dire que voir ce jour c'était vivre vraiment, elle voulait dire que le voir c'était ne pas être mort : qui a vu ce jour a survécu. Voilà le sens des mots de Clemenceau.

— Entre ! Entre ! disait maintenant Valentine Bourgeois à son fils Adrien, tandis que le jeune Pierre accourait dans le couloir pour embrasser son grand frère.

13 SEPTEMBRE 2014

— As-tu écouté cet historien formidable hier soir à la télévision ? me demande Claude qui a le mérite de s'enthousiasmer quand il découvre une intelligence ou une personnalité.

Il parle de Paul Veyne, venu converser avec Emmanuel Carrère à propos de la naissance du christianisme.

— Bien sûr, dis-je, j'ai lu plusieurs de ses livres et je l'admire beaucoup. Il est né la même année que Louise.

— Oui, c'est notre génération, et beaucoup de choses m'ont touché dans ce qu'il a dit, remarque Claude, en particulier les souvenirs qu'il conserve de l'Occupation.

— Je vais t'offrir son livre, dis-je, tu me le prêteras.

Paul Veyne ne manque pas de choses à raconter. Une vie intellectuelle dans le siècle des intellectuels c'est le foisonnement assuré des commentaires, des actions et des interventions. Joutes, bévues, déconfitures, harangues, manifestes, allégeances, dessillements, accablements, clartés, travail, tout cela en ventrée. Traverser les trois quarts du XXe en étudiant les origines du monde occidental forge une conscience de l'Histoire.

— Ce qu'il a dit à propos d'Auschwitz, je le pense mot pour mot, dis-je.

— Qu'a-t-il dit ? Je ne me le rappelle plus.

Je rapporte à Claude la phrase que j'ai notée et mémorisée puisqu'elle pourrait être mienne.

— *Pas un jour ne passe sans que je pense à Auschwitz. J'en éprouve une stupeur horrifiée qui ne s'éteint pas. Comment a-t-on pu produire cela ? C'est le plus grand événement historique dans le cours du monde. À cause de ce qu'il dit sur la nature de l'homme.*

— Oui, dit Claude, c'est vrai. Cent fois je l'ai pensé.

Nous nous taisons, parce que la simple évocation de cet impensable fait tomber la nuit et le silence, et la stupéfaction désespérée qui a surgi pour toujours avec les images des bulldozers poussant dans des fosses les milliers de cadavres nus et décharnés que leurs assassins n'avaient pas encore fait disparaître.

— J'étais trop jeune, répète Claude, je n'ai vu que l'occupation et la libération de Paris ! Jules et Jean ont fait la guerre, et Nicolas bien sûr. Jules a reçu la médaille de la Résistance, dit-il avec une fierté mélancolique.

Les fils d'Henri Bourgeois n'évitèrent jamais l'engagement. Ils ne restèrent pas à l'écart et réclamèrent le privilège tragique de servir leur pays. Sans chercher à *entrer dans l'Histoire* – parce qu'ils n'avaient pas cet orgueil –, ils furent les acteurs anonymes de leur temps. Ils en souffrirent les convulsions, ils se distinguèrent parfois sans être distingués : ils en furent la matière mortelle. Ils furent parfois pénalisés pour leur ferveur, ils ne savaient pas être les salopards qui se taisent, n'obéissaient pas n'importe comment, n'acceptaient pas le sacrifice inutile, ne consentaient pas à tous les meurtres. L'honneur et la foi, qui sont des façons de vivre, leur chauffaient le caractère. Comment ont-ils gardé confiance dans le siècle qu'ils ont traversé ? Quelle force en eux s'est allumée contre la noirceur des faits ? Ils ont su que l'humanité était capable de tout et ils me montrent qu'elle pouvait tout supporter. Par quelle puissance ? Celle du courage ou celle de la cécité ? Celle que leur donna une éducation ? Une ascendance exigeante ?

29 AVRIL 1869

J'ouvre un album, je chemine dans le temps jusqu'à l'ascendance exigeante. Voilà une femme de petite taille, fluette et vive. Ses yeux noirs n'escamotent pas ce qu'ils regardent. Ses cheveux longs bouclés sont ramenés en un chignon haut dans lequel, selon la mode de l'époque, elle pique les épingles qui fixent son chapeau. Elle se conforme aux usages, elle est convenable, mais qu'on ne lui demande pas en plus d'être bécasse, elle ne l'est pas. Sa famille appartient à une bourgeoisie aisée ; son père, ingénieur de formation (il est ancien élève de l'École centrale), est ce que l'on appelle alors *manufacturier*, un patron d'industrie. Elle se prénomme Valentine. On peut dire qu'elle est la racine de l'arbre. Elle est née à Paris à la fin du Second Empire, le 29 avril 1869, cadette de quatre filles. Puisque la vie passe sans que soit connue sa durée, puisque personne n'a la même chance, ni la même vie, ni le même temps, Valentine ne sait pas qu'elle dispose de quatre-vingt-un ans et mourra au mois de mai 1950, une semaine après avoir fêté dans son appartement de la rue de Rennes ce grand anniversaire.

En vertu de cette loi naturelle qui nous fait ou bien mourir ou bien voir mourir les autres, Valentine Bourgeois sera celle qui survit : à ses sœurs, son mari, ses parents et cinq de ses enfants. Elle promènera sa gracilité courageuse sous un empire et trois républiques. Petit enfant pendant le siège de Paris, jeune femme pour inaugurer la tour Eiffel, elle sera mère et veuve au mitan de sa vie, attendant le courrier venu des tranchées, et vieille dame pour voir l'Europe souffrir un second conflit mondial.

Sur une photographie ancienne où elle pose avec ses parents et cousins, je l'observe, attentive et lumineuse. Son regard est à la fois brillant et concentré. D'une main elle s'appuie à la balustrade d'un escalier extérieur, devant le perron d'une grande maison, de l'autre elle paraît témoigner tendresse et sollicitude à son père assis devant elle sur une chaise de jardin. Le cliché est daté de 1887. Valentine a dix-huit ans. Deux ans plus tard elle épousera Jules Bourgeois, officier d'artillerie et fils d'amiral. Il donne son métier, elle donne sa personne. Ils auront huit enfants. Quatre garçons – Jean, Louis, Adrien, Henri – naissent avant le changement de siècle, puis deux filles – Margot et Élisabeth – ouvrent les yeux sur l'aube de 1900. Deux derniers garçons n'auront pas le loisir de connaître ou de satisfaire leur père. L'un meurt en bas âge, l'autre, Pierre, le dernier, console sa mère de son veuvage précoce : moins d'un an après cette naissance le capitaine Jules Bourgeois décède de pneumonie. C'est le mois de mars en Bretagne. Valentine quitte la ville de garnison pour revenir à Paris. Elle vient d'avoir quarante ans, elle sait maintenant que la mort appartient tout entière aux vivants, qu'elle est leur affaire et leur fardeau. Il est bien naturel de perdre un jour ses parents et voilà que la peine s'ajoute à la peine, ce jour vient. C'est en veuve et en orpheline que Valentine élèvera sept enfants. Elle ne meurt pas, elle tient le cap du vaisseau, elle change à peine, petite, fluette, vive et concentrée toujours, indéfectiblement du côté de la vie, mais sa mémoire est loyale et ses robes, quelle que soit la couleur du ciel, sont pour toujours du noir le plus jais.

Bien sûr le temps coule comme l'eau entre les doigts de Valentine et sa progéniture : elle entre dans la maturité, ils grandissent. Les aînés deviennent de jeunes hommes. Comme s'il fallait contenter leur grand-père ingénieur et leur père militaire, l'un intègre Polytechnique et l'autre Saint-Cyr. Pour l'Histoire, ils appartiennent aux promotions décimées de ces écoles d'élite. Car c'est déjà l'été 1914. L'Allemagne a déclaré la guerre à la France. Jean, Louis et Adrien sont mobilisés. Parce qu'on lui a autrefois raconté les Prussiens aux portes de Paris, Valentine se réfugie en Bretagne avec ses quatre jeunes enfants. Le 11 août, la guerre a neuf jours, Jean a vingt-trois ans, le jeune sous-lieutenant d'artillerie est porté disparu dans les combats de Moselle. C'est le moment des pantalons garance, des grandes offensives et des corps par milliers couchés dans les blés. Valentine reçoit le bordereau fatal. Elle n'a pas de nouvelles de Louis qui ignore le sort de son frère. Le 25 septembre, la guerre a cinquante-quatre jours, Louis a vingt-quatre ans, il appartient à l'infanterie reine des batailles, il disparaît à Chaulnes, dans la Somme. Louis et Jean sont tués dans cette offensive qui emporta Charles Péguy et Alain-Fournier. Leurs corps ne sont pas retrouvés, à jamais dans le bleu horizon qu'ils avaient endossé. Après la guerre, on gravera leur nom, avec les autres héros morts de la paroisse, sur une plaque dans une chapelle de l'église Saint-Sulpice que fréquente Valentine. Pour l'instant, ces morts par milliers tressent les lauriers d'un colonel inconnu dont la prudence semble tout à coup merveille. Louis et Jean ne connaîtront pas ce Philippe Pétain dont l'hécatombe fabrique la carrière, tandis que par ricochets fatals elle frappe le monde civil. Est-ce la guerre qui a broyé le cœur des jeunes sœurs, Margot et Élisabeth lâchent la vie, sans résistance accueillent la maladie, et abandonnent leur mère à son deuil. Valentine devient la seule femme de sa maison. La grande fratrie est ramenée à une taille qui nous est aujourd'hui plus familière : Adrien, Henri et Pierre. La guerre et la médecine d'avant la pénicilline ont mordu dans sa famille, pourtant Valentine sera vingt-quatre fois grand-mère. Sa belle âme avait raison de sourire au mariage d'Henri, deux mois plus tard la joie d'une prochaine naissance illuminait le deuil.

27 MARS 1920

La chute dans le quotidien fut gracieuse. Mathilde et Henri s'étaient installés au 6, rue Edmond-About, dans le même immeuble que Gabrielle, cousine germaine chère au cœur de Mathilde. Les femmes, pensait peut-être Henri, vivent entre elles dans les nids qu'elles fabriquent (c'était bien l'image que pouvait avoir le jeune homme des jeunes filles et des mères telles qu'il les avait toujours observées), mieux valait ne pas séparer les âmes sœurs. Ignorait-il que la guerre les avait tirées du nid (certaines du moins) ou bien voulait-il l'ignorer pour mieux les y laisser ? Henri favorisa en tout cas l'amitié de Mathilde et Gabrielle, offrant la sienne à Charles l'époux de cette dernière. Les deux couples se voyaient tous les jours. Pareille intimité n'était pas banale et fit jaser lorsque l'avenir prendrait la forme inattendue que souvent il revêt. Henri et Mathilde trouvaient le rythme de leur mariage, qui n'était pas – comme il arrive que le ressentent aujourd'hui les jeunes mariés – la fin de quelque chose, l'aboutissement ou le point final du temps de la passion libre, mais son commencement et celui de la vie commune, la découverte de la sensualité partagée et la création de sa propre existence. Donnez-moi le bras mon amie, disait Henri, et il escortait Mathilde, vers sa maison, vers son salon, vers la destination de sa promenade. Leurs pas les ramenaient au même domicile, ils partageaient la même chambre et le même lit, et cette proximité mettait somptueusement fin à la séparation des sexes qui avait marqué leur prude jeunesse. Les mœurs alors moins libres de la bourgeoisie et l'éducation stricte qu'avaient reçue Mathilde et Henri donnaient à leur changement d'état matrimonial une saveur particulière. Ils expérimentaient deux des plaisirs les plus violents : faire l'amour avec celui qu'on aime et imaginer à deux son avenir. Loin de mettre fin à une liberté propre au célibat, Henri et Mathilde venaient d'acquérir la pleine maîtrise de leur vie. Cette nouvelle puissance se lisait sur leurs visages : moins d'ombre intérieure sur celui de Mathilde, plus d'assurance chez Henri dont les traits portaient la marque d'un sérieux qui cette fois n'était plus de la timidité.

Le quartier, l'immeuble et l'appartement dans lequel ils prenaient résidence étaient aussi conventionnellement bourgeois que l'Edmond About qui donnait son nom à la rue (ce piètre auteur dramatique, romancier médiocre mais néanmoins académicien). Le décor de ces premiers moments du couple avait le classicisme d'un intérieur bourgeois de cette époque (que l'on associe difficilement aujourd'hui à l'extrême jeunesse des mariés). L'horloge de bronze sur la cheminée surmontée d'une grande glace, la commode ventrue de style Louis XV, quelques crucifix, les bergères recouvertes de tapisserie aux motifs de roses et de feuilles, les guéridons, les lampes aux abatjours frangés appartenaient à ce temps révolu où tout nous semble "vieux". Au mur dans le salon, une huile au cadre doré avait pour motif un bouquet. Mathilde – ou Henri ? – avait aussi accroché des gravures représentant des chevaux ou des paysages, et quelques daguerréotypes. Aucun désir d'ostentation dans cette décoration, mais l'évidence d'une inscription dans l'échelle des générations, la patine du temps, le goût de la transmission et de la continuité : le jeune couple avait accueilli les meubles de famille et donné leur place aux portraits des défunts, manière d'accepter qui l'on est plutôt que de prétendre se créer. Manière aussi de vivre avec naturel ce qui est culturel et hérité. Derrière les épais rideaux qui le soir enfermaient leur domicile, Mathilde et Henri savaient-ils comment vivaient les autres ? Les plus humbles ? Ceux dont parlait le Christ. Que pensaient-ils des grèves que menèrent cet hiver-là les mineurs et les cheminots ? Oui, je me demande comment s'exprimait leur conscience d'être des privilégiés et des catholiques.

La rue Edmond-About c'était le nord du 16e arrondissement, tout près du chemin de fer et pas très loin du bois de Boulogne. C'étaient les beaux quartiers, là où l'espace minéral de la capitale s'aérait contre la verdure des grands arbres plantés autour du lac. Par les fenêtres ouvertes on entendait le petit train qui circulait en délimitant une sorte de périphérie de Paris. Appuyée à la balustrade de pierre d'un balcon qui faisait le tour de l'appartement, de toute évidence posant pour la photographie, Mathilde était radieuse, souriant comme elle ne l'avait pas fait le jour de son mariage. La vie quotidienne était peut-être plus à son goût que les grandes cérémonies ? La timidité de la jeune fille s'était envolée. Depuis le début de septembre Mathilde était enceinte. Henri la trouvait souvent assise dans une chauffeuse, les pieds sur un pouf, les jambes enveloppées dans le tissu de sa robe, le plateau de thé à côté d'elle, en train de tricoter. Il la photographiait. Elle s'interrompait, les mains levées qui tenaient les aiguilles, regardant son mari. Lorsque Valentine rendait visite à sa belle-fille, c'était au tour de Mathilde de photographier le fils et la mère. Valentine figurait un oiseau au plumage noir et à l'œil brillant.

Maintenant je me demande qui a pris la peine de coller et dater ces images. Est-ce Mathilde à la fin de sa journée ? Ou Henri, le soir, pour s'apaiser comme on occupe ses mains à une collection de timbres ou un herbier (ces occupations anciennes) ? En tout cas, n'est-ce pas exactement ce que l'on fait quand on est certain que l'*on fonde une famille* ? On commence l'album de la vie. À quoi aspirait délibérément Mathilde ? Quelle vie voulut-elle et voulut-elle sa vie ? En chemin, entourée d'enfants, ancrée par cette progéniture, pensa-t-elle à autre chose ? Considéra-t-elle les choix alternatifs – voyager, servir le monde ou la cité, réfléchir, enseigner… – qui se multipliaient ? Et que pensa Mathilde de ses contemporaines qui réclamèrent le droit de vote ou l'égalité des salaires, et furent après la guerre renvoyées dans leurs foyers sans obtenir satisfaction ? Marguerite Durand par exemple, fut-elle aux yeux de Mathilde une actrice qui se prenait pour une femme politique ou bel et bien une figure du droit des femmes ? Les noms de Marguerite Bodin ou d'Hélène Brion disaient-ils quelque chose à Mathilde ? Ces institutrices réveillèrent-elles chez la jeune femme l'idée d'une autre manière de penser et de vivre ? Quelle était la perméabilité de son milieu aux idées progressistes ? Un milieu n'est-il pas justement cet espace clos et obtus ? On peut avoir l'esprit fermé par tant de choses – l'habitude, la peur, la foi, l'orgueil, la certitude. Sur les photographies, Mathilde tricote et Henri lit, je m'aperçois que cette différence m'agace. Un autre cliché heureusement montre Mathilde sur une chaise avec un livre ! Mathilde Bourgeois avait-elle jamais lu ces journaux des militantes, *La Fronde* ou *La Voix féministe* ? Quelle était la voix de Mathilde ? Aucune nécessité ne l'obligea à travailler, en eut-elle conscience ? Une autre nécessité l'a-t-elle entraînée dans le long cycle de ses maternités ? Les dix enfants de Mathilde furent-ils le fruit d'une volonté ou bien une évidence à laquelle ni elle ni Henri ne pensèrent, comme si on n'avait pas à y réfléchir ? Mathilde endossa-t-elle en conscience ce rôle qui incomba aux femmes après la guerre (dont on dit à tort qu'elle les émancipa) : faire des enfants pour la patrie qui en avait trop tué ?

Car c'est bien ce qu'elle fit. Et par un hasard savoureux, elle commença deux mois avant que fût promulgué le décret qui créait la *médaille d'honneur de la famille française, pour honorer les mères françaises ayant élevé dignement plusieurs enfants.* Le 27 mars 1920, la jeune femme qu'elle était encore ressentit cette décharge inouïe qui vous plie en deux – la première contraction irradiante – avant que l'enfantement ne sépare un *avant* d'un *après.* Mathilde n'ignorait pas que c'était le signe du début de la naissance. Elle savait aussi que l'enfant mettrait du temps à venir et qu'elle souffrirait, comme si le tabernacle qui protégeait l'enfant résistait contre le monde. Elle pouvait mourir, d'autres avant elle avaient succombé, laissant un nourrisson sans mère. Une résignation apprise et nécessaire entérinait que les hommes meurent à la guerre et les femmes en couches. Mathilde alla dans sa chambre, s'allongea sur son lit, attendit son mari, le docteur Mars et la sage-femme que la bonne était allée chercher. L'appartement était silencieux. Un moineau sautillait sur la balustrade du balcon. C'était le printemps, un beau jour pour naître à la lumière et la découvrir dans son été. Mathilde ferma les rideaux.

Dans ce lit elle avait aimé Henri et dans ce lit elle mettrait au monde son enfant. Les accouchements avaient lieu à la maison. La chambre conjugale se refermait sur la maternité. On chauffait des quantités d'eau, on préparait des linges et des serviettes. On attendait. On savait sans avoir besoin de le dire, on savait d'un savoir ancestral. La mère, la sage-femme, le médecin – qui seul avait sa trousse d'instruments –, chaque main connaissait son rôle. L'espérance jouait le sien et l'acceptation lisait la partition des choses telles qu'elles venaient. Le corps est plein de mystères et la médecine n'est pas une science exacte. On disait que Mathilde était jeune et robuste, faite pour enfanter. Un jour on cesserait de le dire mais pour l'instant Henri était calme et heureux, accouru aussitôt prévenu, attendant au salon. Le travail était en cours, l'enfant n'arriverait pas avant la nuit. L'attente et le silence n'ennuyaient pas le futur père.

— Vous pouvez entrer monsieur, vint dire la bonne, vous avez un fils.

— Je vous remercie, Yvonne, dit Henri en esquissant un salut.

Aperçut-il les larmes dans les yeux de la domestique ? Pensa-t-il que la jeune Yvonne se trouvait dans la seule famille qu'elle aurait jamais et que déjà elle le savait ? Jules était né le 27 mars 1920.

27 AVRIL 1920

Jules avait un mois et sa tête brune reposait dans le pli du bras de Mathilde assise avec lui sur un canapé. On l'avait baptisé le 9, il était désormais l'enfant de Dieu, il avait porté le vêtement blanc signe de pureté, serré contre le vêtement noir, signe de deuil, car c'était sa grand-mère Valentine qui l'avait tenu au-dessus des fonts baptismaux. Une tasse de thé à la main, un plateau d'argent posé devant lui sur une table, Henri contemplait sa femme et son fils premier-né. L'attention qu'il y mettait, sa posture sur le tabouret, ou son extrême jeunesse (dont témoignaient ses joues lisses et pleines), lui conféraient une immobilité de statue. Il s'était laissé pousser cette petite moustache des hommes de son époque, qu'aujourd'hui nul ne voudrait porter (qui rappelle trop Charlie Chaplin dans le rôle du dictateur et le dictateur lui-même). Henri n'avait que vingt-cinq ans, il venait d'entrer dans la manufacture de gants que dirigeait autrefois son grand-père maternel (le père de Valentine), et prenait au sérieux son nouveau rôle dans la famille sans empiéter sur celui de sa femme. À cette heure, il savait qu'il faisait du bien par sa seule présence silencieuse auprès de la mère et de l'enfant, cette dyade originelle qui avait de quoi impressionner un homme jeune mais qui éveillait chez Henri un désir de protection et une responsabilité. Ses yeux regardaient s'établir devant lui la conversation intime de Jules et Mathilde. Son fils ne manquait d'aucune nourriture psychique et affective, Henri se sentait tranquille et fier. Il ne disait rien. Toute sa vie il aurait le sens inné de sa place et d'une harmonie des moments. Il saurait quoi donner, quoi faire, pour lui-même et pour les autres. À sa mort, chacun de ses dix enfants aurait entre les mains les outils pour poursuivre sans père une vie qui était déjà faite et bien lancée malgré le drame. On peut dire qu'en ces premiers jours de l'été 1920, le jeune père commençait cette grande œuvre familiale. Il regardait son épouse. Mathilde ne semblait pas lasse, elle était même dans une merveilleuse forme, pensait Henri, dont l'expression était concentrée, attentive, mais pas inquiète.

Mathilde regardait le nourrisson, absorbée, et fortifiée par une compréhension intuitive de ses besoins. Il dépendait absolument d'elle, de ses soins et de ses attentes : elle était son recours. Elle l'écoutait comme un être qui l'assujettissait corps et âme, puisqu'il était question de sa vie ou de sa mort. Son sentiment maternel grandissait et se nuançait au contact de Jules qu'elle découvrait, présent à sa manière. Bien sûr il ne ressemblait à aucun des bébés qu'elle avait vus ! Avant d'être l'enfant de sa mère, l'enfant fait sa mère, ainsi Jules façonna Mathilde. Et en retour, comme unifiée par ce lien, avec ses yeux, ses mains et ses mots, Mathilde fabriquait l'atmosphère qui éveillait Jules au monde dans lequel il vivrait. Un dialogue secret se tenait entre la mère et le nouveau-né. Tes cris sont des appels. Tes grimaces sont des sourires. Je te comprends. Tu me verras. Tu parleras. Tu marcheras. Tu seras courageux, éclairé, juste, disait la sérénité de Mathilde. Je t'invite à devenir, disaient ses gestes. Et Jules captait cette mère en attente, qui projetait sur son corps minuscule et vulnérable toute l'énergie de son rêve. Il recevait les craintes, les émois, les désirs. Il était enveloppé par cet appel à vivre. Il découvrait qu'il était en vie, d'abord sans frontière, mêlé dans le tout indifférencié du monde, puis se séparant, se distinguant, prenant conscience de ses limites – ses mains qui ne pouvaient atteindre les rideaux, sa bouche si petite pour avaler le hochet, ses pieds que maman faisait entrer dans les chaussons qu'elle avait tricotés. Il découvrait déjà le plaisir – être repu, propre, caressé, l'eau sur sa peau, la brosse sur son crâne –, et l'odeur de Mathilde qu'il conservait en lui, son image floue, sa voix, chaque jour revenus avec le bercement de ses bras. Il était de plus en plus longuement vigilant, attentif aux bruits, aux lumières, sensible à tout ce qui l'effleurait. Le dehors était un orchestre, une palette de couleurs, l'atelier d'un parfumeur audacieux. Des sensations au-dedans le captivaient aussi. Il s'agitait quand l'urine le piquait, pleurait quand son ventre faisait mal, quand il avait faim, quand il était fatigué. Il fallait que Mathilde comprît et vînt, avec son image floue, son odeur reconnue, sa voix apaisante, et les mêmes gestes réguliers de ses doigts, quelque chose qui installait son fils fragile et inachevé dans le temps et l'espace à découvrir.

Mathilde venait toujours. Jamais elle ne manquait. Et Jules grandissait. Il apprenait son propre corps et le progrès de ses pouvoirs. L'aide bienveillante de sa mère était une inépuisable provende. Elle créait en lui une confiance que rien n'entamerait sauf ce qu'on lui demanda pendant la guerre d'Indochine et, beaucoup plus tard, la maladie d'un enfant. Ce sont les événements d'un avenir dont personne n'a encore idée. D'abord Jules serait un pilier, droit comme une épée forgée sur les décombres de 1918.

Il portait le prénom de son grand-père défunt, le mari de Valentine, officier d'artillerie – Jules devenant ainsi pour Henri à la fois le prénom de son fils et celui de son père. Il naissait dans la trace vive d'une guerre qui avait détruit des millions d'existences et tourmentait ceux qui lui avaient survécu. Il était un de ces enfants réclamés par un pays qui honorait les garçons morts pour la Patrie. Jules n'avait pas un an quand les anciens combattants de 1914 et son père Henri s'émurent : dans la citadelle souterraine du fort de Douaumont, le soldat Augustin Thin, unique survivant du 132ᵉ régiment d'infanterie avait désigné le Soldat inconnu que l'on inhumait ce matin. Au milieu des fleurs et des drapeaux, un petit bouquet à la main, Thin s'était trouvé seul devant une rangée de huit cercueils. On lui demandait de choisir l'un d'entre eux.

— Il faut une raison à nos choix, Thin a fait la somme des chiffres de son régiment. Il a posé son bouquet sur le sixième défunt, raconta Henri à Mathilde.

Le Soldat inconnu rend hommage à tous les soldats français morts au champ d'honneur. Il rend hommage à Louis et à Jean, pense Henri. Leurs visages fins et allongés, à l'expression concentrée et sérieuse, sont présents en lui quand il se recueille au premier étage de l'Arc de Triomphe, et, sous la voûte, les larmes lui viennent en lisant l'inscription qui traversera le temps :

Ici
repose
un soldat français
mort
pour la Patrie
1914-1918

Si Louis ou Jean n'avaient pas été tués pendant le premier mois de la guerre, Henri pourrait croire que l'un d'eux dort sous ces mots. En étant n'importe lequel d'entre les morts, le Soldat inconnu devient chaque soldat et le *un* signifie *notre*.

De retour rue Edmond-About, Henri avait serré Jules contre lui – la chair vivante de Jules. La moustache bien taillée caressait la joue pleine du fils, et la bouche alla même déposer un baiser dans son cou. L'enfant écarquillait ses yeux bleus. (Soixante ans plus tard, devenus gros et globuleux, ils rouleraient d'une manière effrayante dès que le vieil oncle n'approuverait pas ce qu'il verrait.) La vie de Jules s'enracinait dans l'hommage aux morts. Le vieux Jules a oublié ce jour de novembre, le patriotisme fier de son père et ses larmes secrètes, mais cette émotion l'a constitué. Par les plus mystérieux canaux, les valeurs que ce jour portait sont entrées en lui comme l'eau dans une éponge. L'atavisme militaire s'installait dans un petit enfant de neuf mois.

Pourquoi le patriotisme et l'idéal militaire n'ont-ils pas été mis en pièces dès 1918 chez les Bourgeois ? Il faut croire que cette perte aurait été trop grande. Nul ne voulait le vide moral qui s'ensuivrait. Le drapeau, l'armée, l'honneur, Dieu, voilà qui vous tenait un homme. Le petit Jules apprenait cela. On ne saurait compter pour un hasard qu'il soit devenu, au dire de ceux qui l'ont fréquenté et connu, le modèle même de l'officier chrétien. On ne saurait oublier que les dix enfants Bourgeois – cette génération apparue entre 1920 et 1940 – ont été élevés par un homme né au XIXᵉ siècle, qui avait fait la guerre de 1914.

2 SEPTEMBRE 1895

Henri Bourgeois était né à la jointure de deux siècles que l'entrée en scène de la *vitesse* a séparés. En venant au monde la même année que le cinématographe, quand naquit l'empreinte mobile du réel sur une pellicule, à l'aube du règne de l'image, il pouvait mieux que personne voir se constituer notre modernité. Il avait vécu un moment de société aujourd'hui entièrement disparu. La matrice culturelle qui l'avait engendré s'était démantelée dans le progrès. De l'enfance à l'âge adulte, Henri avait traversé une incroyable série d'évolutions. Tout le monde fait-il cette expérience de finir son existence dans un univers qui n'a plus rien de commun ou presque avec celui dans lequel elle avait commencé ? Connaîtrai-je moi-même un tel dépaysement ? Et mes enfants ? me dis-je en pensant à la destinée d'Henri dont le style n'existe plus.

Il me semble que naître à la fin du XIXᵉ en Europe fut unique. L'adaptation réclamée à cette génération fut un

grand écart mental. 1895 : une date comme une première marche, une porte vers le temps des techniques et
des sciences qui, à la manière d'une vague puissante n'en
finissant pas de se dérouler sur une grève, nous a entraînés jusqu'à l'espace infini du cosmos, dans les dimensions microscopiques des bactéries et des virus, dans le
secret de notre code génétique ou le dedans calfeutré des
corps, jusque dans nos chimies les plus délicates, là où le
nom des organes et des substances est étrange, étranger
au cœur de nous-mêmes. Henri faisait son apparition
devant la porte de l'avenir. Une collection de *premières
fois* avait émaillé sa vie d'étonnements, d'émerveille-
ments ou de dépits. Premier Salon de l'auto, première
diffusion radiophonique grâce à la tour Eiffel, premier
Tour de France, premier impôt sur le revenu, première
émission officielle de télévision. Son enfance vit changer
le visage de Paris. Le pont Alexandre-III, le Grand et le
Petit Palais se plantèrent dans le décor comme des magni-
fiques fleurs de pierre et de verre. Sa main de garçonnet
bien élevé serrait alors celle de Valentine curieuse de ces
constructions grandioses. Toutes les innovations sociales
et les grandes réformes furent de son époque, la semaine
de soixante heures comme la journée de huit heures, les
allocations familiales, l'assurance sociale, la retraite, les
congés payés. Henri n'avait pu que s'en réjouir, je n'imagine pas le contraire chez ce chrétien qui avait toujours
connu une aisance matérielle de bon aloi, non pas celle
qui rend dispendieux mais celle qui sert à vivre décem-
ment, à posséder le temps de réfléchir à soi-même et au
monde, à aider ceux qui en ont besoin.

Henri avait dix ans quand se séparèrent les Églises et l'État et treize ans à la mort de son père Jules que l'affaire des fiches venait de mortifier. L'anticléricalisme révoltait sa famille. Que l'on osât contrôler les convictions républicaines des officiers croyants, quel scandale ! Valentine s'insurgeait. Que l'on se permît d'interdire l'enseignement aux congrégations religieuses qui vivaient dans cette vocation ! La France voulait-elle donc perdre son âme ? Le Vatican avait condamné la loi de Séparation. L'inventaire des biens de l'Église créait des troubles. Henri connut ces temps mouvementés. Il perçut sans doute davantage l'émotion des siens que la rupture de société, il traversa sans le savoir la fin d'une première époque dans sa vie. Marquée par ce passé, son âme n'était pas républicaine, elle entretint toujours une connivence avec la royauté. C'était une nostalgie. Et puis le prétendant au trône, le comte de Paris, partageait avec Henri la chance et le mérite d'avoir dix enfants (complicité supplémentaire). À l'âge adulte, Henri fut toujours du côté de l'Église plutôt que de celui de l'État. Il répétait ses préventions à qui voulait l'entendre : "En affaire il y a *une* personne à qui il ne faut pas faire confiance, c'est l'État." Entrepreneur, chef de famille qui avait l'élan d'un chef de bande, Henri avait la haine de cette puissance changeante. Sa préférence allait à un guide spirituel plutôt que politique. En somme, laïcisé, le *monstre froid* ne l'intéressait plus.

C'était au pape qu'Henri Bourgeois obéissait sans discussion, même lorsque cette adhésion lui coûtait. En décembre 1926, Pie XI condamna l'Action française. Si le souverain pontife n'approuvait pas la lecture du quotidien et des livres de Charles Maurras, qu'à cela ne tienne, Henri ne les lirait plus. De fait, il les effaça de son existence. Il fit l'effort de comprendre la position pontificale : oui le théoricien du nationalisme intégral allait peut-être un peu loin dans l'instrumentalisation du catholicisme ; l'Église n'était jamais seconde et encore moins seconde derrière la politique. Maurras avait certes perdu la foi mais les catholiques quant à eux savaient que l'idéal chrétien – et la doctrine sociale de l'Église – visait plus haut que la démocratie. Ils ne voulaient pas d'une religion païenne ! Même la Patrie ne valait pas une religion si elle rangeait Dieu à une place où les fidèles ne le servaient plus. Fort de ces idées, Henri entérina la mise à l'index et l'excommunication. Jamais il ne passerait les frontières de l'Église, encore moins celles de la foi. S'il fallait faire des sacrifices, il les faisait. Il n'ignorait pas que l'avancement de son père dans l'armée avait été freiné par quelques francs-maçons : Jules Bourgeois avait payé pour ses convictions religieuses, Henri les portait à son tour.

Henri verrait le monde changer au point d'être méconnaissable. Si vieillir c'est devenir moins protagoniste et plus témoin, il observerait ces métamorphoses extérieures sans pratiquer de remaniement intérieur. Mais il savait jouir des progrès. Une automobile ? Il ne passa pas à côté de cette facilité qui mettait fin aux temps immobiles, ouvrant l'ère du mouvement et du bruit. La famille profita des neuf places de la 15 familiale.

— Il y avait trois strapontins, se rappelle Claude. Papa adorait Citroën ! Quand la DS est sortie, avec sa ligne révolutionnaire, papa l'a commandée sans l'avoir vue. Le vendeur était stupéfait. Un client qui signait et payait d'avance sans rien demander ! On est sortis du magasin en rigolant. Et maintenant on va aller la voir ! a dit papa.

Et on est allés au Salon de l'auto, j'avais vingt-deux ans, poursuit Claude.

Esprit de décision une fois de plus. Henri n'était pas effrayé par la technique. Visionnaire en affaires, il serait l'un des premiers investisseurs à s'intéresser au stockage pétrolier. Assis sur deux époques, il serait à la fois un éditeur amoureux du manuel scolaire, imaginatif pour le faire évoluer, et un promoteur immobilier capable de pressentir la formidable extension de la capitale.

Mais les affaires ne sont que les affaires et l'idéal moral ne s'y pliait pas. Henri persistait dans ses pratiques et ses valeurs. Il ne recevait pas les divorcés, vouvoyait sa mère et son épouse, entendait être obéi. Dans sa maison, les femmes ne portaient pas le pantalon. Cela serait encore vrai en 1962 quand trois belles-filles y entreraient en même temps. Chaque homme n'advient qu'une seule fois, dans un seul temps, qu'il ne choisit pas et qui le façonne. Henri incarna le sien, avec ses grands défauts, ses grandes faillites, mais quelque chose de digne et droit, l'élégance et la volonté que confère une aspiration élevée.

4 JANVIER 1923

Henri voulait une famille, il l'eut. Jules marchait lorsque Jean naquit, le 5 octobre 1921. On ressortit des armoires, où ils avaient été rangés avec le soin méticuleux que l'on portait aux choses domestiques (et à beaucoup d'autres), les minuscules vêtements de Jules. Et Mathilde recommença de donner son regard, ses bras, son odeur reconnue et la régularité de ses caresses. L'instinct maternel – ou l'amour – c'était peut-être comme elle fit : mettre son âme dans tous ses gestes. Être là entière pour langer, nourrir, bercer. Prononcer doucement les mots du commencement et de la découverte, décrire le monde pour celui qui ne possède pas le langage, Jean. Quand il entendait les murmures de sa mère, quand il la voyait l'embrasser, lui masser le ventre (les bébés ont des tortillons, expliquait Mathilde), Jules s'approchait pour regarder de plus près son "petit frère". Curiosité, jalousie, dans l'esprit d'un aîné qui avait à peine quinze mois, ne préoccupaient pas Mathilde. Le temps de la psychologie n'était pas advenu.

— Doux, fais doux, disait-elle lorsque le garçonnet inhabile tapait avec sa main sur le visage du nourrisson qui se mettait à pleurer.

Elle prenait la main potelée de Jules dans la sienne et la guidait pour caresser le crâne sans cheveux du bébé. Si étonnant que cela paraisse, la douceur s'apprend, ou plutôt s'enseigne. Mathilde transmettait les gestes de la tendresse. Et Jean grandit à son tour, à côté de son frère, et il marchait lui aussi lorsque Nicolas vint au monde le 4 janvier 1923. Numéro trois, un tempétueux qui aurait dans ce siècle une vie en première ligne et en paierait le prix fort.

Moins de quatre ans après son mariage, Henri avait trois fils. Il les emmenait prendre l'air au bois de

Boulogne. Le temps était au froid, les lacs seraient bientôt gelés. Les grandes roues du landau brisaient les cristaux des pellicules de glace sur le gravier des allées. Le nourrisson emmailloté était au chaud sous les couvertures. On l'en tirait pour une photographie. Henri faisait d'innombrables clichés de sa famille. On y voyait, toujours bien habillé, dans les dentelles, les culottes courtes, les blouses, les mantelets, un garçon qui n'était jamais le même : Jules, Jean, Nicolas, sur le chemin de l'homme, du nourrisson au garçon à l'affût de quelques vérités.

Au printemps de 1922, on asseyait Jean sur une couverture. Entouré de ses peluches, il demeurait tranquille et observateur comme il le serait toute sa vie. Mathilde formait avec ses cheveux fins et blonds une coquille sur le dessus de sa tête.

— Comme il est drôle ! disait Valentine.

L'armée des morts reculait devant la vie. Le jeune Jules venait se glisser dans les jupes noires de sa grand-mère.

— Mais oui toi aussi tu es drôle ! disait aussitôt la vieille dame pour rassurer l'aîné de ses petits-fils. Viens embrasser grand-mère !

Elle n'avait que cinquante-quatre ans mais le veuvage l'avait pour toujours rangée dans la cohorte des femmes dont l'existence était achevée.

Au printemps de 1923, c'était à Nicolas de tenir assis, sur la même couverture, avec les mêmes peluches. Peu de propriétés étaient privées. À deux ans et demi, Jean avait choisi le doudou consacré et laissait la collection à Nicolas. Mathilde félicitait. On apprenait qu'il faut prêter ses affaires et que *l'égoïsme est un vilain défaut.* Le bien et le mal étaient des catégories apprises très tôt, omniprésentes, préoccupantes. La pratique de l'examen de conscience n'avait pas encore disparu. Réfléchir à ce qu'on avait dit ou fait, ou pas fait, revenir sur ses intentions qui pouvaient être cachées, creuser son âme avec honnêteté, il n'y avait pas d'âge pour cet exercice spirituel.

— Va dans ta chambre, tu reviendras quand tu auras réfléchi.

C'était sans violence mais sans laxisme, et loin d'être étriqué (cet adjectif qui sert si souvent à décrier les bourgeois), ce n'était pas débridé évidemment, c'était une quête de la noblesse de cœur. Entre étriqué et débridé, il y a la droiture : répondre par ce qui est juste, recevoir les événements et les personnes en se tenant de face et debout. Les dix enfants Bourgeois étaient élevés ainsi : ils seraient consubstantiellement droits.

La vertu n'était pas la tenue, dont le détail était plus prosaïque. Montre à ton petit frère comment on se tient bien à table. Mets ta main à côté de ton assiette. Jules sortait sa main de sous la nappe pour la poser à gauche de sa fourchette. On ne retourne pas sa cuillère dans sa bouche en mangeant, disait Henri. Il fallait prendre les bonnes habitudes ! Être bien peigné, assis sur sa chaise sans s'appuyer contre le dossier, ne pas toucher son couvert avant que maman le permît. Dire bonjour madame ou bonjour monsieur. Bonjour qui ? disait Henri si l'on y manquait. Se montrer agréable et ne jamais médire. Faire sa prière et penser à ceux qui sont malheureux, finir son assiette à cause de ceux qui n'ont rien à manger... On ne pourrait faire la liste de tant de gestes, de postures, d'attentions, de précautions, que l'on inculquait à Jules, à Jean, puis à Nicolas. Et cela ne se passait pas si mal.

— On n'était pas malheureux ! dit Claude aujourd'hui, sans songer une seconde que cette affirmation pourrait bien signifier le contraire de ce qu'elle prétend dire.

Ils apprenaient à se satisfaire de ce qu'ils avaient. Ils apprenaient que l'on ne pense pas à soi-même avant les autres. Ils apprenaient à réfléchir avant de parler. Ils apprenaient l'aristocratique réserve des Bourgeois (les pauvres, les démunis, les exploités de ce monde n'étaient pas seuls à être sans mots), leur politesse sans cérémonie – un équilibre subtil –, l'invisibilité de l'effort vers autrui. Ils apprenaient que le bonheur n'est pas le plaisir. Ils apprenaient à penser une seule chose à la fois. Ils apprenaient à marcher du même pas que la vie.

— Venez un peu par ici, disait parfois Henri.

Toutes les jambes se mettaient aussitôt en marche. Oui, père. Je le promets, père. Je m'y engage. On ne s'avisait pas de tenir tête à Henri. On n'essayait même pas de l'amadouer. D'ailleurs il n'abusait pas d'une autorité naturelle qui lui venait des qualités de sa manière d'être. Il ne demandait pas plus à ses fils que ce qu'il exigeait de lui-même. Tous écoutaient et respectaient ce père qui n'avait aucun défaut apparent.

— Lorsque j'étais enfant je croyais que les adultes ne commettaient aucun péché ! raconte Claude.

Bientôt Mathilde attendit André. À Jules et Jean tout le sérieux fut demandé. Ne fatiguez pas votre mère. Donnez le bon exemple à Nicolas. Ils faisaient ces choses raisonnables et gentilles. André naquit le 22 juillet 1926. Henri et Mathilde avaient désormais quatre fils. Et je me dis : ils représentaient avec ferveur ce qui est honni aujourd'hui par ceux qui craignent qu'on n'en refasse un idéal – et le retour de l'ordre moral –, la famille nombreuse, hétérosexuelle et catholique.

15 OCTOBRE 2014

La presse du jour annonce ce nouveau prodige dans la vie des femmes : Google et Microsoft proposent à leurs cadres féminins de prendre en charge la congélation de leurs ovocytes, de sorte que ces *superwomen* puissent corps et âme consacrer leur jeunesse à leur carrière au sein de l'entreprise tout en sachant conservés leurs meilleurs gamètes. L'entreprise capitaliste s'immisce dans la vie personnelle – intime – de ses employées pour mieux la plier à ses propres objectifs de productivité et rentabilité. Peu de gens pourtant s'offusquent d'une telle proposition qui instrumentalise les femmes au point de leur suggérer un calendrier d'existence favorable au profit (comment croire qu'il s'agirait là du souci de leur épanouissement ?). Ils sont plus horrifiés par les naissances nombreuses. Les femmes quand même ne sont pas des lapines !

Mathilde Bourgeois a mis au monde dix enfants, et sans doute a-t-elle été treize ou quatorze fois enceinte.

Voilà qui nous semble en effet ahurissant et même épouvantable (comme le nombre d'enfants qui mouraient alors dans toutes les familles). Ce qui fut une évidence pour Henri et Mathilde peut provoquer notre sidération et réciproquement ce qui nous paraît naturel, merveilleux ou choquant ne l'était pas forcément pour eux. Et pourtant nous partageons une même nature humaine. Les nouveaux comportements ne sont que les réponses optimales des mêmes hommes et des mêmes femmes à un environnement qui a changé. Aristote avait prédit que le progrès technique libérerait les esclaves, la machine à laver le linge a libéré des travaux domestiques le sexe opprimé. Question de circonstances et non pas de caractère. Celles qui restaient au foyer et ne travaillaient pas n'étaient pas pour autant bêtes à pleurer, moins curieuses, plus paresseuses, moins entreprenantes, comme on l'imagine ou le laisse entendre quelquefois – ce qui est rapide et prétentieux. Cette certitude enlève, dans l'évocation de ces vies passées, toute supériorité ou condescendance de femme active et libérée. La société dans laquelle vivait Mathilde lui laissait peu de chance de réaliser ce qui nous est à la fois accessible et souhaitable. Enseigner à l'Université, créer une entreprise ou publier des livres, choisir le nombre de ses enfants, profiter d'une péridurale et d'une échographie n'existait pas encore quand vivaient Henri et Mathilde Bourgeois. L'espace matériel et temporel était autre, les gens agissaient autrement. Soyons certains qu'ils recélaient les potentialités que nous avons réalisées. Le féminisme politique et le raffinement de la connaissance du corps ont desserré l'étau patriarcal et nous nous en félicitons. La tâche n'est pas achevée. Je regarde vers l'avenir, de nouveaux dangers se profilent, les technologies recèlent des aliénations. Je regarde vers le passé, je ne m'interdis pas d'imaginer Mathilde heureuse.

1897-2017

Mathilde était née en 1897. Je l'imagine si elle arrivait chez moi un matin. Elle embrasserait d'un coup d'œil les merveilles de la technologie au service de la famille. Elle verrait des machines dont elle n'avait pas l'idée : non seulement un grille-pain, un presse-agrume, un congélateur, mais aussi un lave-linge qui essore à 1 400 tours-minute, un sèche-linge, un lave-vaisselle. Et un ordinateur sur lequel un enfant trouve dans l'instant l'information qu'il cherche pour un devoir. Je peux former l'image de la main de Mathilde se posant précautionneusement sur la souris et de son étonnement quand l'écran en veille s'illumine. Mathilde Bourgeois entrerait dans un monde de sortilèges. Elle verrait du lait maternisé en poudre, des biberons en plastique, des petits pots au poisson et aux épinards, des changes complets, des produits surgelés, non seulement des cornets de glace mais des blancs de poulet, des fondants au chocolat, des raviolis à la crème ! Ces plats passeraient cinq minutes au four à micro-ondes avant qu'une Mathilde moderne appelât à passer à table.

En une seconde Mathilde saisirait l'allégement des tâches. Elle ne verrait ni cuisinière à l'office ni office, pas de femme de chambre ou de nourrice. L'appartement lui semblerait petit. Elle découvrirait la confection pour enfant – Cyrillus, Jacadi, ou Monoprix – et comprendrait que les filles de ma génération ne sachent ni coudre ni tricoter et consacrent leur temps à autre chose. Comme est insolite de comparer sa vie et la mienne, de soupeser le pour et le contre. Peut-être Mathilde demanderait-elle si la répartition sexuelle des tâches s'est trouvée changée par le progrès. Les maris font-ils davantage que n'en faisait Henri (c'est-à-dire strictement rien) ? Peut-être ne poserait-elle même pas la question.

Si je peux imaginer Mathilde à la découverte de la maison moderne, puis-je quant à moi faire le trajet à l'envers, m'éloigner de moi-même et déclencher l'expérience mentale par laquelle ce qu'elle a vécu je le vivrai ?

JUILLET 1924

Debout à côté des valises, ils attendaient la voiture. Jules et Jean partaient en vacances au bord de la mer avec leur mère Mathilde, leur grand-mère Valentine et leur jeune oncle Pierre. Cela saute aux yeux quand on s'attarde sur la photographie : ils étaient riches, privilégiés et éduqués. Qui parmi eux avait conscience que les classes laborieuses n'avaient pas droit à un repos annuel ? Qui imaginait que cette iniquité disparaîtrait et que les congés payés seraient institués pour tout le monde ? Y pensaient-ils ? Étaient-ils capables de juger justes et nécessaires des réformes dont ils n'avaient pas besoin eux-mêmes et qui bouleversaient les pratiques usuelles ? Je me le demande sans connaître la réponse. Les Bourgeois n'avaient pas besoin du progrès social : ils partaient en vacances, ils possédaient des maisons de famille, ils louaient ce qu'ils voulaient où ils voulaient. La famille allait à Blonville ou Bénerville, là où se rendaient aussi les duchesses amies de Marcel Proust qui ne s'y montrerait jamais plus. Étaient-ils amusés d'être en vacances à côté de la villégiature qui servit de modèle à Balbec ? En tout cas l'habitude était prise : Valentine, Gabrielle, Mathilde et leurs enfants commençaient l'été sur cette côte normande. L'immense plage que dénudait la marée descendante ne présentait aucun danger. Les jeunes pataugeaient, barbotaient, et lorsqu'un bébé ne s'endormait pas sous la tente, la villa sur le front de mer, presque à portée de voix, abritait sa sieste.

Veux-tu nous aider ? demandait Valentine à son fils et le jeune Pierre – qui avait seize ans – montait la tente de toile sous laquelle chacun prenait l'ombre. Pas de doute, le passage chez les scouts débrouillait un garçon.

Dès qu'elles les jugeaient assommés de soleil, les femmes faisaient une place aux enfants dans leurs jupes. L'épiscopat français n'avait pas encore publié son code de l'habillement féminin, en réaction aux maillots de bain, robes courtes et autres exhibitions, mais Mathilde et Gabrielle se montraient plus que décentes, elles étaient carrément élégantes, assises dans le sable avec leurs blouses et leurs chapeaux. Le blanc immaculé rayonnait à la lumière tandis que Valentine était toute noire à la plage comme à la ville. Aucune ne se serait baignée. Était-ce même une activité imaginable pour ces dames ? Le samedi, Henri rejoignait sa famille. Assis sur un pliant, sans cravate et sans ses lunettes, deux fils accrochés à ses jambes, il posait pour une photographie (encore). Le petit Jules était sérieux et attiré par ce qui se passait ailleurs, Jean concentré comme un bébé dès qu'il aperçoit quelque chose, Nicolas dormait, et pour une fois Mathilde n'était pas enceinte. Elle donnait la main à Jules, remettait droit son bonnet de coton, avant de le regarder jouer avec le sable, sa pelle et son seau. Nicolas se réveillait, elle recommençait de prendre, de câliner et de rajuster, tandis que Gabrielle faisait de même avec ses enfants. Elles étaient deux vies dévolues à fabriquer des vies et rien ne semblait pouvoir interrompre cette vaste fabrique de chair, rien sauf la disparition d'un des deux géniteurs.

22 OCTOBRE 1927

En vérité, la plupart de ses enfants ne connurent Mathilde qu'enceinte. On était en 1927 quand Joseph poussa son premier cri, dans la chambre de sa mère qui cessa instantanément de souffrir. Mathilde avait trente ans, son fils aîné Jules arrivait à l'âge de raison et le plus jeune, André, venait d'avoir un an. Cette cinquième naissance était automnale. Dans l'utérus maternel Joseph était un bébé achevé et le grand muscle féminin le mettait dehors. Déchirement, arrachement, cheminement, expulsion : une procédure mécanisée s'emparait du corps, comme en son temps s'en emparera la mort. La nature fait souvent de nous des automates, elle prend les rênes, nous n'avons plus rien à faire ni à penser, il suffit de suivre ou d'accompagner le mouvement spontané des organes sollicités. La vie tirait l'enfant hors de sa mère. Joseph était là, nu dans sa peau nouvelle, rougeaud, gluant de sang et de viscosités. On l'emporta pour le laver et l'habiller, façon de le faire entrer dans le monde humain qui serait le sien, loin de la nudité et de la nature. Je vous le rapporte dans un instant madame, disait la sage-femme. Mathilde avait les yeux fermés. Le médecin plaçait l'index et le majeur sur l'artère radiale du poignet de Mme Bourgeois. La tempête intérieure était finie, la mère avait traversé l'épreuve et l'enfant se portait bien. L'homme de science rassura le père. Dans son calepin, Henri nota l'heure de la naissance et le poids de l'enfant. *Cheveux blonds. Yeux bleus. Nous le prénommons Joseph.*

JEUDI 24 OCTOBRE 1929

Joseph avait deux ans quand d'un seul coup l'avenir s'ébaucha et le passé disparut. Les combattants et vainqueurs de 14-18 moururent, Foch en mars, Clemenceau en novembre. André Maginot, ministre de la Guerre, se félicitait des travaux à la frontière est : la ligne de défense était judicieusement conçue. Le grille-pain fit son apparition au Salon des arts ménagers et à Wall Street une foule inquiète s'agglutina sous la statue de George Washington, la première crise financière frappait le XXᵉ siècle, ses conséquences seraient incommensurables. Les événements n'avaient pas la même signification qu'aujourd'hui. Les uns avaient plus d'importance, les autres n'étaient pas les signes avant-coureurs que nous identifions désormais. La lecture du présent se fait au présent (celle du passé aussi).

La famille vivait au présent. Elle avait déménagé boulevard Émile-Augier dans un appartement dont la vastitude resterait un souvenir mythique. Six cents mètres carrés, des chambres en nombre, une bibliothèque, un salon, une salle à manger, une cuisine, un office, des chambrettes sous les combles où logeaient les domestiques. La maisonnée était à son aise pour accueillir le cinquième enfant. Jules avait neuf ans, Jean venait de fêter ses huit ans, Nicolas en aurait bientôt six, André en avait trois et Joseph deux. La place que l'on occupe dans une fratrie dessine une manière de vivre : deux paires s'étaient formées. Les plus jeunes, André et Joseph, qui avaient quinze mois d'écart, faisaient équipe, comme Jules et Jean allaient ensemble. Nicolas fut un peu seul.

Le monde suivait une ligne de chute, mais qui le savait ? Ils jouaient à cache-cache et à chat, à colin-maillard, à Jacques a dit. Les grands faisaient de la bicyclette. Sans les mains ! s'écriait Jules. Tour à tour ils apprirent à lire, tranquillement au salon, avec une méthode dont l'efficacité n'était plus à prouver. Le *Syllabaire Régimbeau* était loin de la méthode globale et autres barbaries déstructurantes qu'inventeraient les pédagogues. Ils récitaient des poésies. *Le Lion et le Rat* et comment on a toujours besoin d'un plus petit que soi. Ils découvraient l'accord du participe passé quand il est conjugué avec le verbe être, le calcul et la conjugaison, l'écriture

et les Écritures, les sept péchés capitaux, le mystère de
la communion et la magie de la confession. Tout cela
leur était inculqué et pénétrait en eux, devenant comme
une nature pérenne. L'homme est un être vivant dont
la durée de vie est plus longue que celle du lapin parce
qu'il est plus compliqué de le refabriquer que de le réparer. Trois années s'engloutirent dans cette gigantesque
entreprise éducative et Mathilde fut enceinte à nouveau.
Une heureuse surprise se préparait mais personne ne le
savait encore. On ne connaissait pas l'échographie ou
l'amniocentèse, la naissance seule révélait aux parents
le sexe du fœtus.

17 AVRIL 1930

C'est une fille ! chantait la bonne Yvonne dans toute
la maison.

— Une fille ? ricanèrent les garçons en passant la tête
par la porte de leur chambre. Ahhh ah !

Depuis le temps qu'on en parlait de cette future
chipie, ils n'y croyaient plus ! Nicolas courait déjà dans
le couloir pour coller son oreille à la porte de la chambre conjugale.

— Que fais-tu là ? Attends que ton père t'appelle !
murmura Yvonne en passant la main dans les cheveux
du garçon.

Les petits Bourgeois, elle les aimait peut-être comme
ses propres enfants, puisqu'elle-même ne s'était pas
mariée, avait quitté ses parents, sa province et sa vie,
pour servir dans cette famille dont elle pleurerait les

morts bel et bien comme les siens propres. Jean et Jules attendaient, curieux mais tranquilles. À quoi ressemblait donc la *fille* ?

Louise n'était pas différente de ce qu'ils avaient été, voilà ce qu'ils pensèrent une fois qu'ils furent passés au bord du lit pour voir leur petite sœur.

— C'est dans la couche qu'elle n'est pas comme nous, souffla Nicolas à André qui ne comprenait rien à ce que disait son frère.

Mathilde se reposait, le nourrisson avait quelques cheveux collés sur le crâne, ses yeux étaient gonflés et collés eux aussi. Pour une fille elle n'est pas très belle, avait pensé sans le dire Nicolas qui formait ses premiers jugements.

— Regardez comme votre petite sœur est jolie !

Cette phrase ! Les frères l'entendraient une deuxième fois dans leur vie, mais pas de la bouche de Mathilde. Jules et Jean remarquèrent combien leur mère paraissait fatiguée. Son expression s'était contractée douloureusement en soulevant le bébé pour mieux le leur montrer. Mettre au monde les enfants était une chose grave. Ils pouvaient tous le comprendre en voyant les traits tirés de Mathilde. Ses cheveux noirs attachés en arrière étaient plats, son visage amaigri, ses joues creusées, et son teint était gris, sans les couleurs de la vie, comme si elle les avait données à sa fille qui était à la fois blanche et rouge, avec une toute petite bouche ouverte et mouillée.

— Êtes-vous contents ? demanda Henri à ses fils.

— Très contents, dit Jules avec une ferveur soudaine.

— Oui très contents, confirma Jean avec application.

— Laissons votre mère se reposer, murmura Henri en les entraînant vers la porte.

C'était sa façon de dire que la maternité était l'affaire des femmes ou d'admettre que chacun vit seul avec son corps qui se remet des épreuves. Voilà cette génération : qui estimait que tout ne se partage pas et qu'il fallait taire ce que l'on ressentait. Et alors, me dis-je, ce que l'on gardait pour soi, était-ce subalterne ou carrément honteux ?

Une fois seule avec sa fille, Mathilde posa son nez sur le crâne de Louise. Le goût des nourrissons, quand on l'a, ne subit aucune érosion. Était-ce une joie primitive ou au contraire éduquée ? Sa fille ! Elle la reniflait. Elle se noyait dans son odeur indéfinissable – le parfum de l'avant-monde dont Louise venait d'être tirée ? Mathilde avait à peine plus de trente ans et la charge de six existences. La vie peut s'accomplir en dessinant la forme exacte d'une offrande. Le Christ l'avait montré aux hommes et la Vierge aux femmes, pensait peut-être Mathilde. Ne pas demander à s'affranchir mais à approfondir le don de soi, telle était sa voie – par l'amour – vers le Souverain Bien.

Y réfléchir : L'obéissance, la soumission aux exigences d'un devoir deviennent intéressantes quand une volonté ferme s'en est mêlée. Mathilde était une femme remarquable à cause de sa force. Non pas parce qu'elle était directrice, présidente ou secrétaire, parce qu'elle avait accompli ceci ou réussi cela, mais parce que son caractère possédait une fermeté.

Mathilde Bourgeois s'appartenait-elle ? En cette *Journée de la femme*, je réfléchis au verbe *s'appartenir* et à la liberté conquise par les Françaises, aux combats qui restent à mener, aux menaces qui se profilent. Continuons-nous de protéger les femmes contre toutes les violences qui leur sont faites ? Le présent déploie ses nouveautés technologiques. Que déroberont-elles aux plus démunies si le marché de la procréation s'épanouit ? Un documentaire télévisuel raconte les bébés *made in India*. Le marché des enfants représente aujourd'hui des millions de dollars, dit la voix off avant de nous apprendre comment se développe – après le tourisme sexuel – le tourisme procréatif. La concurrence internationale existe même lorsqu'il s'agit de produire et d'acheter un nourrisson. La location d'un utérus n'a pas le même prix selon les pays. Aux États-Unis, le recours à une mère porteuse coûte 100 000 dollars. Mais faire porter son enfant en Inde par une Indienne revient cinq fois moins cher. Nul n'y voit un acte néocolonialiste. Seul compte l'avantage comparatif : 20 000 dollars, c'est le prix d'un nourrisson *made in India*. À sa manière, il fait la joie d'une jeune mère indienne : grâce à lui elle croira échapper à la grande pauvreté. La chanceuse sera payée 4 000 dollars pour le céder – sans les rencontrer – à ses futurs parents américains ou européens. Les apprentis sorciers de l'argent biologique s'emballent. Faisons tout ce qui est possible. Prélevons, implantons, vendons. Le monde se félicite : c'est un bon *deal*, chacun y trouve son compte. Les femmes et

111

les hommes sans utérus qui veulent un enfant accèdent à leur désir légitime. Les Indiennes pauvres reçoivent l'argent pour éduquer leur propre progéniture (lui éviter d'avoir à louer ou vendre son corps, par exemple). Elles en seront séparées pendant les neuf mois d'une grossesse souvent secrète et sous surveillance dans des *fermes à bébés*. Elles porteront un fœtus conçu hors d'elles, par la fécondation d'un ovule extorqué à une autre. Sans avoir le choix d'accoucher, elles subiront une césarienne précoce. L'enfant fera et sera l'objet d'un contrat. Elles n'entendront plus jamais parler de lui et de ses parents d'intention. Mais si d'aventure une anomalie le touchait, il pourrait devenir *un enfant de personne*.

Si l'on plaint avec vigueur toutes les Mathilde Bourgeois d'une époque (qui, dit-on, perdaient leur vie en portant dix enfants), alors il faut se dresser pour manifester contre la marchandisation des femmes que leur pauvreté rend disponibles. C'est pour son propre compte que Mathilde Bourgeois porta dix enfants. Elle leur donna maintes occasions d'éprouver le bien-être physique et affectif. Elle fut une figure régulière et nourrissante. Elle témoigna chaque jour des valeurs et des interdits qui étaient les siens. Elle donna l'amour et la confiance qui sont le ferment de soi, et ainsi, avec cette constance particulière, elle forgea en eux la puissance de créer leur vie. Il me semble qu'elle en fut heureuse et qu'ils le sont encore aujourd'hui, ceux qui vivent sous le nom qu'elle leur donna.

Henri était devenu éditeur. Il avait accepté de seconder le beau-père de son frère aîné à la direction de la maison familiale. L'idée vient de Solange, avait assuré Adrien, garantissant par là que la proposition était exempte de toute manœuvre de sa part, chose que la rigueur d'Henri n'aurait pas acceptée. Henri rendait service. Il remplaçait Max, le fils qui aurait dû succéder au père, s'il n'avait pas été un de ces hommes qui jamais ne renoncent, qui s'évadent quand on les fait prisonniers et s'envolent quand ils ne peuvent plus galoper. La mort de ce héros était pour ses parents un désespoir qui dépassait les consolations éphémères de l'honneur et de la fierté. Le mariage de Solange avec Adrien Bourgeois, au début de l'été 1920, avait délivré de l'hébétude la famille de la mariée. Car un fil rouge liait Max mort à Adrien miraculé : ils étaient tous deux aviateurs. Ainsi Henri fut-il éditeur. Il le fut pour le reste de sa vie professionnelle et au nom des autres lorsqu'il présida le Syndicat national des éditeurs. Il le fut avec sérieux, talent et succès. Il aima ce métier noble sans négliger qu'il est aussi un commerce.

Henri avait trente-quatre ans. Il atteignait une première maturité de compétence. Avisé en affaires, il avait toujours lu : les livres saints, les vies des saints – saint Augustin, saint Ignace –, les classiques grecs et latins, et puis Balzac pour lequel il avait une prédilection. Plus tard, il aimerait Graham Greene. Les livres avaient formé le fond habituel du décor de sa vie et coloré le labyrinthe secret de son caractère. Maintenant il observait ses fils qui fourrageaient dans la bibliothèque : Jules et Jean férus d'Histoire, Jérôme qui dévorait sans frontières et Claude toujours fourré dans *L'Illustration*. Et puisqu'il avait une âme autant qu'une expérience d'éducateur, Henri rencontra sa vocation en éditant des manuels scolaires.

La grande dépression assombrissait ses débuts mais sa prudence sauva l'entreprise de la faillite. Son autorité, si naturelle que l'acquiescement des autres lui semblait naturel, fit des merveilles. Il convainquait, rassemblait, affermissait. Il se montra visionnaire. Le catalogue de la maison était empli de titres morts, certains se vendaient à moins de dix exemplaires par an, et dans la nuit insuffisamment observée qui allait mener à la Seconde Guerre mondiale, l'éditeur s'accrocha à quelques titres comme à des étoiles. Le *Cours moyen d'arithmétique pratique et raisonnée* se vendit à sept mille cinq cents exemplaires après qu'il eut été refondu en 1925. L'innovation était une obligation récompensée. Le progrès bondissait dans tous les domaines, l'enseignement de la plupart des disciplines en serait affecté, il fallait inventer les manuels de l'avenir. Le *Cours moyen* était sans arrêt réimprimé – il le serait vingt-quatre fois et atteindrait le million et demi d'exemplaires dix ans plus tard –, Henri y vit la preuve qu'une pédagogie novatrice était la condition de la réussite. Il ne quitterait plus cette ligne éditoriale, créant une collection attractive pour les enseignants comme pour les élèves. La *Géographie documentaire* paraîtrait en 1939 et assurerait confort et sécurité à l'auteur comme à son éditeur. Ils étaient devenus des amis et c'était après un déjeuner boulevard Émile-Augier qu'Henri donnait à Louis le règlement de ses droits. Quelle aubaine ! s'émerveillait le pédagogue, car les professeurs déjà à cette époque n'étaient pas grassement payés.

— Papa était un excellent éditeur, dit Claude. Il avait du nez. Son audace a payé. Et sa prudence de gestion a sauvé la maison pendant la crise. Il était très apprécié de ses auteurs. C'est évidemment grâce à lui que j'ai commencé chez Julliard.

Claude lève les yeux vers un souvenir.

— C'est moi qui ai ouvert le paquet qui contenait *Bonjour tristesse* ! Il a plu tout le mois de juillet et le livre s'est vendu comme des petits pains.

27 OCTOBRE 1937

Comme des petits pains, c'était aussi la manière dont Henri fabriquait les enfants. Jérôme et Claude naquirent après Louise. Cela faisait un homme et sept garçons autour de la fillette et de sa mère. Souvent on les voyait ensemble, l'une assise jouant avec sa poupée, l'autre penchée sur son tricot. La layette était produite à la maison. Chaussons, brassières, barboteuses, Mathilde comptait les mailles sans avoir besoin de patron, les aiguilles tricotaient toutes seules. Montre-moi les affaires du bébé, demandait Louise. C'est joli ! s'exclamait-elle. Il sera vraiment si petit ? Et moi maman, j'étais si petite ? Le sourire disait oui à tout.

Claude venait d'avoir trois ans quand une neuvième naissance rassembla les enfants autour du lit de Mathilde. C'était pour elle la fin de la maternité heureuse mais personne ne le savait. On avait fêté le bachot latin-grec de Jean qui préparait maintenant le second en mathématiques, celui que Jules venait de réussir assez brillamment pour entrer en classe préparatoire chez les jésuites de Sainte-Geneviève. La fin du mois d'octobre composait les couleurs de Paris. Les marronniers, les tilleuls et les acacias nouvellement plantés dans les avenues et les boulevards avaient juste fini de se dénuder. Guy arrivait au monde sur ce tapis de feuilles mortes qu'écraseraient les roues de son landau la première fois qu'il sortirait dans la ville, invisible au fond de la nacelle du majestueux landau qui avait transporté tous les enfants de Mathilde.

Une extraordinaire photographie montre huit enfants et leur père autour du nourrisson et de sa mère. Mathilde est adossée à un gros oreiller dont la blancheur resplendit sur l'acajou de la tête de lit. Une raie au milieu sépare ses cheveux tirés. Ses bras nus sortent d'une chemise de nuit au plastron de dentelle. Un imperceptible sourire marque une fossette au bord de ses lèvres. Ses yeux sont baissés vers l'enfant qui dort dans le pli de son coude. Elle est entourée par la plus grande famille qu'elle verra jamais. À sa droite, Henri et ses trois fils aînés dominent la situation. Comme leur père, Jules, Jean et Nicolas sont en veste et cravate. Henri semble en dehors du tableau, seul adulte, debout, la main droite dans la poche du pantalon de son costume, l'air de l'homme qui a accompli un miracle.

Son visage est presque joufflu, il atteint le sommet de sa force physique et le commencement de la maturité : un père de famille. Et c'est bien ce qu'il est. Jules imite-t-il son père ? Il est nonchalamment accoudé à la tête de lit, tandis que Jean est assis et Nicolas, plus tendre, à demi étendu contre sa mère. Nicolas, les cheveux dégagés autour de l'oreille, a un visage d'une grande finesse. De l'autre côté du lit s'agglutinent les cinq petits. Claude exhibe déjà sa chevelure noire, frisée et indomptable (qu'il détestera toute sa vie) et colle avec curiosité ses yeux perçants à la joue du nourrisson. Sa tête énorme (par comparaison) suggère que trois petites années suffisent à déplier la chair et comment les jambes poussent et se tiennent droites dans la culotte de flanelle grise qui habille les garçons jusqu'à l'âge de quatorze ans. Serré derrière Claude, le dominant en taille (il a sept années de plus), Joseph se penche pour regarder lui aussi ce nouveau frère. Jérôme rêve face à l'objectif, plus intéressé par le photographe que par le bébé, échappant au sujet, avec son allure d'enfant sage et bien peigné, libéré par le nombre de ses frères et sœurs, car les yeux d'un père ne se portent pas simultanément sur neuf rejetons. Le nombre fabrique de la liberté. Louise est derrière Jérôme – une main sur son épaule comme si elle le rappelait vers la famille –, elle sourit au bébé. Elle a sept ans, les cheveux noirs coiffés en bandeaux, elle est belle comme une image (dans sa robe blanche à la ceinture nouée dans le dos, avec ses chaussettes hautes et ses chaussures blanches). Son visage exprime un bonheur de ce qui est. Elle sera la marraine de Guy et ressent cela comme un honneur. André, le ventre en avant, plus songeur, se tient en retrait du groupe des petits, l'air un peu abandonné et perdu.

Longtemps ce cliché sera posé dans un cadre sur le bureau d'Henri. Après le jour fatal il le rangera dans un tiroir. Maintenant je le scrute à la loupe. Il y a trois façons de vivre avec le passé : le contempler à l'instant où il est le présent, l'oublier quand il est perdu, en conserver à jamais le souvenir.

1930

Pour joindre l'utile à l'agréable en rendant service à ses belles-filles, Valentine acheta la maison Bourcier, rue de la Forêt, à trois cents mètres de l'église et du cimetière, dans un village de Seine-et-Oise. La propriété comptait deux hectares plantés de grands arbres, elle était entièrement clôturée par un muret de briques surmonté d'une grille et doublé d'une haie bien taillée. Une large allée de graviers longeait la pelouse jusqu'à la maison.

Vaste bâtisse bourgeoise, plutôt mastoc, pourvue d'une tourelle qui révélait des prétentions, Saint-Martin – comme on appellerait ce havre – recevrait pendant trente ans les enfants, tous leurs amis, les enfants mariés, les petits-enfants, en une sorte de monde qui vivait comme on ne peut plus le faire : tablées de vingt-cinq personnes, croquet sur la pelouse, parties de tennis en pantalons bouffants, orangeade et thé à l'heure du goûter, servis sur des tables roulantes dans des carafes en cristal et de l'argenterie. Un parc en bois, installé sous le grand cèdre, protégeait les petits qui ne marchaient pas. Les jeunes en culotte courte jouaient dans l'allée, des fillettes en robes à smocks rêvaient dans l'herbe en cueillant des colchiques, des jeunes filles et des vieilles dames causaient, encore blanches et noires, éduquées selon les codes de la bienséance, toujours coiffées, chapeautées, ne travaillant pas au-dehors, soumises aux demandes familiales. Saint-Martin s'emplissait en fin de semaine et pendant les vacances. Les Bourgeois vivaient en colonie et se pliaient aux rituels de l'ancienne génération. On sonnait la cloche pour les repas : un coup pour avertir, le temps de se laver les mains, un coup pour passer à table. Les retards n'étaient pas tolérés. On ne ratait pas le bénédicité. *Bénissez ces nourritures que nous allons prendre et donnez du pain à ceux qui n'en ont pas, amen.* On se rendait en cortège à l'office du dimanche, la famille recevait à dîner M. le curé, mais on vivait aussi, on ne négligeait pas de rigoler. Le court de tennis qui jouxtait le cimetière valait des ennuis aux joueurs dont les jurons certains jours troublaient les enterrements. Henri aimait le double. Il jouait en polo blanc et pantalon de golf. Est-ce là, dans cette communauté familiale élargie, qu'ils s'habituèrent tous autant qu'ils étaient à exister au milieu des autres, à n'être qu'un parmi d'autres, ni unique, ni remarqué ? À parler fort pour se faire entendre ? À ne recevoir rien de plus qu'un autre. À se sentir parfois abandonné au milieu du troupeau. Mais jamais seul.

Il faut donc imaginer l'appartement du boulevard Émile-Augier rempli par neuf enfants dont un nourrisson, leurs parents, une domestique et une cuisinière. La chair qui pousse faut que ça bouge, disait la bonne Yvonne en arrêtant une cavalcade des enfants dans le couloir, manière de les justifier tout en les calmant. André, Joseph, Jérôme, Claude, quatre garçons de onze à trois ans, en activité perpétuelle, étaient comme faits de mouvement. Ils jouaient, rigolaient, s'empoignaient, pleuraient, et puis la porte de l'entrée s'ouvrait, le pardessus et le chapeau trouvaient leur place sur le portemanteau. Henri était de retour, sérieux dans son costume gris, sa chemise immaculée sous la cravate, avec ses poignets empesés fermés par deux boutons de manchette en or. Le silence s'installait autour du père admiré.

La distribution ou la guerre des rôles était en place. Déjà Jean apparaissait fluet et réservé (bien que déterminé), indépendant, n'ayant ni besoin de dominer ni réticence à tenir compte des autres, tandis que Jules, grand et robuste, laissait poindre une vocation de directeur de conscience. Sûr de son droit d'aînesse, Jules commandait la fratrie et, dans le secret de la chambre qu'il partageait avec Jean, faisait ses premiers pas de tyran domestique : chaque soir les deux frères lisaient à la lumière du plafonnier. Jean s'endormait avant Jules en s'accommodant de l'éclairage. Puis Jules à son tour se couchait et c'était avec moins de sollicitude. Il se levait, non pas pour éteindre lui-même sans faire de bruit, mais pour réveiller Jean et lui demander d'éteindre. Sans protester Jean sortait aussitôt de son lit. Il obéissait puis se rendormait. Contredire son frère l'eût mené bien plus tard dans la nuit.

Bien sûr tous furent scouts de France. L'esprit insufflé par Lord Baden-Powell plaisait à Henri. Le mouvement œuvrait à l'épanouissement de la jeunesse sans négliger aucune des poutres maîtresses de la vie. Fidélité à Dieu et respect des principes spirituels, loyauté envers son pays, promotion de la paix dans le monde, coopération pour la société à laquelle on appartenait. L'exigence envers soi-même était sollicitée. C'était par le jeu, l'action collective, la vie communautaire, l'affrontement avec la nature, l'exploration, que les enfants advenaient à la bonne éducation. Ils apprenaient la solidarité et l'entraide, ils expérimentaient la vie en groupe et le partage des responsabilités. Le groupe de Gerson s'était créé dix ans plus tôt ; deux sizaines accueillirent les fils Bourgeois qui fréquentaient l'établissement catholique de la rue de la Pompe. Au début de l'été ils partiraient en camp. Se séparer de leur famille leur ferait le plus grand bien. Ils se formeraient le caractère. Ils apprendraient à dormir sous la tente, allumer un feu, se faire cuire des nouilles, et à se tenir propres. Henri approuvait sans réserve cette expérience éducative.

— Je détestais les scouts ! dit Claude aujourd'hui.

Il avait été totémisé *hérisson criard* et se rappelait encore des aventures dont il faisait le récit drolatique. Mais il comprend, les scouts c'était évidemment une manière de délester la mère de famille.

J'imagine Mathilde dans la suite répétée des gestes quotidiens. Elle ferme le bouton d'un mantelet de lainage, remonte une chaussette, refait un lacet, ajuste un béret. Pendant ce temps, l'inflation de 13 % attaque le pouvoir d'achat des Français. Au sommet du pavillon allemand, pour l'Exposition internationale à Paris, l'aigle et la croix gammée menacent la paix. Qui alors était capable de les juger pour ce qu'ils étaient ? L'Europe avait appris. La guerre ne reviendrait pas. Les Bourgeois le pensèrent à l'unisson. Et la catastrophe vint à eux.

26 SEPTEMBRE 1938

— Avons-nous les moyens de résister ? demandait Mathilde à Henri, qui lui-même posait la question à son jeune frère Pierre, officier d'infanterie.

Depuis l'entrée de l'armée allemande en Rhénanie, le troisième Reich faisait frémir l'Europe en déchirant morceau par morceau le traité de Versailles. Sur la rive du Rhin, le contact d'Hitler avec le territoire français s'était rétabli par une violation. Les esprits éclairés commençaient de penser que les chefs vainqueurs de 1918, en découpant l'Europe à leur manière et d'autorité, avaient créé un imbroglio. Les Allemands ne vivaient pas en paix : la convention unilatérale signée par tous avait perpétué une forme économique de la guerre contre l'Allemagne, tel était leur sentiment. Le krach boursier en Amérique plaçait leur pays dans l'impossibilité de rembourser les réparations. Sur la terre de Goethe et de Heine sévissaient la honte et la misère. Hitler était né des sévices infligés à son pays vaincu, il redonnait un horizon à un grand peuple humilié : ainsi s'expliquait la légalité de son accession au pouvoir. Nous devons concevoir aujourd'hui comment cette élection légale désarma sûrement la vigilance générale. Hitler élu ! Pouvait-on prendre au sérieux et décrypter sa personnalité ou son projet, aussitôt deviner sa folie ? Une traduction française de son livre *Mon combat* était parue au mois de mars 1934 ; quelques lecteurs avaient pu s'effrayer de son antisémitisme pathologique et de ses théories concernant la race aryenne supérieure ou l'espace vital, mais le chancelier avait rapidement fait interdire le livre. Traduit et publié sans son autorisation ? Telle était la rumeur qu'Henri avait entendue dans l'univers restreint de l'édition parisienne. Et certains donnaient raison à Hitler qui voulait demander des dommages et intérêts ! Déjà l'agresseur révélait sa capacité à se prétendre une victime.

Le monde entier, plein d'anxiété, écoutait maintenant ses vociférations. Il avançait masqué, tortueux, faux. Que voulait vraiment le chancelier d'Allemagne et quand ses revendications s'arrêteraient-elles ? Quelles cartes avaient à jouer contre lui les démocraties ? La France ? Lui faire la guerre ou lui céder, l'alternative était tragique, avaient répété tout l'été Adrien, Henri et Pierre Bourgeois. Deux des trois frères avaient déjà fait la guerre et le plus jeune s'apprêtait à y participer. Voyaient-ils naître la contradiction entre le pacifisme et l'antifascisme ? Pouvaient-ils pencher vers la lutte antifasciste alors qu'ils étaient taraudés par la peur du communisme ?

Les coups de force avaient gagné en envergure. Depuis le 12 mars, l'Autriche était annexée. En une journée, un monde à la fois exquis et hypocrite avait été écrasé par l'agression armée. Les croix gammées pavoisaient la ville de Freud, Hitler y pénétrait triomphant, debout dans sa voiture décapotée, filant à travers la foule massée le long des avenues. Le printemps passa. Bientôt les Sudètes étaient réclamés. Là vivent des Allemands, disait Hitler. On avait su que Chamberlain s'était heurté en vain à sa fermeté sans faille. Hitler voulait les Sudètes ou bien il ne jurait de rien. L'épreuve de force tournerait-elle à la guerre ? Il fallait accorder à Hitler la mutilation qu'il réclamait. Pourquoi devrait-on mourir pour les Sudètes ? demandait un chroniqueur. On a toujours la force de supporter le malheur des autres : la presse de France ne hurlait pas contre le démembrement programmé. Anglais et Français voulaient des Tchèques plus conciliants. La guerre qui ne devait pas avoir lieu réclamait toutes les faiblesses et les accommodements. Ces jours étaient-ils aussi inquiétants qu'ils le semblaient ? pensaient les femmes qui tricotaient dans le jardin de l'*Océanide*, la villa qu'Henri et Pierre avaient louée à Bénerville, parce que la mer était alors une chose rare et délicieuse.

L'été avait décliné et les soirées fraîchi. Des humidités automnales baignaient certains matins quand, le lundi 26 septembre, les troupes françaises mises en alerte allèrent rejoindre les positions de couverture à la frontière. Père de neuf enfants, Henri n'était pas mobilisable. Son frère Adrien était invalide de guerre. Pierre qui portait l'uniforme était parti de très bonne heure par le train. Sa jeune épouse et leurs deux enfants l'avaient guetté au passage à niveau en s'efforçant de sourire *pour ne pas gâcher le courage de papa*. Le soir, par les fenêtres ouvertes des maisons, dans la nuit encore douce, les hurlements d'Hitler et les applaudissements de la foule envoûtée sortaient de quelques TSF. Pendant que les hommes roulaient vers l'est, les femmes fermaient leurs fenêtres. L'inquiétude ou l'incrédulité serraient les gorges. Ne vous laissez impressionner ni par les journaux ni par la TSF, écrivait Pierre à sa femme. Chaque nouvelle, chaque information qu'il envoyait faisait le tour de la famille. La détente était revenue à l'annonce du départ vers l'Allemagne des chefs de gouvernement. On attendait l'issue de cette conférence de la dernière chance. Que feraient Chamberlain et Daladier devant Hitler et Mussolini ?

La supériorité dans la négociation est du côté de celui qui ne craint pas le conflit, disait souvent Henri. Mais nous voulons éviter la guerre à tout prix ! faisait maintenant remarquer Valentine à son fils.

— Ils feront ce qu'ils peuvent…

Dans l'épreuve de force avec le chancelier, les démocrates firent en effet ce qu'ils pouvaient : abandonner les Sudètes en échange d'une promesse. Et que valait une promesse d'Hitler ? Chamberlain et Daladier se le demandaient-ils ? Chaque fois que les Alliés capitulaient devant le fait accompli, ils donnaient l'assurance qu'ils capituleraient toujours, mais de quelle autre manière préserver la paix ? Pierre Bourgeois en discutait par lettres avec Henri. Cette rencontre de Munich inaugurait-elle un arrangement en Europe et une longue période de paix ? Ou bien n'était-elle qu'une étape de l'agrandissement de l'Allemagne qui mènerait à la guerre ? écrivait le jeune officier. La paix sauvée avait le goût d'une défaite. Joie et désolation se mêlaient. Mais ce n'était pas le désastre de la guerre !

— Tant que vivront ceux qui ont fait la dernière il n'y aura pas de guerre, surtout tant qu'ils seront en état d'y participer eux-mêmes, répétait Adrien Bourgeois.

Voulait-il s'en convaincre ? Voulait-il entendre en écho la confirmation de son frère ? Elle venait :

— Après Verdun ! disait Henri qui était de cet avis lui aussi.

Cela signifiait : comment pourrait-on recommencer après l'expérience de Verdun ? Et Munich le confirmait, toute la France refusait l'affrontement armé. La joie populaire qui accueillit Daladier l'avait pourtant atterré. Qui le sut ? "Les cons" avaient-ils connu qu'ils étaient ainsi jugés par l'émissaire (qui avait lui aussi ses aveuglements) ? Bien ou mal jouées, chacun prenait les choses comme elles venaient. Aussitôt signés, les accords gommèrent les feuilles de route. Les régiments regagnaient leurs garnisons. On était en octobre. Et quel bonheur ce fut : Pierre revint à Périgueux.

9 AVRIL 1939

C'est à Périgueux – dans la maison de Pierre – que les Bourgeois réunis fêtèrent Pâques en 1939. On avait jeûné le vendredi et caché des œufs le dimanche au

126

jardin. Bien sûr chaque enfant voulait dire *c'est moi qui en ai trouvé le plus*. Et Valentine qui les regardait, avides avec une puissance indomptée, pensait que tout l'homme est dans tout homme. Henri avait neuf enfants et Pierre bientôt quatre. Tout ce monde était jeune et actif, plein de ce "va-de-l'avant" qui caractérisait le tempérament des Bourgeois. Pierre venait d'être inscrit au tableau d'avancement, devenant capitaine comme son père l'avait été. La conversation roulait de la situation internationale à la famille, à voix basse pour ne pas effrayer les petits dont l'imagination bouillonnait autour de la guerre. Depuis le 15 mars, on savait Hitler en Tchécoslovaquie. Il était entré dans Prague. Pierre et Henri avaient déploré que l'Allemagne profitât désormais de l'industrie tchèque qu'ils jugeaient puissante. L'occupation d'un pays, c'était un pillage méthodique des ressources. Intelligentes, modérées, les femmes écoutaient ce que disaient leurs maris. Pas de paroles en l'air, pas de pensées toutes faites, pas d'emballements saugrenus ou d'affolements intempestifs, elles ne fardaient pas la réalité mais ne restaient pas pour autant le front dans les mains. Une réserve décente cachait l'angoisse qu'elles éprouvaient et les questions qu'elles se posaient. Que dissimulait-on aux Français ? La France était-elle toujours le grand pays qu'elle croyait être ? (Question qui semble ne jamais devoir cesser.) Et l'armée, était-elle prête ? Notre aviation ? Notre cavalerie ? Où en étions-nous de notre réarmement ? Et cette ligne Maginot ? Ce prodige de technologie était-il fiable ?

— À Paris on distribue des masques à gaz, les gens vont les chercher dans leur mairie, rapportait Mathilde qui le tenait de Valentine. On creusait aussi des tranchées. Adrien l'avait vu faire avenue de l'Observatoire.

— Pour quoi faire ? demanda André à sa mère.

— Mais ! Qu'est-ce que je t'ai demandé ? répliqua Mathilde à son fils. Tu n'as pas à écouter ce que disent les grandes personnes.

Elle avait pris sur ses genoux son dernier-né et lui faisait avec ses mains les marionnettes. Ainsi font font font les petites marionnettes. Guy riait.

La fratrie Bourgeois avait grandi. Jules venait de fêter ses dix-neuf ans et Jean allait en avoir dix-huit. Héritiers directs d'une tradition, l'un voulait faire Saint-Cyr et l'autre Navale. Nicolas était une forte tête qui se heurtait à son père. Il jugeait ses parents et son milieu dont il n'aimait pas le mode de vie. Non décidément il ne trouvait pas naturel que les uns eussent tant de privilèges quand les autres s'en privaient.

— Nicolas voudrait recomposer le monde, plaisantait Mathilde qui temporisait.

Certes Nicolas la tracassait mais les plus jeunes étaient adorables. André et Joseph étaient encore des gamins, treize et douze ans, l'un rondouillet et l'autre maigrelet. Ils embêtaient Nicolas plongé dans ses lectures.

— Qu'est-ce que tu lis ? demandait Joseph venant de temps en temps tournicoter autour de son grand frère dans la courette où tricotaient les mères.

— Une histoire d'amour triste, s'amusa Nicolas qui ce jour-là lisait *Le Lys dans la vallée*.

— Tu veux être triste ou tu veux être amoureux ? ricanèrent les jeunes frères.

— Ni l'un ni l'autre, mais les deux vont souvent ensemble, dit Nicolas.

— N'embêtez pas votre frère ! murmura Mathilde.

— On ne l'embête pas on lui parle, protesta Joseph.

Henri et Mathilde savaient s'y prendre, ils savaient ce qu'ils pensaient, ils ne transigeaient pas. Jamais ils n'auraient confié leurs enfants à l'école publique par exemple ! L'Église, la famille, l'armée, l'Empire soulevaient leur énergie. Ils entretenaient une même nostalgie de la royauté – le plus intelligent des régimes. Toute la famille – les trois fils de Valentine et leurs épouses – se ralliait à ce programme on ne peut plus conservateur. Et ce monde stable, solidifié autour de la religion, attendait l'avenir.

10 NOVEMBRE 2014

Attablées autour d'une panoplie de desserts qu'a préparés l'épouse de Claude, nous parlons entre femmes de ce monde solidifié par la foi et l'autorité patriarcale : au mitan du XXᵉ siècle, à la veille d'une apocalypse, un père tout-puissant siégeait en chair et en os dans chaque maison. L'avons-nous déjà oublié ?

— C'était une esclave ! dit Salomé à propos de la femme de Pierre Bourgeois. Elle est morte d'épuisement. Personne ne l'a jamais dit, mais c'est bien la vérité.

Salomé est justement née en 1940, elle a soixante-quinze ans. Elle a grandi dans cette époque où les femmes étaient privées de nombreux droits, malgré cela, érudite et voyageuse, ayant elle-même suivi un officier d'affectation en affectation, de Pékin à Paris, elle n'a cessé toute sa vie d'apprendre. Salomé est vive et drôle, d'un pétillement qui n'exclut pas la sérénité tranquille mais n'abdique jamais lorsqu'il s'agit de penser les faits. Elle est l'une des belles-filles de Pierre Bourgeois, elle les a connus lui – le vieil officier – et sa femme Marie-Maude.

— Je ne l'ai jamais entendue donner son avis sur rien. Quand elle commençait à parler, aussitôt mon beau-père l'interrompait et parlait à sa place !

Je n'avais jamais rien entendu de tel. Ce silence semblait si naturel qu'il passait inaperçu : aucun des fils de Mathilde n'en avait rien dit.

— Pierre était très gentil mais c'était un enfant, dit Salomé à propos de son beau-père. Sa femme faisait tout pour lui, il n'en avait aucune conscience. Il l'embrassait gentiment mais n'aurait jamais eu l'idée de faire quelque chose pour l'aider. Elle se levait à six heures du matin, elle préparait les petits-déjeuners de toute la famille (sept enfants), à huit heures elle apportait le sien au lit à son mari (qui se réveillait). Pendant qu'il buvait son café, elle allait travailler au jardin parce que là non plus Pierre ne faisait rien du tout. Et elle avait interdiction d'écouter de la musique !

Notre groupe rit. Ces manières paraissent invraisemblables et sont oubliées.

— Un jour, raconte Salomé, Louis revient de l'école, il a reçu une vitre dans l'œil. Je l'attrape sous le bras et fonce à l'hôpital. Des morceaux de verre se sont glissés sous la paupière. On garde mon fils. J'appelle ma belle-mère qui accourt pour m'aider. Le matin elle rend visite à son petit-fils blessé, l'après-midi c'est à mon tour. Elle reste à la maison avec mes deux petits. Quand je reviens le soir, je découvre une femme qui chante, qui écoute des opéras, qui a des opinions : une autre femme. Chez elle, tout cela était étouffé.

Aux yeux des siens, Marie-Maude était née pour s'occuper des autres mais pas d'elle-même. En vérité elle avait été éduquée à cela dès le plus jeune âge. Son bonheur était celui des autres. Avait-elle une joie qui ne lui vînt pas de ce qu'elle faisait pour les autres ou de ce qui leur arrivait ?

— Elle n'était pas heureuse ?

— Non elle n'était pas heureuse, dit Salomé.

Salomé en paraît certaine et répète : elle a vécu comme une esclave. L'air de dire : les esclaves ne sont pas heureux.

— Un matin elle ne s'est pas levée. Comment Marie-Maude vous n'êtes pas levée, qu'est-ce qui se passe ? demanda Pierre sans méchanceté. J'ai un peu mal au ventre, répondit Marie-Maude en s'excusant d'être souffrante. Elle est morte l'après-midi ! s'exclame Salomé.

— De quoi est-elle morte ?

— D'une hémorragie intestinale.

Au cas où je l'ignorerais, Salomé ajoute :

— Ce n'est pas un accident qui arrive brutalement, c'est lent. Elle ne s'est pas soignée. Elle souffrait depuis un mois mais ne voulait pas inquiéter son mari !

Je tombe un peu des nues. La famille comme cime, l'ai-je rêvée ? Ai-je trop adouci les lois de la vie à l'intérieur de ce bastion ? Une vision indulgente s'écroule, que j'avais formée en me mettant à la place de Mathilde, mais sans doute l'avais-je fait sans lui retirer les libertés dont je profite. Au lieu du refuge que j'avais imaginé, le mariage devient ce traquenard faussement douillet qui abuse les femmes, pompe leur sève, se retourne contre elles : croyant y épanouir leur vie, elles en sont dépouillées. Aucun baiser, aucune étreinte, aucun joyau, pas un colifichet ne saurait combler cette perte. Je le pense aujourd'hui. Pauvres femmes ! me dis-je, avec leur bague au doigt et leur ventre habitable, si mal préparées à cette guerre des sexes qu'on leur avait cachée et qui se révèle peu à peu, comme se dévoile le caractère d'un être : le caractère de leur vie. Quelle riposte pouvaient-elles concevoir ? Comment déjouer les plans alliés de la nature et de l'ordre bourgeois ? L'affaire était d'autant plus épineuse que les maris n'étaient pas des mauvais sujets. Ils étaient aimants ! Elles ont répugné à secouer l'amour qui leur coupait les ailes, à transformer leur rôle en son sein, elles ont tu leur moindre contrariété, elles ont retenu leurs envies si d'aventure celles-ci n'étaient pas conformes, elles se sont effacées. Aucune n'avait appris à faire cavalier seul. Elles ne savaient que se trouver en se donnant, parce que tels étaient l'idéal et la mission qu'on leur avait transmis depuis des temps ancestraux, se perdre tout entière dans un esclavage atavique.

Il fallait écouter l'époux comme un oracle et soi-même ne se piquer de rien. Il fallait n'être jamais le point de mire mais se rendre agréable, comme il sied aux maîtresses de maison de le faire. Il fallait avoir de la beauté sans en tirer vanité. Pauvres femmes parfaites ! Leur silence passé devient si bruyant quand on le réfléchit.

— Je n'entendais jamais maman parler, sauf avec moi, dit tout à coup Louise qui a maintenant quatre-vingt-quatre ans et semble faire une découverte.

Mathilde était donc elle aussi une de ces femmes silencieuses et soumises à la loi du père et mari.

Claude vient de rentrer chez lui et proteste devant ce cercle féminin qui réécrirait le passé.

— Maman n'était pas malheureuse, dit-il.

— Qu'en sais-tu ? dit Salomé. Personne ne veut penser que nos mères ont souffert. Marie-Maude n'a pas fait d'études parce qu'elle devait garder les enfants de ses sœurs ! Tu te rends compte ?

— Très peu de femmes faisaient des études à cette époque, dit Claude.

— Mais c'était quand même le début de l'émancipation féminine !

C'était l'émancipation des femmes qui le voulaient avec pugnacité, des femmes remarquables.

23 AOÛT 1939

Les femmes ordinaires étaient en vacances à Saint-Martin, avec la colonie des enfants et des domestiques (chacune accompagnait la famille qui l'employait). Les congés scolaires étaient loin d'être terminés, la rentrée des écoliers avait lieu en octobre, la maison de Valentine remplissait son office de point de ralliement. Chaque soir la Citroën noire d'Henri arrivait de Paris et le crissement des graviers faisait accourir ceux des garçons qui étaient dans le coin. Papa ! Papa ! Les petits sautillaient. Combien ? Combien ? demandaient Jérôme et Claude depuis que, quelques jours plus tôt, ils s'étaient émerveillés : dans une portion de ligne droite, Henri avait fait du cent à l'heure ! Une dixième grossesse fatiguait depuis peu Mathilde qui venait accueillir son mari, entourée de Louise et Guy.

— Mon petit minet chéri ! s'exclamait Henri en embrassant son dernier fils.

— Avez-vous lu les journaux ? Que dit-on à Paris ? demandait Mathilde.

De ce dernier été avant-guerre nous imaginons volontiers qu'il était déchirant. Mais en cet été *déchirant*, le plus éclairé des observateurs, fût-il aussi le plus pessimiste, n'aurait su prévoir le désastre tel que nous le connaissons et encore moins les crimes indélébiles vers lesquels marchait l'Europe. Depuis septembre 1938, les gens n'admettaient plus que la guerre était imminente. Ils avaient eu très peur, le conflit n'avait pas éclaté. Chaque pays bluffait mais les choses s'arrangeaient toujours et cela n'était pas un hasard. Depuis Munich, on le croyait.

— Personne en Europe ne veut plus se battre, on ne se battra pas, disait Henri à sa femme.

Et c'était ce que tout le monde pensait. Les faits avaient beau crier, le rêve prédominait. Les rares esprits qui avertissaient l'opinion étaient interdits de radiodiffusion. Nous avons aujourd'hui du mal à nous le représenter. Il faut relire les journaux intimes de l'époque pour le découvrir et en avoir la certitude : jusqu'au dernier moment chacun espéra un miracle.

Non l'été n'était pas si sombre. La famille était rassemblée autour de Valentine. Celle qui venait de fêter ses soixante-dix ans prodiguait sa douceur à dix-neuf petits-enfants qui s'échelonnaient en taille, en âge et en sagesse, de dix-neuf ans à deux mois. Mais soudain le 22 août, un télégramme rappela le jeune capitaine Bourgeois à Périgueux : *Rejoindre corps immédiatement*. Le 15ᵉ régiment de tirailleurs algériens se mettrait en route dès le lendemain en direction des Ardennes. Une mobilisation discrète commençait. Les événements se précipitaient et revenait l'angoisse de l'été précédent. L'annonce de l'accord secrètement négocié entre Ribbentrop et Molotov était une catastrophe stratégique. Anglais et Français avaient été joués. Cette alliance d'Hitler avec le communisme recélait évidemment le projet de neutraliser le front est et de se partager la Pologne, estimait Adrien Bourgeois qui pour cette fois avait de la lucidité.

— Les ressortissants américains sont rapatriés sur le *Normandie*, annonça Valentine informée par des relations dans la marine.

Valentine hochait la tête. Vers quoi allons-nous mon Dieu ? pensait la petite dame en noir qui priait chaque soir pour ses deux fils tués à l'été 1914. Était-ce maintenant la guerre qu'on avait crainte et repoussée ? Personne n'avait oublié le premier ébranlement des militaires un an plus tôt. Le même scénario allait-il se reproduire ? Un accord puis la paix ? Avant la drôle de guerre, les Français vivaient la drôle d'espérance. Leur vulnérabilité autant que les visées expansionnistes d'Hitler étaient lisibles, mais l'aveuglement l'emportait. Quand le choix doit se faire entre céder aux réclamations d'un vaincu qu'on a saigné ou risquer de sortir saigné d'un nouvel affrontement, comment ne pas céder ? Henri s'employait à démonter les inquiétudes des femmes.

— Tant que le premier coup de canon n'est pas tiré, il est permis de ne pas désespérer, disait-il.

3 SEPTEMBRE 1939

Henri pouvait maintenant s'affliger. Le canon avait tonné sur Dantzig. À cinq heures trente du matin, le 1er septembre, en pleins pourparlers, les troupes allemandes étaient entrées en Pologne : une ruée de divisions blindées écraserait bientôt la charge des lanciers polonais. Les machines lamineraient les hommes, le matériel remporterait la victoire.

Combien de mots pourtant avaient traversé les mers et les frontières ! Toutes les autorités du monde avaient parlé pour empêcher la guerre. Fort de sa neutralité, Roosevelt s'était adressé à Hitler, au roi d'Italie, au président polonais. Fort de sa sainteté, le pape avait lancé un appel à la paix. Le chef du pays le plus puissant du monde et le représentant de Dieu sur la terre tiraient ensemble le signal d'alarme ! Est-ce que personne n'entendait ces deux hommes ? Si de telles intercessions demeuraient lettre morte, ce serait à désespérer ! pensait Mathilde qui s'était réveillée au milieu de la nuit avec un sentiment d'horreur à l'idée de la guerre. Les exhortations se succédaient. Le roi des Belges avait conjuré les chefs d'imaginer les conséquences de leurs actes. Aux Affaires étrangères en Angleterre, le comte d'Halifax avait réaffirmé le soutien à la Pologne. La France et l'Angleterre n'accepteraient pas une nouvelle agression. La presse annonçait qu'Hitler était impressionné. Mais buté. De fait, rien n'y ferait : le couloir de Dantzig attisait sa folie, cette coupe dans l'Allemagne était inacceptable. Prendre Dantzig aux Allemands c'était prendre Marseille aux Français, disait le message du Führer à Daladier. Après cela, quelle réponse ? La mobilisation générale. Les armes avaient donc triomphé du langage, de la diplomatie, de la faiblesse, de l'espérance. À onze heures, l'ambassadeur de Grande-Bretagne à Berlin portait la déclaration de guerre de son pays. L'ultimatum français prenait fin à dix-sept heures ce même 3 septembre. Daladier prononçait un discours aux Français. Peu avant, la TSF avait diffusé les paroles déterminées et solennelles du roi d'Angleterre. Les hymnes suivaient les mots. *God Save the King. La Marseillaise.* Roulés dans la musique, les hommes restaient pleins de stupeur. La guerre ? Encore installée à Saint-Martin, Mathilde s'était sentie absolument sombre. Les enfants s'agitaient parce qu'Henri n'était pas reparti à Paris.

— Est-ce la guerre ? demandait Jérôme à son père.

— Pas encore, murmura Henri.

Quelle autre réponse faire à ce fils de sept ans derrière lequel se tenait silencieux le petit Claude qui venait d'en avoir cinq.

— Papa ne sera pas mobilisé, ne t'inquiète pas, lui souffla plus tard Nicolas, sensible à son désarroi. On n'envoie pas à la guerre les chefs de famille nombreuse. Tu comprends ?

Claude opina et sourit tristement.

Quatre millions d'hommes étaient mobilisés. Dans la capitale, à la gare de l'Est, des bras se levaient et s'agitaient au-dessus d'une multitude de têtes chapeautées. Larmes et baisers faisaient trembler les visages au départ des trains. Saint-Martin attendait les lettres du capitaine Bourgeois. À son cantonnement dans les Ardennes, le régiment de Pierre avait reçu ses réservistes et réorganisait ses compagnies. Le capitaine déplorait une mauvaise disposition chez les civils mobilisés. C'était peu dire que l'esprit militaire faisait défaut. Que vous confier de ces événements ? écrivait Pierre. Tant d'étonnements et d'inquiétudes le pressaient. La guerre n'était pas encore réelle, faisait-il remarquer à sa femme. Il ne fallait pas croire les bobards qui commençaient à circuler sur ce qui se passait en Pologne. Il avait oublié son stylo, son chapelet, les sacoches arrière de sa selle… il comptait sur un colis. Mais à Henri, sous le sceau du secret, il demandait comment, s'il mourait, transmettre ses biens à sa femme plutôt qu'à ses enfants. À sa mère enfin, il disait qu'il allait bien. Le moral était bon. Les Allemands étaient imprudents de s'être engagés sur deux fronts. Le capitaine Bourgeois ne savait pas si bien dire. Les Français avaient l'avantage du nombre et n'en profiteraient pas.

Valentine revivait des jours que leur issue tragique avait gravés en cicatrice. D'abord tout lui rappela 1914. Les lettres de Pierre ressemblaient à celles de Louis et Jean ! Les journaux vides semblaient les mêmes. On ignorait ce qui se tramait en Allemagne. On ignorait ce qui se passait en Pologne. Les consignes aux familles, les mesures de conservation du patrimoine, le fond des discours, les déménagements d'administrations ou de ministères, ce brouhaha de plans et d'hypothèses, de bêtises… elle savait comment l'État navigue pour protéger sans effrayer. La propagande et les mensonges, le bourrage de crâne, comme elle se souvenait de ces méthodes ! La peur de faire peur ! La peur de la panique ! En son nom, les blessés du Chemin des Dames n'avaient pas été rapatriés à Paris où des milliers de lits étaient pourtant disponibles. À qui pouvait-on raconter une chose pareille ?! Les pauvres soldats étaient morts gelés dans la cour des fermes. Le quart de siècle n'avait pas effacé ce souvenir funeste. Henri était alors sur le front et Valentine choyait Pierre (qui avait presque neuf ans). Pierre aujourd'hui partait combattre ! Allait-il endeuiller sa mère qu'il avait autrefois sauvée du deuil ? Valentine refusait d'y penser, elle était présente auprès des enfants et souriante avec les mères. Elle avait vu tant d'êtres naître, croître et mourir. Elle savait comment la vie passe sur les hommes à la manière d'un vent si fort qu'il les pousse en avant sans qu'ils s'en aperçoivent, croyant demeurer immobiles, inchangés, immortels. Le vent du temps avait soufflé. Le petit garçon qui dans la cour des Invalides avait reçu la Légion d'honneur au nom de son frère défunt était aujourd'hui capitaine et prêt à mériter la même décoration. La guerre était de tous les temps. Elle était pour l'éternité le noir élixir de l'Histoire.

L'élixir était trouble, la situation illisible. Et inquié-tante. Rien n'était plus comparable à l'été de 1914. Pas de mouvements. Pas d'offensives. Pierre racontait que les soldats allemands fumaient des cigarettes assis sur les bornes routières à la frontière. L'Allemagne refusait-elle de nous faire la guerre ?

— Pierre vous écrit-il quelque chose à ce sujet ? A-t-il des explications ? demanda Henri à Valentine chez qui, comme chaque semaine, il déjeunait.

— Il m'assure qu'il ne court aucun danger et que nous ne devons pas nous inquiéter. Le premier défunt de son régiment est mort dans son lit d'une embolie.

Le long de la frontière les armées se dévisageaient. Quelques tirs parce que les gens s'agaçaient, des avions dans le ciel, ce n'était pas une guerre. L'expectative était accablante. L'armée française s'engourdissait dans cette incompréhensible inaction. On parlait de rétablir les permissions. Mon ordonnance me dit que nous fête-rons Noël à Périgueux, écrivait Pierre, tandis que Marie-Maude projetait de demander un sauf-conduit pour lui rendre visite. Lorsqu'elle lisait à ses enfants les lettres ras-surantes de leur père, l'aîné s'étonnait : Drôle de guerre ! Il ignorait qu'à Paris ces mêmes mots étaient dans toutes les bouches. L'immobilité allemande semblait n'étonner personne : car personne n'en cherchait la cause. C'était une erreur préjudiciable. Il eût fallu déclarer la guerre à la drôle de guerre. Il eût fallu penser que l'armée française commandait quarante divisions alors que l'essentiel des troupes allemandes était en Pologne. Ce simple rapport des forces eût conduit à l'offensive. Ce que nous appelons aujourd'hui l'esprit munichois était encore à l'œuvre : il retint les cinq cent mille soldats français de s'élancer à temps et de venir à bout des deux cent mille Allemands. Le passé avait hélas discrédité l'esprit d'offensive.

— Les Français ne veulent pas d'une hécatombe, répétait Henri.

Ayant pris la mesure du refus de combattre de l'armée adverse, le général Gamelin avait interrompu sa première percée et s'était figé. Les Français n'avaient pas d'aviation, l'État-Major évaluait à trois années le temps nécessaire pour se réarmer, pourquoi dès lors forcer le combat ? Maginot et Siegfried se faisaient face, inutiles l'une et l'autre, vestiges du passé et bientôt contournées comme lui.

Mais croire les Allemands semblables à nous était un manque d'imagination. Eux ne craignaient pas la guerre, ils la menaient ailleurs. Et pour éviter de combattre sur deux fronts nous surveillaient sans nous frapper. Ils découpaient le temps et les ennemis. C'était la tactique du salami. Ils nous faisaient cuire dans l'attente et l'imbécillité. Pourquoi le bombardement de Varsovie qui un mois plus tôt avait horrifié les démocraties ne nous renseignait-il pas davantage sur le présent et l'avenir ? Bientôt, quand la Pologne serait dépecée, quand les mains russes et allemandes, venues d'ouest et d'est, se congratuleraient en une poignée de main terrible, quand les officiers polonais seraient fusillés dans la forêt de Katyn, alors ce ne serait pas un mauvais sort hasardeux qui menacerait la terre et les soldats de France, mais une armée puissante en ordre de bataille, rassemblée par ses victoires autour de son Führer. L'imprévu peut advenir.

16 MARS 1940

Dans le jeu d'échecs deux doigts saisissent la pièce perdante, la main fait grue : se soulève et la dépose hors du jeu. Par exemple, la reine quitte l'échiquier. Elle est *retirée*. Hop ! Disparition ! Mise à l'écart. Le joueur cesse d'en disposer. Sa stratégie doit s'adapter à la perte.

Voilà à quoi s'apparente la mort. La mort est semblable à ce retrait. Une personne traversait le monde, elle marchait dans la rue, elle était là, vous pouviez la regarder : comme elle était belle Mathilde, quelle force de caractère, elle n'était pas une coquette, une de ces dames à falbalas qui poussent des cris, s'évanouissent et réclament leurs sels, elle était au-dessus de la mêlée, dégagée par une efficience qui balayait les vétilles et les niaiseries. Mathilde vivait en grand, elle avait neuf enfants et on ne l'entendait pas, jamais un cri, jamais un emportement, pas d'état d'âme, pas de lassitude décelable, jamais une dérobade, on comptait sur elle, jamais un esclandre, elle n'était pas fragile des nerfs, elle possédait ce genre de tempérament qui aplanit les aspérités du réel. Qui ne l'admirait pas ? Les enthousiasmes étaient sincères. Savez-vous qu'elle a quarante et un ans et neuf enfants ? Mathilde était aimée. Henri l'aimait follement. Gabrielle l'aimait depuis l'enfance. Pierre et Adrien appréciaient sa compagnie. Ses belles-sœurs étaient des amies. Et Jules, Jean,

Nicolas, leur amour tendre était plein de respect. Joseph, André, il y avait tant de demandes en eux. Maman peux-tu... ? Voudrais-tu bien... ? Merci maman. Et Louise était son trésor aux cheveux doux, son ombre qui la suivait et la partageait. Maman ! appelaient les petits. Eux l'aimaient sans le savoir, comme on commence sa vie sans connaître qu'on l'a reçue et qu'on la forge. Maman ! Maman ! répétaient-ils. Chut ! que voulez-vous ? disait Mathilde avant d'ordonner ou consoler. Claude, va te laver les mains. Guy, mon petit chat, c'est fini, c'est fini ne pleure plus. Personne ne savait vivre sans Mathilde ! Mais voilà que la main s'approchait, deux doigts saisissaient son nez et le pinçaient, Mathilde ne respirait plus, elle ne marchait plus, elle quittait l'échiquier, elle était couchée pour toujours. Vous ne la verrez plus traverser la rue ou rentrer chez elle en poussant le landau, ou pencher de côté la tête au milieu de ses enfants, écoutant l'un et à l'autre faisant signe qu'elle l'avait vu et lui donnerait bientôt ce dont il avait besoin. C'en est fini de ce que vous partagiez avec elle – des conversations, des promenades, des nuits, les dîners, les soirées, l'ouvroir tous les jeudis –, vous le ferez seul (ou seule) désormais. La mort retirait Mathilde du jeu.

La mort rôdait autour de deux vies enchâssées. Funeste grossesse, étrange couvaison, Marie naissait tandis que Mathilde mourait. Son corps ouvert ne s'était pas refermé, une grande béance pillait toute sa force, son sang s'enfuyait comme fait un fleuve vers la mer, c'était un fleuve en elle, le fleuve de vie qui s'asséchait en se perdant hors de son lit. Mathilde s'abandonnait à sa délivrance et enfantait sa mort. C'était soudain une vie contre une vie, dans la manière la plus triviale que peut revêtir ce don inscrit dans la maternité. Ce danger, l'avait-elle attendu ou imaginé ? Et Henri, avait-il pensé à l'accident possible ? Avait-il cru le docteur qui le mettait en garde : une nouvelle grossesse risquerait de tuer votre femme. Henri pouvait-il être disposé contre l'injonction divine de croître et se multiplier ? Claude et Guy étaient nés, ni l'un ni l'autre n'avait mis sa mère en péril. Avait-on alors oublié les inquiétudes du médecin ? Personne ne voulait perdre Mathilde ! Et personne jamais ne comprendrait pourquoi ce risque avait été pris. Une dixième grossesse, mais pourquoi ? Qui avait besoin d'un enfant de plus et d'une mère de moins ? Mais voilà, Mathilde avait été retirée du monde bel et bien !

Personne n'oublierait jamais que c'était arrivé un Vendredi saint, un jour de recueillement pour les chrétiens, de pénitence et de jeûne, car ils pleuraient la mort du Christ qui avait racheté le péché des hommes. Dieu avait choisi ce jour pour reprendre la vie de Mathilde.

— Venez dire au revoir à votre mère qui est au ciel.

Les neuf enfants s'étaient approchés du lit où reposait leur mère. Louise sanglotait puis se calmait, emplie de stupeur, avant de se jeter dans une prostration révoltée. Jules tenait la main de Claude et Jean celle de Jérôme. Aucun d'eux ne pleurait. À quel moment les petits avaient-ils compris ce qui se passait ? Leur mère avait quitté la maison dès que le médecin avait craint l'hémorragie, et maintenant ils étaient à la clinique et maman était morte. Sa mort ne se manifestait pas violemment.

Son visage était pâle, elle dormait, les mains croisées sur sa poitrine, les doigts dans un chapelet. Mais le souffle s'était évaporé. Les narines étaient immobiles. Le sein ne se soulevait plus. Le corps s'était désanimé. Toute mobilité expressive avait disparu. Des larmes coulaient des yeux de papa, une telle chose n'était jamais arrivée. Henri portait Guy dans ses bras et murmura : Mon petit minet chéri. Ses enfants, ils étaient désormais sa tâche à lui dans la vie. Leur attente était perceptible : déjà ils s'étaient tournés vers leur père et leur silence lui demandait tout, résoudre l'instant, écarter le grand malheur, réparer.

— Regardez comme votre petite sœur est jolie, disait maintenant une nurse en tablier blanc, bretelles croisées dans le dos, voile gris épinglé dans les cheveux, sœur Madeleine avait le pris le relais de Mathilde.

Les yeux de Marie étaient ouverts, du même bleu que ceux d'Henri qui ne pouvait pas la regarder. L'enfant venait au monde lestée par la perte, reçue par une mère disparue. Elle incarnait le deuil d'Henri. Et pourtant elle vivrait sa vie. Elle n'associerait jamais deuil et naissance. Un jour de l'avenir encore impensable, elle aurait presque autant d'enfants que Mathilde.

16 MARS 2015

La partie continuerait sans Mathilde, le monde accentuerait sa course funeste. Mathilde n'aurait jamais la sombre révélation du futur qu'allaient bientôt traverser ceux qui lui survivaient. La pluie ruissellerait sur sa tombe quand le pas des bottes allemandes se déverserait dans le silence de Paris occupé. Mathilde serait couchée sous la pierre à Montmartre quand Hitler et ses généraux, vainqueurs face à la tour Eiffel, poseraient seize mains sur la pierre du Trocadéro. Son corps peu à peu se déferait dans le satin capitonné du cercueil pendant que des millions d'hommes, de femmes et d'enfants s'envoleraient en cendres et fumée dans le ciel de Pologne pour la seule raison qu'ils étaient juifs. Mathilde mourait protégée de cet événement-là. La connaissance de ce désastre lui serait épargnée. Elle ne vivrait pas cette césure. Je pense à cette évidence : ceux qui comme elle ont vécu avant le crime massif et sont morts sans le connaître ont pu entretenir une plus haute idée de l'humanité. Mathilde ne connaîtrait pas le noyau noir et dangereux du cœur humain. Son trépas la protégeait d'en mesurer le potentiel destructeur. Elle ignorerait la collaboration de son propre pays avec l'ennemi. La date de notre mort, que nous ne choisissons pas plus que celle de notre naissance, établit ce que nous pouvons observer du monde. À la mort de Mathilde, quelque chose dans le regard des hommes sur eux-mêmes était intact. Certes la religion chrétienne leur enseignait que le mal était en eux, qu'ils naissaient pécheurs, et Mathilde avait reconnu son péché originel, frappé son poing fermé sur sa poitrine en répétant *Prends pitié de moi*. Elle avait su des massacres : ceux de l'Inquisition, de la Saint-Barthélemy, ceux de l'esclavage et l'horreur de 1914. Mais les usines de la mort n'avaient pas écrit leur page d'épouvante, jamais Mathilde ne la lirait. C'est ce qui la différencie le plus de ses enfants et de ses descendants. Elle aura vécu sans savoir cette force obscure qui peut faire d'un être banal sollicité au hasard sur la terre un meurtrier hors norme. Mathilde Bourgeois avait mis la clé sous la porte avant de voir les images les plus insoutenables de la longue histoire des hommes qui tuent des hommes.

18 MARS 1940

La grande messe du temps pascal commençait dans le latin des psaumes. Sous le ridicule chapeau noir qu'elle détestait – et que son père l'avait obligée à porter –, Louise pleurait. La fille de Mathilde pensait que le monde entier l'avait abandonnée. Personne ne l'avait coiffée, elle n'avait pas pu trouver son gilet de tricot, sa jupe était toute froissée mais il fallait se cantonner à celle-là qui était noire, oublier ses jolies robes, le rose ou les fleurs. Est-ce que les fleurs disent qu'on n'a pas assez de peine ? Il fallait se dépouiller et se débrouiller. Jérôme, Claude et Guy étaient trop petits pour s'habiller seuls et il manquait deux mains dans le grand appartement silencieux. Il manquait les mains de maman qui caressait les cheveux et sans faire mal pinçait les barrettes presque invisibles pour les retenir en bandeau. Ce serait comme ça pour toujours. À dix ans, Louise l'avait compris et tremblait de chagrin. Elle n'aurait pas plus peur, elle ne crierait pas plus fort si un grand couteau lui ouvrait en deux le thorax et qu'une main coriace lui retirait le cœur. Oh ! elle préférerait le donner plutôt que perdre sa mère ! Mathilde prendrait soin d'une fille sans cœur.

Sans Mathilde, tout manquait. Tout manquerait pour toujours. Tant de gestes minuscules et importants, tant de mots inattendus et tendres. C'était immense l'ensemble des bienfaits qui émanaient de maman, fou le pouvoir d'une seule personne. Un an plus tôt, Mathilde cachait les œufs dans le jardin à Périgueux ! Et désormais, en un seul jour, Louise était devenue une grande. Jamais cette pliure dans le temps et cette déchirure en elle ne s'effaceraient de sa mémoire.

— Papa était odieux avec moi, dit-elle aujourd'hui qu'elle a dépassé l'âge qu'avait son père quand il mourut.

Et cela veut dire sans doute : papa ne me consolait pas.

— Louise invente ! s'exclame Claude.

Qui croire maintenant que tout est enfoui dans le feuilletage des années ? Seul demeure le malheur. Notre structure psychique se configure comme une montagne, couche par couche, et il suffit que la déchirure se produise une seule fois pour qu'elle s'empreigne et grave à la fois l'inquiétude devant la vie et la fragilité du bonheur. Le bonheur ! Son épiphanie est éphémère. Les meilleures choses ont une fin (phrase qui deviendra un refrain dans la vie de Claude).

Laudamus te. Benedicimus te. Adoramus te. Glorificamus te. L'assemblée chantait et dans la forteresse de sa détresse, Louise réclamait sa mère. Avait-elle vraiment déjà une vie toute à elle, une vie sans Mathilde ? Qui pourrait croire une chose pareille ? Pas elle ! Et Mathilde n'aurait jamais cru cela. Elle n'aurait pas voulu non plus que sa fille chérie portât le deuil à son âge. La tristesse plus le deuil, quelle idiotie. Quelle peine inutile ajoutée au drame. Mathilde avait sûrement pleuré de laisser sa petite Louise. Mathilde avait fermé les yeux à regret, dans le désespoir d'abandonner sa fille. Louise le pensait. Maman ! Dix ans dans le cocon de sa tendresse et tout à coup le sourire s'était couché comme le soleil. Il avait disparu derrière l'étendue noire de la mort et la mer de sang échappée du ventre de maman. Et le sang avait empli la bouche de Mathilde. Comment était-il monté dans sa bouche ? Y avait-il du sang partout ? Maman ! Elle ne dira plus : Ma petite Louise. Louise chérie. Elle ne dira plus rien. Elle sera toujours morte : un souvenir, l'absence, et le silence. Personne n'entendra plus la voix de Mathilde, la voix qui chantait quand les doigts se posaient sur les touches noires et blanches. Quel était le testament de Mathilde ? Chanter. Je chanterai, pensait Louise en pleurant.

Au bout du rang, Jules et Jean, assis l'un à côté de l'autre, les yeux fermés, priaient comme on le leur avait appris. Ils ne pleuraient pas. Ils pensaient. Le chagrin est un compagnon fidèle qui réclame notre solitude et qui la peuple. Parfois il devient notre serviteur, nous transforme ou nous libère, et l'amour perdu nous jette dans la conversation avec ceux qui nous étaient étrangers. Jules ignorait que la mort de sa mère lui apporterait une épouse. Le célébrant lisait l'évangile de la Résurrection. Aucun des enfants Bourgeois n'éprouvait d'irrespect pour les choses saintes. Claude et Jérôme espéraient que maman ressusciterait. Est-ce que c'était possible ? se demandait Claude qui devinait que Jésus seul avait ce privilège. La fumée blanche et odorante, qu'un servant de messe envoyait en balançant avec ardeur un encensoir d'argent, enveloppait les premiers rangs de l'assemblée. Claude toussa. Henri agenouillé ne regardait pas ses enfants. Claude toussa encore. De sa main, Jérôme chassa l'air devant son petit frère. Joseph lui fit les gros yeux et Jérôme redevint immobile dans le rang des autres. L'autorité semblait couler du père aux fils, puis de l'aîné au plus jeune, comme une fontaine dans dix vasques qui allaient s'apetissant.

Deux jours plus tard tous marchaient derrière le cercueil de Mathilde et la vie était à jamais transformée. Valentine s'installa dans la maison de son fils. Dixième de dix, Marie prenait sa place, de bras en bras.

10 OCTOBRE 2015

Entre 1920 et 1940, entre la grande tuerie et le génocide, de mars à mars et presque jour pour jour, Henri et Mathilde donnèrent la vie et le monde à dix enfants. Croissez et multipliez-vous. Ils l'avaient fait et Mathilde en était morte. Mais la famille nombreuse ne dégoûta personne de la famille nombreuse : la génération suivante obéissait au même commandement. Jules l'aîné et Marie, la plus jeune de la fratrie, eurent chacun sept enfants. Jean, Jérôme et Louise en eurent chacun six. André trois, Joseph et Claude et Guy deux. De deux à dix, de dix à quarante âmes, en deux générations, c'était bel et bien une multiplication.

L'extraordinaire est aussi dans la suite : beaucoup des cousins germains ont aujourd'hui des grandes familles. La troisième génération prolifère, la quatrième devient indénombrable. Jules a soixante-dix descendants, Marie trente petits-enfants. La démographie des Bourgeois n'a pas évolué comme celle de la France. La modernité n'a pas dérangé la multiplication. C'est que les descendants d'Henri pour la plupart ont conservé la foi. Peu de déperdition dans ce domaine pourtant largement menacé dans la cité. Ils appartiennent à l'Église de Rome. Ils croient à la communion des saints, à la résurrection de la chair, à la rémission des péchés, à la vie éternelle. Et la vie devient éternelle, qui se renouvelle et s'amplifie à travers eux. La chair se fabrique sans fin et le mouvement de l'existence s'enclenche à chaque naissance : périlleuse appropriation, montée en puissance, jouissance de soi-même enfin, puis dépossession progressive, défaite du corps, lassitude de l'esprit, acceptation de la mort. Chacun fait après les autres l'expérience de cette trajectoire imposée. Cette ligne, qui n'admet que quelques retards – lorsqu'un individu combat vivement contre la perte de ses forces –, recèle une puissance hypnotique. Sa répétition dans la diversité captive les parents. Contempler le déploiement de la vie peut faire une vie. Jules, Jean, Louise, Jérôme, Marie, tous ont éprouvé à la fois le sentiment *de* la vie et les sentiments *envers* ceux qui vivent. Ils s'ébahissent devant la fluidité des métamorphoses, l'inattendu des déploiements, la coulée à la fois lente et inlassable. Cette contemplation primordiale recèle une magie stimulante, ravissante, terrorisante. Jules, Jean, Louise, Jérôme, Marie donnent l'exemple de ces existences au milieu d'une foule qu'on a enfantée, qui peu à peu arrive à maturité et à son tour prend la barre. Je perçois en eux une joie particulière à laquelle peu sont conviés. On ne se dessèche pas au milieu du cirque vital. Qui pourrait en douter ? Les enfants étaient leur création.

Une aria chantée par Maria Callas, une sculpture de Louise Bourgeois, les bras de Maïa Plissetskaïa dans la danse, les écrits de Simone de Beauvoir ou de Virginia Woolf, chacune de ces floraisons a réclamé le sacrifice de toutes les autres : on ne crée et on n'excelle qu'en une. Mathilde renonça à toute création pour enfanter dix enfants. Personne ne saura jamais de quelle œuvre autre – et d'une chair toute différente – elle était peut-être porteuse.

AVRIL 1940

Et la famille alla sans Mathilde, déroute violente et dissimulée. Le corps maternel avait été mis en terre à Montmartre, ultime et véritable séparation. Au-dessous, enfermée : la chair de la mère. Au-dessus, à l'air libre : la chair de sa chair. Le lien originel était tranché. Il devenait tout intérieur. Sans effusion, dans le secret de chaque personnalité, il prenait la forme recréée de l'essentiel. Il devenait l'amalgame des souvenirs et faisait la nuit, dans le noir des chambres, comme un cœur irradiant qui réveillait à la fois le chagrin et la force – par cet effet paradoxal d'avoir été aimé. Dans les bras du passé les enfants se réfugiaient, car la peine raidissait ceux d'Henri.

152

Son amante, son vis-à-vis, la compagne de ses jours, la mère de ses enfants, cette cariatide sur laquelle reposait sa maison, n'était plus auprès de lui. En un jour fatal elle s'était éclipsée et sa trace était partout. Henri restait muet, malheureux et placide dans un silence opiniâtre. Pourquoi tenter d'exprimer ce qui se dirait si mal ? Le chagrin est une chose que l'on tait, ce que l'on ressent n'est pas un sujet de conversation. Telle était sa philosophie, son éducation, la marque en lui de son époque. Il venait de perdre sa femme et il avait dix enfants. Évidemment que c'était le grand malheur ! Avait-on besoin de le clamer pour le savoir ou le faire savoir ? Comme son milieu et sa génération, Henri n'envisageait pas le lien entre l'expression, la libération et la vitalité ; il ne pensait pas que parler aide à surmonter, dépasser, redevenir victorieux et vivant après le désastre qu'on a traversé. Il avait idée que les mots en font toujours trop ou pas assez ! La pudeur et le silence leur étaient supérieurs et toute chose n'était pas bonne à dire. Le langage utilisé par les Bourgeois n'était en somme que la moitié du langage, de sorte que son potentiel roboratif était perdu par cet usage strictement communicationnel. L'idée qu'il aurait le pouvoir de nous restaurer ne pouvait côtoyer la règle qui conseillait de se taire. Des mots qui nous révèlent à nous-même et nous guérissent, et puis quoi encore ?! Les paroles comptaient moins que les actes et la tenue. Se tenir droit et vertueux à la face de Dieu et des autres, recevoir le sort tel qu'il vous est donné, ne pas s'en plaindre mais poursuivre, voilà ce que devait réussir un Bourgeois. Dans le deuil, Henri n'eut pas un mot.

Le silence de la maison impressionnait les enfants. Ils devenaient silencieux à leur tour. Ils n'auraient plus osé courir dans un couloir. Ils n'avaient plus le cœur à jouer, à se poursuivre et s'attraper et rire. La mort de Mathilde les avait chassés de la vie heureuse et simple. Au salon, on voyait Louise au piano, Jérôme et Claude à deux sur un fauteuil, penchés ensemble au-dessus d'un grand livre dont la couverture s'ouvrait sur leurs quatre cuisses nues – ils portaient des culottes courtes et des chaussettes hautes –, André et Joseph les genoux écartés autour d'un jeu de dames posé sur un tabouret, et Nicolas, seul, en costume et cravate, qui lisait. Jules et Jean étudiaient dans leur chambre. Mme Gardon promenait Guy et Marie. Les pleurs réfrénés, les adjurations gardées secrètes, les peurs refoulées, il ne restait que le calme d'une grande famille digne dans la peine.

— Que voulais-tu qu'on dise ? fait remarquer Louise aujourd'hui. Nous ne pouvions pas parler de maman, nous n'en parlions pas. Mais j'ai pleuré dans mon lit tous les soirs pendant un an.

Valentine faisait travailler Jérôme et Claude qui avait des difficultés et se décourageait facilement. Mme Gardon avait été recommandée pour s'occuper de Marie. Son mari était mobilisé. Elle était logée à la maison dans la même chambre que l'orpheline et prenait soin de mêler l'enfant à ses frères et sœurs. La pauvre petite qui ne sait pas son malheur ! Chacun à son tour tenait dans ses bras le bébé, lui faisait doux doux, ou guili-guili, puis tout à coup encombré par le paquet rendait Marie à sa gouvernante. Henri demeurait à l'écart de sa fille. Il se sentait las et découragé. Il était incapable de regarder celle qui avait causé la mort de Mathilde. Comme c'est malheureux ! pensait Mme Gardon, dont le mari qui était au front n'avait pas encore connu la joie d'être père.

10 MAI 1940

On le sait, la drôle de guerre prit fin d'un coup. Dans son train qui portait le nom d'un roman de Kafka – le Führer l'ignorait sûrement –, Hitler avait roulé vers son prochain quartier général à la frontière française. Dès le lendemain les chars allemands avançaient dans la lumière de l'aube – toujours le même horaire d'attaque : cinq heures trente-cinq –, les chenilles métalliques tournaient, les lourds engins tassaient la terre belge, les bustes des hommes debout se découpaient sur le ciel qui allait s'éclaircissant. L'offensive allemande vers l'ouest était engagée. Au mépris de leur neutralité, la Hollande, la Belgique et le Luxembourg avaient été envahis. La bataille de France commençait. La population venait d'apprendre la mauvaise nouvelle du contournement des défenses. En passant au nord de Sedan, les Allemands avaient évité la ligne infranchissable. Maginot ne protégeait de rien ! Personne ne s'était figuré un Hitler se moquant de la neutralité belge. La ligne défensive qui avait coûté tant de béton et de canons aurait dû filer jusqu'à Dunkerque.

Et l'erreur stratégique continuait. Les plus motorisés des régiments alliés s'engouffraient maintenant dans cette Belgique à la fois leurre et piège. Nul ne conçut que la forêt des Ardennes ne constituait plus un obstacle. Sa densité accidentée laisserait passer les chars qui obliqueraient alors vers la mer et prendraient à revers les troupes françaises et britanniques engagées en Belgique. Qui pensa que cette offensive éclair réussirait si bien qu'elle durerait moins de six semaines ? Personne. La France qui avait manqué d'imagination continuait à se tromper. Dans quelques jours la force française serait coupée en deux, disloquée et en déroute. Fervents militaristes, les Bourgeois s'illusionnaient comme les autres sur la valeur de leur armée. Ils ne savaient rien en vérité ! me dis-je. La dissimulation fut énorme.

On ne parlait pourtant que de la guerre ! Elle recouvrait jusqu'à la mort de Mathilde. Henri avait appris l'engagement du comte de Paris dans la Légion étrangère. Le prétendant au trône de France se battait ! Un père de dix enfants… Les lettres de Pierre étaient lues et relues. Le poste de commandement du capitaine Bourgeois était installé à Beaumont-en-Argonne, à vingt-cinq kilomètres de la frontière belge. À six heures du matin il avait été réveillé par les premiers tirs de la DCA. Les ordres tombaient : Appliquer le plan Tilsitt (notre réponse à une entrée des Allemands en Belgique), appliquer le plan Wagram qui lui fait suite. Nous avions des plans ! Nous avions une protection antiaérienne. *Un petit mot pour éviter que tu t'inquiètes*, écrivait Pierre à sa mère Valentine. *Tout va bien. Nous ne sommes gênés que par l'aviation.* Pierre ne savait pas si bien dire.

J'essaie de me représenter cette conjonction de malheurs : du jour au lendemain dix enfants se trouvent orphelins, deux mois plus tard une offensive militaire écrase leur pays, ils quittent précipitamment Paris – où ils vivent, où vient d'être enterrée leur mère –, la capitale est livrée sans combat à l'ennemi.

Mourir en couches est un événement tragique que les gens d'alors acceptaient, cette catastrophe avait de l'ancienneté, ils savaient que ces drames arrivent quelquefois. Ils pensaient même : quand Dieu a décidé de notre heure, rien ne sert de lutter. Nous nous sommes déshabitués de ces défaites et rares sont ceux qui se disent que Dieu nous rappelle à lui. En France, cent cinquante femmes meurent encore chaque année en accouchant mais par la grâce de la médecine nous connaissons un si faible taux de risque, que nous voulons l'oublier. Je pense à cet accident imprévisible et imparable qui peut survenir au moment de la naissance : l'embolie amniotique. Le liquide amniotique passe dans le sang de la parturiente et provoque instantanément un arrêt cardiaque. Cette mort subite de la mère témoigne que l'accouchement demeure un processus naturel et dangereux. En 1940, cette évidence était présente à l'esprit des familles. Et voilà justement que Mathilde meurt d'hémorragie. Ses fils aînés sont presque majeurs, mais les suivants sont des adolescents et des jeunes enfants. Claude par exemple n'a pas encore six ans. Le désemparement du garçonnet qu'il était s'est solidifié dans l'homme qu'il est devenu. Le drame a engendré pour toujours une peur diffuse : perdre l'Autre qu'on aimait, perdre la joie de la maison pleine, sentir grandir une destruction. Car le nid de Mathilde était détruit et la famille le quittait parce que la guerre enflait au-dehors. Un fou avait envoûté tout un peuple malheureux. Il s'égosillait devant des foules extasiées. Des milliers de soldats entraient en France, en Belgique, en Hollande. L'invasion apportait la désolation. Des cendres secrètes tissaient la nuit sur l'Europe, le silence était énorme, on comptait sur les doigts d'une main les hommes capables de dire non. Des bribes arrivaient aux enfants. Ils entendaient les phrases que murmuraient les gens en se cachant comme des conspirateurs dans un désastre. Ils lisaient le visage des adultes. Tristesse, souci, crainte étaient écrits dans leurs yeux et sur leurs bouches. Henri, Jules et Jean, penchés sur des cartes de France, essayaient de comprendre le mouvement des armées. Jérôme et Claude s'amusaient de voyager jusqu'à Périgueux attachés sur le toit de la Citroën. Mais il n'y avait pas de lait et Marie pleurait tout le temps. Que se passait-il dans leurs têtes pendant qu'en eux s'inscrivaient ces moments ? *Maman est morte à la naissance de Marie et puis les Allemands ont envahi la France.* Ils ne possèdent plus que quelques mots pour évoquer ce grand passé cruel. Ils ont beaucoup oublié. Mais chaque inquiétude et toutes les morts imprégnèrent leur être entier.

— Je t'ai cherché pour taper quelques balles, dis-je à Claude qui arrive au club de tennis au moment où j'en pars.

Nous nous croisons dans le parking. C'est moi qui de loin l'ai vu arriver, absorbé en lui-même, ses clés de voiture à la main, dans son blouson de cuir noir qui n'est pas du tout son genre et qu'il ne quitte plus, signe peut-être qu'il change ou veut changer, ou se sent vieillir et veut rajeunir, ou se libère tardivement des conventions vestimentaires de son milieu. Il est resté grand et mince, naturellement élégant, mais je le préfère en pardessus, sans doute parce que l'on s'habitue au style des autres et que cela nous rassure ou nous repose qu'ils n'en changent pas. Claude marche en regardant ses pieds comme le font tous les joueurs de tennis lorsqu'ils reviennent se placer sur la ligne de fond de court, après un échange, pour servir le point suivant.

— Oh ! me dit-il, je suis désolé, j'aurais été content de jouer avec toi.

— Ce n'est pas grave, je suis allée à la salle (la salle de gymnastique).

— J'étais au cimetière, explique-t-il, je voulais mettre des fleurs sur la tombe de maman (il dit *maman* comme il dit *papa*, reprenant ce vocable d'enfant qu'il a roulé des milliers de fois sur sa langue, pour raconter, demander, prier, supplier, s'expliquer).

Bien que je sache quel jour nous sommes, je n'y aurais pas pensé, il y a longtemps que Claude a abandonné ce rite d'aller le jour des Morts porter un chrysanthème. Sa vie l'a sans doute entraîné loin de ses défunts. Il est venu les retrouver en célibataire parce que son épouse fait partie de ces gens si sensibles qu'on évite de les embarquer dans les moments tristes ou difficiles. Claude est resté seul avec la mélancolie des lieux. Maintenant il me parle, parce que nous sommes ainsi faits, comme des machines à vapeur, que les émotions doivent sortir de nous d'une manière ou d'une autre et que nous cherchons un interlocuteur, une attention, quelqu'un qui nous écoute et donne l'impression qu'il nous comprend.

— J'ai pleuré comme je ne l'avais pas fait depuis cinquante ans.

Après cet aveu, Claude secoue la tête comme le font les chevaux, manière de s'excuser, ou de révéler qu'il n'y croit pas, sa stupéfaction d'avoir ainsi craqué, ou comme s'il voulait secouer l'émotion pour la faire passer. Je ne sais quoi lui répondre tant m'émeuvent ces larmes que je me représente. Que dire contre la grande tempête de la vie et le raz-de-marée du temps qui emporte tout sur son passage ? Et que répondre à celui qui les ayant constatés se met à pleurer ? Qu'il a raison ? Qu'il est violent de voir écrit dans la pierre le nom de ceux qu'on a aimés, serrés dans ses bras et perdus ? Que c'est inadmissible et qu'il nous faut l'admettre ? Qu'il faut tâcher de n'y pas penser ? Je n'ai rien dit de tout cela. Claude a continué de me raconter son expédition dans le froid et le gris de la ville jusqu'à la forêt de marbres.

— J'ai mis un temps fou à retrouver le caveau, dit-il, je me suis perdu dans les allées, je ne reconnaissais plus rien.

Le caveau des Bourgeois se trouve au cimetière Montmartre et je sais que c'est un privilège. Mathilde et Henri sont enterrés là, et parmi leurs fils décédés, seuls Nicolas et Joseph sont avec eux. Enfant, j'y accompagnais Claude le jour de la Toussaint. Si c'était avant mes sept ans, seule Mathilde reposait sous la dalle. Il est plus probable que nous nous y rendions dans les années qui ont suivi la mort d'Henri et, si c'est bien le cas, le couple originel était reformé dans la mort. Claude alors ne pleurait pas (du moins ne l'ai-je jamais vu), il avait trente-cinq ans, belle allure, et une énergie magnifique qui se mettait au repos sur la tombe de ses parents, il était recueilli et grave. Je comprenais que rendre visite aux morts est une chose triste, et cependant je me souviens comme j'aimais particulièrement ce moment. Peut-être aimais-je être triste, ou même faire semblant de l'être, revêtir le visage de la tristesse sans avoir à la souffrir. Peut-être aimais-je penser à la fin de la vie, à ce qui lui donnait plus de prix et la rendait importante. Que ferais-je avec ce trésor : le temps qui vous est accordé ? Pour rien au monde il n'aurait fallu perdre sa vie. Est-ce au cimetière Montmartre que j'ai commencé à penser cela sans que personne n'en sût rien ?

— Il y avait tout le monde, me dit Claude. J'ai vu tous les noms. Et les dates. Nicolas est mort en 1972, il avait quarante-neuf ans, tu te rends compte !

Il semble réfléchir à l'histoire de Nicolas et dit :

— Mais Nicolas, c'était la guerre. Il est mort à cause de sa jambe.

J'entends qu'il se rassure lui-même. C'est un refus de la mort naturelle dont on s'approche en vieillissant :

Nicolas ce n'était pas l'âge, le temps, l'usure, c'était la guerre. La guerre avait pris Nicolas.

— En regardant les dates, j'ai pensé que c'était mon tour. À part Joseph, tous sont morts plus jeunes que je ne le suis.

Et Claude baisse les yeux, comme s'il venait de se laisser aller à dire une chose honteuse – ou insupportable donc honteuse –, l'air encore de s'excuser d'une pensée désespérante qu'il chasse, oui, comme s'il venait de proférer une ânerie sans fondement. Il regarde par terre. Je n'aurai pas à affronter son regard au cœur de ces vérités tragiques.

Claude vient d'avoir soixante-dix-huit ans et s'aperçoit qu'il a fini d'être jeune. Moi-même je ne l'ai jamais vu vieux et c'est seulement depuis un ou deux ans que je le trouve un peu affaibli. Pourquoi a-t-il eu tout à coup l'idée d'aller sur la tombe de ses parents ? Est-ce parce qu'il revient sur le passé ? Est-ce la nouvelle que Guy s'apprête à subir une opération ? Jérôme et Jean se portent plutôt bien, eux que la mort bientôt va frapper.

— Il n'y avait pas une fleur sur la tombe, déplore Claude. J'ai balayé.

Tout le scandale de la mort et de la vie l'a saisi à travers celui de l'oubli, comme une ingratitude dont il s'accuserait. Je vois la peau de ses joues se grêler sous l'effet de l'émotion qui l'a envahi. Un cœur tremble en lui. Est-ce son cœur d'enfant ou au contraire celui d'un homme qui a traversé l'existence et sait ce que valent les choses, le mal qu'on s'est donné, la gratitude que l'on doit ?

— Maman a eu dix enfants et il n'y avait pas une fleur sur sa tombe ! s'exclame-t-il. Je me suis juré de venir tous les ans. Je n'aurais pas dû rester si longtemps sans aller au cimetière.

Il ne pouvait rien faire d'autre contre l'ensevelissement de tous les mondes qui s'étaient succédé, se succédaient et nous submergeraient bientôt. Il avait ensuite cherché la tombe de Valentine – la tombe de grand-mère, me dit-il –, mais sans la trouver. Et maintenant il repartait dans sa vie, il allait lever quelques poids à la salle de musculation, et je pensais que c'était bien cela vivre : ne pas laisser tomber, poursuivre, faire le courageux, taire le pire, le porter en soi mais le taire. Et en ce sens cette discussion dans le parking était une faiblesse dont nous ne reparlerions jamais.

15 MAI 1940

Et je vois bien que le courage était une qualité des Bourgeois. Le 15 et le 16 mai, deux mois jour pour jour après la mort de sa mère et au cœur des événements militaires dont il suivait les minutes angoissantes (la Hollande venait de capituler, nos armées reculaient en Belgique), Jules qui venait d'avoir vingt ans, rassembla ses connaissances et jeta toutes ses forces dans le concours pour l'entrée à Saint-Cyr. Il était l'un des quatre mille candidats de cette année-là, l'un de ces garçons qui prétendaient posséder le goût de l'action et le sens du service. Jules faisait mieux qu'y prétendre. Il avait appris la solidarité chez les scouts, la rigueur chez les jésuites et la vaillance dans sa famille. Courage, droiture, sacrifice, non seulement ces vertus lui étaient familières mais il les possédait à un degré qui étonnait chez un garçon de cet âge. Les circonstances en témoignaient d'elles-mêmes : alors que son monde s'effondrait, il s'engageait dans ce qui était sa tâche particulière à cette heure particulière.

Il fit face à cette bataille au-dedans de sa tête : la concentration contre la mélancolie. Mathilde aurait voulu qu'il fît sa vie d'officier. Il chassa de ses pensées le chagrin et sa mère, pour faire ce qui lui aurait complu. À la place du deuil il installa de force les notions, les questions, les problèmes, tout ce qu'il avait appris et qu'on allait lui demander. L'automne et l'hiver durant, à Sainte-Geneviève, il avait préparé les épreuves exigeantes et complètes. Mathématiques, physique, histoire, géographie, philosophie, littérature. Studieux depuis l'enfance, Jules excellait dans chacune des matières. La sélection des officiers cherchait avec sévérité les meilleurs élèves de chaque génération et la situation nationale depuis plusieurs mois rendait plus impérieuse et pressante cette nécessité. L'année précédente, par prévision des besoins en commandement, la promotion de 1939 avait compté presque huit cents élèves officiers admis. Jules avait regretté de n'être pas d'un an plus âgé pour profiter de cette bonne chance. Ne recherche pas la facilité, s'était contenté de dire Henri à son fils aîné. Et maintenant la facilité avait disparu, le concours ouvrait moins de deux cents places. Pendant que Jean révisait encore (les épreuves de l'École navale étaient prévues du 4 au 8 juin), Jules plancha. Il le fit avec application, ordre et méthode, de sorte qu'il espéra être reçu.

27 MAI 1940

Au même moment l'armée française combattait dans un affreux désordre. Les compagnies prenaient des positions, amorçaient des mouvements, exhibaient des ordres de repli, reculaient devant la poussée de l'ennemi. Les généraux valsaient, parfois sans raison compréhensible, et leur départ minait le moral des soldats. L'esprit militaire faisait défaut. Les jeunes officiers étaient frappés de découragement devant leurs hommes peu motivés. Les pertes humaines semblaient inutiles. La France n'avait plus le cœur à la guerre. La famille Bourgeois gardait espoir ; les lettres de Pierre n'étaient pas alarmantes. *Ne vous inquiétez pas trop des événements. Les Boches seront bientôt à bout de souffle et à court d'essence. Là où nous sommes, cela tient très bien…* Jules savait que la censure s'exerçait aussi sur les lettres des officiers mais ces renseignements étaient précieux car les communiqués ne donnaient aucun détail. Qu'en était-il vraiment de la situation ?

Le 27 mai, l'armée française apprenait, en même temps que l'encerclement de l'armée du Nord, la capitulation du roi des Belges. La nouvelle était reçue comme une trahison tant l'événement était fatal. Chez les Bourgeois pas plus qu'ailleurs, personne ne songea que cet allié était exsangue, insuffisamment remis de 1914.

Dès juin, la défense céda à la ruée allemande. Le front creva en deux endroits. L'armée ennemie motorisée roulait en France comme dans un territoire non défendu. La panique prévalait dans tout le pays. Les institutions, les administrations se disloquaient. Comment les copies du concours pourraient-elles être sauvegardées, corrigées même ? se demandait Jules. Son âme patriote se désolait. Il faudrait recommencer ! Et attendre encore pour servir la France ! Le candidat piaffait. Il avait déjà vécu en rêve son petit et son grand soir, ces rites initiatiques qui créaient l'esprit de corps. *À genoux les hommes, debout les officiers*. Quand donc entendrait-il ces paroles sublimes ? Qui l'adouberait et quelle guerre irait-il rejoindre ? Tout serait peut-être fini ! Il le pressentait, c'était la vérité de la débâcle. Au bord de la mer du Nord des soldats avaient été bombardés sans se battre, attendant d'embarquer pour l'Angleterre. Mourir dans l'enfer d'une évacuation, ce n'était pas la mission que se représentait Jules. Où étaient les torts ? Jules méditait cet avis de son oncle Pierre : l'armée française avait vraiment mal fait de ne pas croire aux chars ! La guerre moderne appartenait aux blindés renforcés par l'aviation. C'était maintenant une évidence. L'État-Major français s'était bloqué sur une conception datée de la dernière guerre : erreur intellectuelle de la part des stratèges. Les frères ne jetaient la pierre à personne. Henri, Adrien et Pierre pariaient qui sur une guerre courte, qui sur un front type 14-18. L'armée avec Weygand allait-elle réparer ses manquements ?

Mais l'armée n'avait plus la forme d'une armée. Les troupes se retiraient dans un désordre incontrôlé vers des positions non calculées. La population civile ne savait rien. La dissimulation odieuse provoquait l'amplification, les racontars, la panique. Sur les routes, des chevaux tombaient sur qui grimpaient d'autres chevaux, des charrettes se retournaient et roulaient dans les fossés. Des milliers de réfugiés fuyaient vers le sud. Des valises, des ballots, des poussettes, des matelas, l'errance alourdie par la vie matérielle faisait pleurer les enfants que les vieilles femmes hébétées ne savaient plus consoler. Le 23 mai, Jules avait conduit à Périgueux Valentine et les cinq derniers enfants d'Henri. La petite troupe en tenue de deuil s'abritait dans la maison de l'oncle Pierre. Le 26 mai, Pierre écrivait à Henri pour le réconforter. Alors que la misère du deuil habitait le jeune veuf, l'énergie du combat animait l'officier d'active. Il gardait espoir. Sa division se comportait bien. Il racontait que le colonel de Gaulle se baladait chez les Allemands avec ses blindés et faisait des choses épatantes. Il refusait de croire aux rumeurs de cessation des hostilités. Il disait à son frère Henri de tenir bon.

Pourtant la vie s'étranglait. Paris n'allumait plus ses réverbères. Les canons de la défense aérienne faisaient trembler les vitres. La capitale s'était vidée. L'atmosphère était saisie par le malheur et l'inquiétude. Des noms de ville circulaient, Laon, Rouen, Soissons, Compiègne, où l'on se battait, où l'on avait perdu. Jusqu'à quel point la horde allemande avait-elle avancé ?! Personne ne le savait plus. Le vendredi 4 juin, Jean fut averti : le concours qu'il préparait était annulé, reporté à une date inconnue. L'École navale conseillait à ses candidats de se replier sans délai. Les communiqués annonçaient que partout les troupes françaises battaient en retraite. Les Parisiens faisaient leurs paquets. Le 6 juin, Jean monta dans l'un des derniers trains pour Moulins où il logerait chez un oncle maternel. Henri rejoignit les siens à Périgueux, en voiture, en compagnie de Joseph et André. Nicolas fit le trajet à vélo. La capitale avait été déclarée *ville ouverte*. Le gouvernement avait rallié Tours puis Bordeaux. Le 14 juin, les troupes ennemies entraient dans la plus belle ville du monde, désertée. Sommés de déposer les armes, les Parisiens s'enfermaient chez eux. Les camions allemands roulaient dans un silence inouï. L'armée avait défilé sur les Champs-Élysées. L'envahisseur s'installait dans les palais vides des ministères enfuis. Des mitrailleuses allemandes entouraient le Soldat inconnu. Un fils de Valentine Bourgeois pouvait-il se représenter cela ?! La rumeur courait que les jeunes adultes mâles risquaient d'être arrêtés par les Allemands. À Périgueux, Henri et Adrien se concertaient. Fallait-il envoyer vers le sud les garçons qui avaient passé dix-sept ans ? On le décida. Tomber aux mains de l'ennemi était un déshonneur. Début juillet, Jules, Jean et Nicolas partirent à Bayonne. Au deuil familial allait s'ajouter le deuil national : la défaite et l'armistice.

17 JUIN 1940

Il était midi trente mais personne ne sonnait le déjeuner. À peine revenu de la messe, l'aréopage des parents s'était installé autour du poste de TSF. Ne restez pas là mes enfants, allez jouer dehors ! avait demandé l'épouse de Pierre en caressant quelques nuques. C'est valable pour toi aussi, avait-elle dit à son fils aîné qui insistait pour être au salon avec les grandes personnes. Lui aussi voulait écouter l'allocution ! S'il te plaît, maman ! Son visage limpide et son regard implorant avaient de quoi désarmer. Mais sa mère se montra inflexible. Va ! dit-elle d'une voix douce. Et les petits virent comme son visage était grave, rendu inaccessible par une affliction qui était pour eux quelque chose de diffus et d'inexplicable : un fait qu'il leur fallait supporter sans pouvoir le nommer (ainsi les enfants vivent-ils les humeurs de leurs parents). Ils obéirent sans rechigner, leur troupe sautillante traversa le vestibule vers le jardin.

— Venez avec nous madame Gardon, cela vous concerne aussi, Louise s'occupera de Guy un moment. N'est-ce pas Louise ?

Louise acquiesça et prit la main de son jeune frère.

— Merci Louise, dit Mme Gardon, fais attention à ton frère !

Et la porte du salon se referma sur les adultes.

Les femmes assises serraient les mains dans leur jupe. Mme Gardon jetait de temps à autre un coup d'œil à travers la fenêtre vers le jardin. La voix brisée de l'ancien vainqueur grésillait déjà dans le poste de TSF. L'éloge de *l'admirable armée qui lutte* fit venir des larmes dans les yeux de Valentine. La minuscule dame en noir se tenait toute droite dans le plus confortable des fauteuils, son dos ne touchait pas le coussin du dossier. Elle regardait dans le vide, ou dans le passé, et quand elle prit la main de sa belle-fille, cela disait : ton mari est à la guerre et il est aussi mon fils, ne l'oublions pas dans nos prières. Marie-Maude écoutait tristement. Amaigri et pâle, Henri était au désespoir. Le bonheur, la jeunesse et la paix étaient passés. La vie avait plongé dans un puits, et jusqu'où descendait ce puits, et n'allait-il pas s'y noyer ainsi livré seul à la vie ? Loin de chez lui, dans ce pandémonium que les femmes s'occupaient à civiliser, il se sentait plus démoralisé qu'à Paris. Il aurait voulu ne jamais se mêler au torrent des civils effarés, aux soldats déserteurs, qui entravaient le repli des dernières troupes résistantes, sur les routes encombrées de matériel militaire abandonné.

Le héros de Verdun s'adressait au peuple français. Sa voix était vieille – il était né en 1856, treize ans avant Valentine –, presque féminine, à la fois pitoyable et digne et blessée, revenue du fond du temps, ressuscitée d'un passé ancien. Elle faisait mal à ceux qui l'entendaient parce qu'elle disait que c'était fini. L'ennemi avait été supérieur en nombre et en armes, nous avions été débordés. Valentine, Marie-Maude, Adrien, Henri, Jules, Jean et Nicolas écoutaient de toute leur âme.

Selon son habitude et son tempérament où la prudence l'emportait, Philippe Pétain avait attendu qu'on le priât et pouvait maintenant s'avancer : *Je fais à la France le don de ma personne pour atténuer son malheur.* Personne ne prenait garde à la prétention que révélait cette phrase. Appelé comme un talisman, le maréchal de France se sentait l'homme providentiel – il serait finalement pour l'Histoire l'auteur réprouvé d'une page honteuse. Il assumait depuis la veille la direction du gouvernement. Fervent opposant à son exil en Afrique du Nord, peu soucieux de lui conserver indépendance et souveraineté, pessimiste comme il l'avait toujours été, il se disait le bouclier planté dans la terre du pays. Il n'abandonnerait pas les Français et sa légende les protégerait de l'occupant. Afin de montrer sa détermination, il prononçait le texte de ce communiqué qu'aucun de ses ministres fraîchement nommés n'avait eu l'occasion de lire, commenter ou améliorer. Cette première entaille dans les procédures démocratiques passa inaperçue tant le désordre était complet. Même ceux qui faisaient profession de penser furent pris par surprise. Ils prêtèrent l'oreille à la voix tremblotante, parée de l'épaisseur du passé et de la gloire. Ils ne surent pas les tractations, les alternatives, la main tendue de l'Angleterre. Un peuple entier fut trompé par les canailleries de son gouvernement. Un faux fabriqué en secret avait retardé le départ des politiques hors de la métropole envahie. L'opprobre tomberait bientôt sur ceux qui avaient appareillé à bord du *Massilia* alors même que le projet avait été débattu et adopté. À Bordeaux, dans le café où il écoutait la vieille voix, la police était venue arrêter Georges Mandel hostile à l'armistice. *C'est le cœur serré que je vous dis aujourd'hui qu'il faut cesser le combat.* Le cœur serré était mal entouré.

Je me suis adressé cette nuit à l'adversaire pour lui demander s'il est prêt à rechercher avec nous, entre soldats, après la lutte et dans l'honneur, les moyens de mettre un terme aux hostilités. Au salon dont la porte restait fermée, les femmes pleuraient. L'armistice consacrait la défaite, tous les espoirs étaient évanouis. L'armée française était vaincue. Honte et désolation se mêlaient. Le salon reniflait dans des mouchoirs brodés. Henri et Adrien parlaient tout bas.

— Ce n'est pas encore l'armistice, c'est une demande.

— L'armée va devoir attendre la réponse des Allemands ! Comment les troupes vont-elles réagir ? Et si le combat s'arrête pour les uns pendant que les autres le poursuivent ? (Ce qui se produisit bel et bien.)

Jules et Jean étaient stupéfaits. Une défaite pouvait-elle être si rapide ? L'aîné était plus abattu que le cadet, il se sentait floué, il n'offrirait pas sa passion à la Patrie. Que se passerait-il pour les candidats ? Le concours serait-il finalement annulé comme celui de Navale ? L'école dissoute ? Et la guerre perdue ! Nicolas, qui ne disait rien, était occupé par une pensée non conforme à l'instant : dans la guerre, celui qui continuait de combattre n'avait-il pas raison et tort celui qui se rendait ? Il n'avait pourtant pas la prétention d'en juger. Il restait mélancolique. Où était passé en quelques jours l'esprit de Dunkerque ? *Nous nous battrons sur les plages et sur les aérodromes, dans les champs, dans les rues et dans les collines, nous ne céderons jamais.* Pourquoi la France bafouait-elle ces mots de Churchill ? Sans connaître ces pensées, son oncle Adrien lui donna la réplique :

— Pétain et Weygand veulent protéger l'armée contre un sacrifice inutile.

L'idée lui semblait de nature à rassurer les femmes qui étaient sans nouvelles de Pierre. Mort, disparu, prisonnier ?

— Où est l'armée ? demandait Valentine sans que personne ne sût lui répondre.

Adrien pensait : C'est la débandade. On en est à brûler nos grands dépôts d'essence et de pétrole plutôt que de les laisser aux mains des Allemands. Avons-nous encore des véhicules ? Des armes ? Des munitions ? Rien n'est moins sûr !

22 SEPTEMBRE 2016

On connaît ce chiffre aujourd'hui : les pertes en hommes depuis le 10 mai atteignaient cent mille hommes. Mais les contemporains de l'événement l'ignoraient : ils méprisèrent les militaires comme s'ils n'avaient pas combattu. Les Bourgeois ne le firent pas. Ils entendirent que la situation militaire était perdue mais sauf l'honneur de nos drapeaux. *Notre écrasante défaite est venue de l'hermétisme de nos chefs militaires.* Ils n'auraient jamais prononcé cette évidence désormais reconnue. Ils respectaient ces chefs. Weygand. Pétain. Ils les plaignirent sans cesser de les admirer. Ainsi pouvaient-ils, à la manière de Pierre Bourgeois, ne pas opposer de Gaulle et Pétain. Eurent-ils la lucidité de penser à la différence entre *armistice* et *capitulation* ? Eux qui étaient royalistes, se rappelèrent-ils l'option qu'avait préférée la reine de Hollande ? Eurent-ils idée des solutions alternatives que le Maréchal avait évincées ? L'installation d'un gouvernement hors de la métropole, la continuation de la lutte aux côtés des Anglais, leur sensationnelle proposition d'un condominium forgé dans la défaite et d'une double nationalité pour les Français. On sait aujourd'hui tout ce qui fut proposé, mais les gens n'en eurent pas connaissance sur le moment. Ils se posaient d'autres questions, ils avaient des inquiétudes immédiates. L'ennemi allait-il imposer des conditions si dures qu'elles seraient inacceptables ? Allait-il envahir tout le pays jusqu'à la Méditerranée ? Quel sort aurait notre flotte presque épargnée par les combats ? Jamais les Anglais ne prendraient le risque de voir tomber nos beaux navires aux mains d'Hitler. L'amiral Darlan donnerait sa parole de marin. Le jeune Jean pensait que ce point serait central. Mais de quelle fermeté pourrait faire montre le gouvernement si l'ennemi demandait l'inacceptable alors que l'armée française avait cessé le combat ?

Ils ne savaient pas combien cette question cruciale révélait la scission d'un gouvernement où les uns espéraient un armistice implacable qui les justifierait de continuer le combat et les autres un armistice effectif que sa seule demande aurait rendu obligatoire. Et lisant les minutes des deux jours qui précédèrent l'allocution du Maréchal, je mesure le rôle immense que jouèrent ensemble le commandant en chef des armées et le chef de la flotte. Le général Weygand se refusa à ne demander que la capitulation, l'amiral Darlan joua les girouettes plutôt que les mâts, d'abord prétendant comme de Gaulle s'envoler loin de la servitude, puis s'implantant comme Pétain sous la botte de l'ennemi. Valentine et Henri ignoraient tout ce qui s'est passé le 15 et le 16 juin alors qu'ils ont vécu ces jours, j'en sais le détail moi qui n'étais pas née.

Ils n'entendirent pas l'appel du jeune général qui avait quitté la métropole et pris ses quartiers à Londres. Ni davantage le second discours enregistré quelques jours plus tard, avant la signature *dure au cœur d'un soldat. Nous croyons que l'honneur des Français consiste à continuer la guerre aux côtés de leurs alliés.* Le militaire, stratège et patriote, que l'on avait si mal écouté avant-guerre, n'était pas encore entendu. Je me rappelle que Mitterrand contestait l'importance du 18 juin, au prétexte que dix mille personnes seulement entendirent l'Appel (et peut-être parce que lui-même ne l'entendit pas). Comme la plupart de leurs compatriotes effarés par l'exode et la débâcle, les Bourgeois continuèrent d'admirer le Maréchal. Son nouveau régime et sa révolution nationale avaient de quoi leur plaire : sa morale, son cléricalisme, son paternalisme, sa politique nataliste. C'était le grand retour de la pensée maurrassienne qui avait eu tant d'audience. Personne n'avait le cœur à juger Philippe Pétain. Plus tard on crut même que les conditions de l'armistice avaient été modérées par le respect qu'il inspirait à son vainqueur. Personne n'imagina un calcul plutôt qu'une révérence : Hitler s'était retenu d'abuser pour éviter un refus et l'installation d'un gouvernement français en Angleterre. Il voulait occuper la France avec peu de troupes. La France se gérerait elle-même et l'Allemagne en cueillerait les fruits abondants. Élevés dans le culte des héros et du service de la Patrie, Valentine, Henri, Adrien et Pierre pensaient qu'on ne quitte pas son pays, on n'en remet pas le sort entre les mains de l'Angleterre. Les racines de chaque instant plongent dans le passé profond. C'est pourquoi les Bourgeois, s'ils avaient entendu de Gaulle, lui auraient reproché d'avoir mis une mer entre lui et l'ennemi. Peut-on incarner la France quand on l'abandonne ? Qui le crut ? Aucune grande figure politique. Aucun intellectuel. Pas même François Mauriac. De Gaulle, militaire, nationaliste, clérical, avait de quoi faire peur à tout homme de gauche. Déserteur, dégradé, condamné à mort par contumace, il avait de quoi effrayer tout légitimiste. Le rejoindre était difficile et périlleux. De Gaulle fut seul.

Le choix qui nous paraît simple aujourd'hui après que nous ont éclairés des milliers de livres et de manuels, après que nous ont été révélées l'entière chronologie des faits, les informations secrètes, les potentialités, et surtout la fin de l'Histoire, était pour eux un présent confus et illisible, une pelote d'éléments indémêlables qui n'avait pas acquis la gravité d'une décision que l'avenir a révélée fatale à l'honneur.

Ils étaient tous les enfants de leur époque, éclairés par le passé, contemporains des idéologies qu'il aurait fallu combattre et qu'on avait laissées s'épanouir, ils avaient grandi pendant qu'elles grandissaient. Sous leurs yeux les idées les plus répugnantes avaient droit de cité et s'alliaient parfois aux valeurs les plus sacrées. La famille, la Patrie, le drapeau, même la terre et le travail, n'auraient plus après eux la même virginité. Qui nous garantit cependant, nous qui souvent jugeons, que nous ne prenons pas aujourd'hui des décisions qui mèneront à des violences et à des crimes encore bien pires que ceux dont nous les accusons, non pas de les avoir commis ou approuvés, mais de ne pas les avoir vus arriver. Le présent est lourd et opaque, la teneur des jours n'est pas historique.

ÉTÉ 1940

La teneur des jours était prosaïque. Maintenant que l'armistice était signé, la vie quotidienne devenait la bataille. Ravitaillement, cuisine, entretien du linge, éducation des jeunes : à Périgueux, ce fardeau incombait aux femmes. Trois générations, trente-huit personnes avaient trouvé asile dans cette maison dont le père de famille était "présumé disparu". Trente-huit bouches ! C'étaient des montagnes de légumes entassés sur la table de la cuisine. Leur épluchage fastidieux occupait les blanches mains. C'étaient des assiettes, des couverts et des verres, une vaisselle que l'on faisait bien sûr à la main. Aucun appareil électrique n'était encore venu au secours de ces dames. Pas de réfrigérateur évidemment. Un garde-manger grillagé, suspendu dans un courant d'air, tenait les restes à l'abri des mouches. Trente-huit bouches, c'était aussi trente-huit corps qui ne vivaient pas nus. Le linge sale bouillait dans une lessiveuse de zinc avant d'être battu et brossé sur le ciment du lavoir, dans la cour de la maison. Soyez gentils, prenez soin de vos affaires ! demandaient les mères aux enfants. On leur apprenait à ne pas se salir. D'ailleurs ils gardaient les mêmes vêtements pendant plusieurs jours. Louise avait pleuré quand elle avait

177

remis trois fois une robe qui était toute tachée. Maman n'aurait pas permis cela ! pensait-elle. Devinant sa petite-fille, Valentine avait dit : Ta maman t'aurait demandé la même chose. La maison disposait d'une seule salle de bains. Les enfants se lavaient une fois par semaine dans une bassine métallique. Leur petite colonie se blottissait dans les jupes. Comme si le corps des femmes était un refuge où l'on se cachait de la dureté du réel. La chair familiale devenait cette forêt de bras, de jambes et de têtes, enlacés dans un giron féminin. Et Mathilde man-quait encore davantage.

Henri n'était pas le moins encombrant des réfugiés : ses dix enfants, Mme Gardon, Valentine, et lui qui se sentait brisé par le deuil et la défaite. Mathilde était à jamais sous la terre et la croix gammée flottait sur les sanctuaires de 1918. Le pays était livré à l'appétit de l'ennemi. Chars, munitions, armes, trésors, cochons, chevaux, bœufs, blé… : occuper la France, c'était tout ramasser. Tout était rationné. Bientôt les éditeurs n'au-raient plus de papier. Miné par ces pensées, harcelé par la belle-mère de son jeune frère Pierre – une veuve d'officier qui n'avait d'estime que pour les militaires –, Henri ne fut d'aucune aide à l'importante communauté qu'avait rassemblée la débâcle. Personne bien sûr ne lui en voulait.

— Est-ce qu'on va rentrer à la maison demain ? demandait chaque soir à son père le petit Guy qui s'ima-ginait retrouver sa mère à Paris.

C'était pitié de voir Henri lui répondre.

— Non mon petit minet chéri, on ne va pas rentrer demain.

— Quand alors ?

— Bientôt, murmurait Henri.

— Viens mon chéri, disait alors Valentine en tapant sa jupe avec la paume, voulant éviter à son grand fils un éventuel mensonge.

— Promis ? demandait le garçonnet.

Et Guy quittait les bras d'Henri pour grimper sur les genoux de sa grand-mère. Les vieilles mains caressaient les jeunes jambes. Guy avait presque trois ans, il était encore habillé et coiffé comme une fille. Valentine lui lisait des histoires que les autres écoutaient assis par terre. Les adultes eux écoutaient la radio allemande qui répandait les mauvaises nouvelles. Il n'y avait plus de radio française. Cette interdiction d'émettre avait beaucoup frappé Nicolas, isolé à Bayonne avec Jules et Jean. C'était une interdiction de dire et de penser. Il ne restait rien de la France ! Sa voix avait disparu. Et si c'était cela l'armistice, avait-on si bien fait de le réclamer ? Combien de temps durerait cette occupation, ceux qui avaient signé si vite le savaient-ils ? Du 10 mai au 22 juin : la guerre avait été courte pour abandonner nos ports, nos côtes, nos villes et nos usines ! Et la flotte ? pensait Jean en regardant couler l'Adour.

4 JUILLET 1940

De nombreux bâtiments étaient à l'abri dans les ports de l'Empire. Le *Jean Bart* et le *Richelieu* s'étaient évadés, l'un de Saint-Nazaire et l'autre de Brest. Les rumeurs racontaient que le sous-marin *Surcouf*, alors en révision et incapable de plonger, avait rallié l'Angleterre le 18 juin par une traversée en surface.

— Les Anglais nous l'ont aussitôt barboté, disait Jean à ce propos.

— À leur place je n'aurais pas fait autrement, répondait Nicolas. Churchill a raison de ne prendre aucun risque !

— Vois-tu nos bateaux débarquer en Angleterre avec les Allemands ? s'étonnait Jean. Vois-tu la marine qui était à Dunkerque faire une chose pareille ?

L'amiral à qui la France devait sa puissance maritime avait donné sa parole de marin. La flotte serait désarmée et immobilisée dans les ports de Méditerranée et d'Afrique du Nord. La question d'un mauvais usage de nos forces maritimes ne se posait plus.

— Darlan a la confiance de toute la marine, disait Jules, les officiers ne trahiront pas le serment qu'ils ont prêté, tous lui obéiront.

Et maintenant, à nouveau rassemblées dans le salon à Périgueux, les femmes pleuraient à la nouvelle de la destruction de la flotte. Cinq siècles après Jeanne d'Arc et quarante ans après Fachoda, les Anglais nourrissaient leur réputation de perfidie. Voilà exactement ce que pensait Valentine. La vieille dame cultivée n'avait rien oublié de l'Histoire passée. Notre ancien allié n'avait pas hésité à commettre une agression meurtrière et déshonorante. Il savait bien que des navires bloqués en rade – la proue vers la terre – ne pouvaient ni fuir ni répliquer, mais il n'avait pas hésité à bombarder. Churchill n'avait pas fait de cadeau à la marine nationale et personne alors ne savait ce qu'il écrirait dans ses *Mémoires* : cette décision avait été dans sa vie la plus difficile.

Un large projecteur avait envoyé le code lumineux. *Rejoignez-nous ou sabordez-vous ou partez pour les Antilles !* L'amiral Gensoul n'avait cru ni à l'ultimatum ni à la menace. Pétain avait dit non. Rallier l'Angleterre ! Affaiblir la France ! La mettre à genoux devant les Anglais ! C'était hors de question. La vieille méfiance envers l'Angleterre avait joué. Elle montrait combien le présent est fruit de forces profondes. Le temps de l'Histoire est un temps long et les peuples ont la mémoire tenace. On aurait dit que le vieux chef avait tenu pour rien les quelques jours qui venaient de s'écouler. Était-il tout occupé à son coup d'État ? Oubliait-il sa rupture du pacte solidaire ? Oubliait-il les émissaires anglais et les mains qu'ils avaient tendues ? L'amiral Somerville ouvrit le feu. La mer semblait cuirassée d'acier. La sirène du port retentissait. Des silhouettes blanches surmontées de pompons rouges couraient. En un quart d'heure le *Bretagne*, le *Provence*, le *Dunkerque*, le *Mogador* étaient coulés, détruits, mis hors d'usage. On ignorait encore le nombre de marins qui avaient perdu la vie à Mers el-Kébir. Aucun poste de télévision n'existait pour montrer les images de la panique, la cohorte légère des marins s'enfuyant le long des quais. Il était facile de cacher l'essentiel : les mots de l'ultimatum anglais, les démarches antérieures à l'arrivée de l'escadre britannique, les messages et télégrammes qui avaient circulé entre l'Angleterre et la France, la visite annulée de Churchill au large de Concarneau – parce que Paul Reynaud avait démissionné. Les Anglais n'étaient pas restés silencieux avant de faire entendre à nos marins le son du canon ! Ils n'avaient pas mijoté leur coup en secret. Mais les représentants français avaient omis de répondre. Et l'imagination des autres avait bien dû décrypter ce silence par le pire. Ainsi donc se fait le déroulement réel des choix : avec une part d'ignorance.

5 FÉVRIER 2016

Si l'amiral Darlan avait choisi de rallier Londres ou Casablanca avec les sept cent quatre-vingt mille hommes que convoitait de Gaulle, Mers el-Kébir n'aurait pas eu lieu d'être. Mais ensuite, il faut le concevoir, Mers el-Kébir fortifia Vichy et confirma l'isolement originel de De Gaulle. L'Anglais, d'un coup, devenait un faux allié. Churchill avait tenu pour rien la parole d'un amiral et la vie de ceux qu'il commandait. Plus de mille marins avaient trouvé la mort : leurs camarades et compatriotes revinrent sous l'aile de la légitimité française. Même ceux qui étaient en Angleterre demandèrent à regagner la France.

Comprendre Vichy, restaurer tel qu'il fut le climat de l'été 1940, réclame un gigantesque effort d'imagination historique, nous dit aujourd'hui Robert Paxton qui a fait ce travail avec obstination. Il faut oublier tout ce qui s'est passé après. Il faut mettre en doute tout ce qui s'est dit à la Libération. Il faut revenir dans l'ignorance de l'avenir, dans la trace du deuil de 1914, dans le pacifisme, dans l'humiliation de la défaite. Et dans la peur, l'envie de survivre, l'envie de confort, l'envie de paix.

19 OCTOBRE 1940

Le 22 juillet, sur une simple carte préimprimée fournie aux officiers par l'armée allemande, Pierre Bourgeois avait écrit les mots qui apprenaient à sa femme qu'elle n'était pas veuve. *Je suis prisonnier au camp des officiers du lycée Henri-Poincaré de Nancy. Je suis en bonne santé. Pierre.* La carte était arrivée à Périgueux alors qu'Henri s'apprêtait à quitter la maison de sa belle-sœur. Les larmes de joie avaient coulé. Ce même jour, en vertu de la nouvelle Constitution, le maréchal Pétain avait désigné son gouvernement. Pierre Laval devenait vice-président du Conseil. Cet arriviste dépourvu de valeurs, pensait peut-être Henri ? À moins d'être entier en confiance avec le vainqueur de Verdun.

Henri Bourgeois avait regagné Paris avec ses dix enfants. La capitale était sinistre, le soupçon salissait, le couvre-feu attristait, les patrouilles allemandes à bicyclette étaient une insulte comme aurait dû l'être la soumission du Maréchal sous prétexte d'honorer sa signature déshonorante. Où est l'honneur ? était plus que jamais la grande question. Il faut faire l'effort de concevoir à la fois le prestige de Philippe Pétain et comment ceux qui le suivirent crurent choisir le chemin de l'honneur. Par exemple : le mari de Mme Gardon avait été décoré, Mme Gardon était heureuse. Car les valeurs et les usages anciens prévalaient dans une situation inédite. Jamais la France n'avait été occupée ni l'Allemagne aux mains d'Hitler. Il aurait fallu penser tout autrement. Puisque le pays n'avait plus de loi digne de ce nom, puisque l'État ne méritait pas la confiance qu'on est censé lui devoir, rébellion, insoumission et désobéissance prenaient la place de l'ordre et de la légalité. Mais les gens étaient occupés à survivre plus qu'à devenir des héros. Dès l'automne les conditions de la vie s'étaient durcies. Le ravitaillement était assujetti aux cartes de rationnement. Les Parisiens faisaient la queue pendant des heures pour acheter de la viande ou des légumes. À Paris, le lait, le beurre et le fromage étaient manquants. Plus d'huile non plus. Gabrielle sauva les Bourgeois : sa mère possédait une ferme dans la région de Meaux. La rareté des étoffes limitait les travaux de couture. La confection des vêtements deviendrait une obsession des mères. En province les grands-mères s'en iraient dans les greniers chercher les rouets. L'occupant grevait le pays. Veule et indigne, le gouvernement surjouait une docilité imaginative qui devançait les ordres de trahison. L'autorité allemande avait ordonné le recensement des Juifs en zone occupée, le régime vichyste l'étendit en zone libre et dans l'Empire. La presse annonça le nouveau statut des Juifs en France : exclus de la fonction publique, de l'enseignement, de l'armée, de la presse, de la radio, des spectacles. Avec un zèle qui venait de lui seul, le gouvernement français imitait le Troisième Reich, il empêchait une partie de ses citoyens d'exercer leur profession. Il retira leurs droits politiques aux Juifs indigènes d'Algérie. Par ordonnance, les biens des personnalités juives déchues de la nationalité française étaient mis sous séquestre et leurs entreprises sous administration provisoire. Exclusion mortifère, spoliations orgiaques, ce grand fiasco de l'humanisme européen se propageait dans le pays des Lumières. L'armistice avait été un choix, changer la Constitution et opérer la révolution nationale en était un autre qui fut plus infamant.

Claude – qui venait d'avoir six ans – était plus que jamais plongé dans *L'Illustration*, comme penché sur un point fixe au milieu de l'ouragan. Boulevard Émile-Augier, le petit garçon malheureux avait vu partir les voisins. Pourquoi s'en allaient-ils de chez eux ? De qui avaient-ils peur ? Avaient-ils fait quelque chose de mal ? Claude n'avait osé le demander à personne et sûrement pas à ce père sombre et silencieux que l'on allait embrasser le soir du bout des lèvres, comme si un baiser pouvait être dérangeant. Mais l'imagination enfantine courait librement. Était-il devenu dangereux de vivre à Paris maintenant que les Allemands y étaient ? Allait-on nous arrêter ? Sois sans crainte, personne ne viendra t'arrêter, aurait répondu Henri à son jeune fils si le garçonnet était sorti de sa retenue. C'est triste de quitter sa maison, pensait Claude dans le secret de lui-même, et sa jolie tête brune était pleine d'inquiétude autant que de sollicitude. Henri ignorait ces frissons. Que pensait-il du départ de ses voisins ? Se contentait-il de la prière, ce recours atavique à Dieu qui dédommage ?

— On n'en parlait pas, dit aujourd'hui Claude.

Il a souvent cette réponse qui semble si étonnante. De quoi parlait-on alors ? À quoi menait la distinction morale de cette famille ? Était-elle simplement l'habit d'une indifférence polie ? Est-elle une contradiction ambulante, comme si la morale consistait seulement à respecter la morale plutôt qu'à se préoccuper d'autrui ? Comme s'il s'agissait de servir ses valeurs supérieures et non les simples personnes qu'elles visent justement à protéger ?

L'historien Raoul Hilberg a découpé en quatre phases l'extermination des Juifs d'Europe. L'expropriation et la spoliation étaient la première étape avant le regroupement, la déportation et la mise à mort. Nous le savons maintenant que le mal est accompli. Ceux d'alors l'ignoraient. Henri avait quarante-cinq ans lorsque fut franchie la première marche, Claude six ans, Jules vingt, nul pourtant n'en a parlé. Ils n'ont pas profité, ils n'ont pas dénoncé, ils n'ont pas haï. Ils n'ont commis de près ou de loin aucun fait de collaboration. Ils n'ont pas entretenu d'amitiés malsaines. Jules a reçu la médaille de la Résistance et, comme Jean, la Légion d'honneur. Cependant ils furent légitimistes. Tout l'automne de 1940, Jules attendit les résultats du concours. *Le Journal officiel* du 10 décembre publierait la liste des candidats admis à l'École supérieure militaire de Saint-Cyr pour former sa cent vingt-septième promotion. La hiérarchie en imposerait le nom traditionnellement choisi par les élèves : Maréchal Pétain. Jamais le prestige du vainqueur de Verdun ne s'est dissipé dans l'esprit d'Henri. Le jeune Jean n'a pas envisagé de quitter la marine placée sous les ordres de Vichy. Ni le père ni les fils en vérité ne concevaient la réalité de la collaboration.

3 AVRIL 1941

De plain-pied avec la réalité, nouvellement marié à celle qui avait été l'âme sœur de sa défunte épouse, Henri sentit reculer le désarroi. En une année il s'était décidé à déposer ses fardeaux : l'extraordinaire faix du chagrin solitaire, le poids des choses matérielles et l'intendance de cette famille, le souci de ses enfants. Mathilde manquait à tous. La bonne cachait son nez dans un mouchoir et pour un rien s'emportait contre la jeunette qu'elle avait prise à l'essai. Louise se barricadait dans un désespoir rageur contre son père. Elle, autrefois si charmante avec sa mère, avait maintenant des ripostes odieuses. Mathilde en mourant avait emporté l'ange avec elle, il restait un petit démon et c'était le démon du malheur. Comment Henri aurait-il pu se relever sans soutien ? L'affolante bifurcation en lui était prise : il ne se cramponnerait pas au souvenir mortifère. Il ne resterait pas seul à jamais dans une enclave du temps, séparé des autres par le malheur d'une perte. Il se remariait contre le regret, la mélancolie, l'habitude et l'immobilité. Il reprenait le mouvement de la vie sans démériter. Et tant pis si la bienséance, disait-on, n'y était pas, tant pis si les cœurs secs, au lieu de s'apitoyer sur le père de dix orphelins, trouvaient moyen de le critiquer. Son bonheur avait été démantelé, la guerre avait démantelé le pays, il reprenait racine dans le désastre, n'avait-on pas autre chose à redire ? Henri avait quarante-quatre ans et il endiguait le désastre du deuil. Quand un veuf et une veuve, chargés d'enfants qui se connaissent, s'estiment et sans malice sont familiers l'un de l'autre, ils peuvent décider de s'aimer. La vie l'imposait comme une évidence. Que persiflent les médisants. Bien sûr que Gabrielle était belle et l'aimait ! Elle avait si bien connu Mathilde. Bien sûr qu'elle était riche ! Leur alliance ne serait pas un calvaire et alors ? Ils n'en oublieraient pas pour autant leurs défunts. C'est le bonheur qui fait penser aux autres. Henri avait ressassé tout cela, et dans l'oreille de Gabrielle, se penchant si près d'elle pour la première fois, en un aparté difficile, il avait murmuré la présence inouïe de Mathilde et celle de Charles, à leurs côtés pour toujours.

Henri était-il heureux de se remarier ? La question ne se posait pas. Il se mariait en noir. Il était soulagé de n'être plus seul devant neuf visages malheureux. Sa vie n'était plus confisquée par le chagrin mais se reconfigurait avec Gabrielle. Les choses cessaient d'aller à vau-l'eau. La cousine germaine de Mathilde prenait les rênes de sa maison. Avec elle, le cercle enchanté se reformait. Elle était mère et grand-mère, sa fille aînée était mariée, son fils cadet prisonnier en Allemagne, Gabrielle venait avec deux enfants : Jacques et Clotilde se glisseraient dans la grande fratrie des Bourgeois. On ne remplace pas un autre, on comble un vide, pensait Gabrielle. On n'entre pas dans les habits d'un autre, on ne refait pas ses gestes, on ne redit pas ses mots, mais on vient là où une silhouette manque, on parle dans le silence qui s'est fait.

Vous êtes la maîtresse de cette maison, vous avez les pleins pouvoirs, disait Henri à sa nouvelle épouse. Le boulevard Émile-Augier était prêt à recevoir une femme. Et déjà Gabrielle établissait les chambrées. Huit garçons, deux filles, un bébé. Elle consulta Henri, ils furent d'accord aussitôt. Jacques, Joseph et André s'accorderaient dans une même chambre tandis que Jérôme, Guy et Claude partageraient la plus grande. Jean et Nicolas occupaient celle où d'ordinaire sévissait Jules récemment parti à Aix-en-Provence (l'École militaire venait d'y être déplacée). Jean préparait assidûment Navale et ne rentrait de Sainte-Geneviève que le vendredi soir. Il était interne dans cette classe que l'on appelle corniche. Les deux filles bien sûr seraient ensemble, Louise qui venait d'avoir onze ans accueillerait Clotilde qui en avait dix-sept. Marie dormait avec la nurse. Mme Gardon veillait même sur son sommeil.

On fit comme le proposait Gabrielle. À tous ces enfants, personne ne demanda leur avis. Ils avaient appris depuis longtemps que l'on n'a pas toujours ce qu'on veut dans la vie. Ils n'eurent pas leur mot à dire. S'ils n'étaient pas contents, ils feraient un petit examen de conscience pour découvrir qu'ils n'étaient pas des malheureux. D'ailleurs les jeunes Bourgeois étaient contents. Peut-être parce que l'exaspération imperceptible de leur père s'était apaisée. Peut-être parce que Gabrielle trouva les mots. Peut-être parce qu'ils étaient neuf, toujours en groupes, les uns auprès des autres, à se raconter, se parler, s'endormir ensemble, dans une sorte de fusion qui noyait le deuil.

— C'était une chance d'être à trois dans une chambre, dit aujourd'hui Claude, on parlait beaucoup.

Louise et Jacques furent les plus malheureux : la fille de Mathilde et le dernier fils de Gabrielle. Elle ne voulait pas que l'on remplaçât sa mère, il était stupéfait que la sienne étendît son affection à tant d'autres. Louise souffrit de partager sa chambre avec Clotilde, Jacques fut effaré par cette famille qui accaparait Gabrielle. La vitalité de la grande fratrie le rudoyait. Mêlé aux autres sans la distinction qu'il méritait, il devint mutique et imprévisible. Certains soirs, avant le dîner, il entrait sans frapper dans la chambre des petits, contemplait Jérôme, Claude et Guy surpris en plein chahut, s'avançait et donnait une gifle à l'un des trois.

— Puis il repartait aussi tranquillement qu'il était venu ! s'amuse Claude.

Plus tard, Claude allait dire bonsoir à son père. C'était le spectacle de la vie qui va : une autre femme occupait la place de Mathilde. Était-elle pareillement la femme d'Henri ?

— Quand je voyais papa et tante Gabrielle dans le même lit, je me demandais toujours s'ils couchaient ensemble, se souvient Claude.

Ils se connaissaient, ils avaient toujours été dans la proximité de l'affection, ils s'étaient mariés : ils couchaient ensemble évidemment ! Ils avaient à eux deux quatorze enfants. Malgré cela ou grâce à cela, ils conçurent l'espoir d'en avoir un quinzième qui leur serait commun. Était-ce pure folie ? Était-ce orthodoxie catholique ? Nul ne sait. Gabrielle avait quarante-huit ans, Henri quarante-quatre, l'enfant ne vint pas.

— Gabrielle a été extraordinaire, dit aujourd'hui Claude. Les femmes comme elle n'existent plus.

Je fais la moue parce que je ne suis pas d'accord : je connais des femmes *exceptionnelles* (c'est ce que signifie *comme elle*) qui sans rien demander abattent un travail mieux qu'aucune avant elles. Claude insiste :

— Quelle veuve avec quatre enfants épouserait aujourd'hui un homme qui en a dix et s'occuperait d'eux comme une mère ? Aucune n'en serait capable !

Aucune n'en serait capable aujourd'hui ! J'entends la critique masquée des féministes et l'incontrôlable regret des épouses soumises et disponibles. Mais Claude se trompe en comparant sans y réfléchir des temps incomparables. À cette époque, dans un milieu aisé, être mère ne recouvrait pas la même réalité qu'en nos temps où la baisse de la natalité alliée à la psychanalyse a accru l'attention des parents.

— Capable de quoi ? dis-je. D'une telle abnégation ? D'un tel effort ? D'un amour pareil ?

— Capable de prendre en charge une maison avec quatorze enfants, dit Claude qui juge suffisant l'aspect le plus concret de l'exploit.

— Vous n'avez pas été quatorze et vous n'étiez pas tous des enfants. Jules s'est marié, Jean était à Navale, Nicolas dans la Résistance… Tout ça allégeait bien la tâche. Et ensuite Jérôme et toi êtes allés en pension.

L'ai-je dit sur un ton de reproche ? Aussitôt Claude réplique :

— Je suis parti en pension parce que je ne foutais rien en classe. Tante Gabrielle a été formidable !

De toute évidence il le veut. Gabrielle sera excusée de tout ce qu'elle a omis ou manqué et c'est justice – si ce n'est vérité.

— Elle a été exemplaire c'est certain, je conteste seulement qu'elle le soit plus que les femmes actuelles. Elle a vécu dans cinq cents mètres carrés et deux maisons de campagne, avec beaucoup d'argent, des domestiques, une cuisinière, une gouvernante pour les petits. Ce mode de vie a quasiment disparu, tu ne peux rien comparer. Aucune famille moderne n'est aidée comme le fut Gabrielle.

— C'est vrai, concède Claude.

— Il y a une différence entre établir les menus des repas et cuisiner soi-même, dis-je pour exemple. Et il y a beaucoup de femmes exceptionnelles de nos jours, qui rapportent un salaire et font la double journée !

Claude hoche la tête. Son épouse n'a pas travaillé, il n'a jamais préparé lui-même un repas et pense à un fait plus abstrait.

— Nous n'avions plus de mère, elle a été une mère pour nous et la seule qu'eurent jamais Guy et Marie.

Je vois bien que la dette est immense : Gabrielle a occupé la place qui ne doit pas être vacante, la place de Mathilde. Gabrielle a su reprendre la figure incarnée de la tendresse, la présence qui ne fait pas défaut, ce rassurement maternel qui a même sa dimension idéale. Il ne s'agit pas de tout faire (Claude s'est souvent trouvé livré à lui-même, seul avec ses devoirs, seul en pension, seul en Écosse, en Irlande), il s'agit d'exister. Gabrielle fut une réalité mais aussi une idée : une idée de mère.

— Malgré tout, dis-je, être mère à l'époque de Gabrielle impliquait moins de proximité affective et de présence qu'aujourd'hui. Je ne veux pas signifier qu'elle fut une mauvaise mère, mais que les femmes actuelles se donnent davantage, se dévouent beaucoup plus en vérité que celles d'autrefois.

— Tante Gabrielle donnait beaucoup.

— Tu dis toi-même que personne ne t'a jamais fait réciter tes leçons. Gabrielle ne t'a pas pris à part pour t'aider à travailler, par exemple.

— Nous étions trop nombreux, comment veux-tu ? Et puis je refusais de travailler. De tous les enfants je suis celui qui a le plus emmerdé les parents !

Et il rit.

— Je préférais jouer au foot !

— En tout cas, dis-je, avoir deux ou trois enfants tout en ayant une activité professionnelle vaut bien de régir une maison de seize personnes avec l'aide de quatre domestiques. Les femmes d'aujourd'hui ne sont pas moins exceptionnelles que Gabrielle. Je vais jusqu'à penser qu'elles surpassent toutes leurs ancêtres. Elles travaillent dans des entreprises, elles s'occupent de leur famille, elles sont peu aidées, elles vivent dans des appartements petits. Elles sont extrêmement courageuses.

— Tu as peut-être raison, dit Claude.

Claude sait quand il ne sait pas. C'est un homme plein de modestie. Il a vécu son enfance dans l'admiration de ses frères aînés et sans mériter quant à lui de compliments. Ce pli d'humilité lui est resté.

La mer, c'était sept dixièmes de la Terre que l'on pouvait parcourir sur un cuirassé. C'était l'Empire et la puissance de la France. L'officier de marine prêtait serment d'obéissance et il embarquait : ainsi se résolvait pour lui l'épineuse opposition du devoir et de la liberté, il alliait le service de la Patrie et le merveilleux du voyage. Voilà pourquoi Jean avait décidé de faire carrière dans la marine. La première fois qu'il avait posé le pied sur un bateau, en Bretagne avec les scouts, il avait eu le mal de mer. On apprend sûrement à ne pas vomir comme on apprend à naviguer : cette première expérience nautique ne découragea pas sa résolution. Navale et la vie qui s'ensuit, il y tenait comme on tient à une image à venir de soi-même – ce qui s'appelle un rêve.

Toute l'année scolaire 1939-1940, pendant que les soldats se surveillaient aux frontières, pendant que le pays était suspendu dans une attente dont il ignorait la signification, et tandis que Mathilde couvait sa mort sans y penser (mais nul ne peut en être certain), Jean étudiait, ne quittant pas son bureau, renonçant aux plaisirs – les livres, les promenades, le cinéma, les conversations. Puis-je sortir de table ? demandait-il pour ne pas perdre une minute. Et il se levait, remettait en place sa chaise et, sous les yeux admiratifs de Claude qui n'avait jamais appris à étudier, s'en allait dans sa chambre. L'hiver 1940 fut l'un des plus froids du siècle (on ne le savait pas, on le vivait), le bois de chauffage manquait, Jean étudiait en manteau. Le 16 mars, sa mère mourait. Le 10 mai, l'attaque allemande mettait fin à la drôle de guerre. Le 4 juin, le front était percé, les armées alliées en déroute, et les candidats apprenaient l'annulation du concours. Jean quitta Paris le 6 juin. Le 14, les Allemands y entraient. La promotion 1939 de l'École navale, évacuée de Brest, arriva à Dakar le 23 juin. Un mois plus tard, promus enseignes de vaisseau, les élèves furent affectés. Mais il n'y aurait pas de promotion 1940. La grande école de la mer n'accueillerait pas plus Jean qu'un autre. En moins de quatre mois toute sa vie passée et à venir était devenue un mirage, comme si elle n'avait jamais existé. Jean n'était pas jeune homme à se mettre en colère. Il rallia Périgueux, retrouva son père silencieux et sa grand-mère souriante, puis fit le voyage en voiture jusqu'à Bayonne avec Jules et Nicolas, peu après l'armistice, se sauvant comme un voleur pour échapper à l'arrestation ou au travail forcé. Sur les bords de l'Adour, il attendit jusqu'à la fin de septembre la décision officielle définitive concernant les épreuves. Des événements d'importance avaient semé l'émotion sur ces jours. Jean regagna Paris en wagon à bestiaux. Un voyage à la fois rocambolesque et incertain lui fit voir, en trois jours, la désorganisation du pays. C'était, pour un garçon de dix-neuf ans, une expérience de fin d'un monde. La vie de sa famille avait été fracassée par la mort de sa mère et la France venait de perdre toute souveraineté. À toutes les échelles les faits étaient tristes et lourds. Jean retrouva l'immense appartement devenu tout silence et chuchotements. Henri semblait absent, désemparé comme jamais ses fils ne l'avaient vu. Et dans ce moment d'après les catastrophes, quand les cadres habituels sont effondrés, il fallait malgré tout construire son existence. Depuis le 15 juillet 1940, l'École navale était dissoute. Jean entra en Taupe au lycée Saint-Louis, condamné par l'Histoire à préparer Polytechnique.

Mais en novembre, Navale rouverte s'installait en zone libre, derrière les murs épais du fort Lamalgue à Toulon. Détente des relations franco-allemandes ? Effet de Mers el-Kébir ? On pouvait le croire. L'entrevue de Montoire venait de donner le signal de la collaboration. On n'en parlait pas, dit Claude. Les Bourgeois étaient pourtant anti-Allemands et l'oncle Pierre prisonnier à l'Oflag VI-A en Westphalie ! Mais fait-on la grève de vivre ? Jean intégra le lycée Janson, plus proche de chez lui, pour s'atteler une nouvelle fois à la préparation du concours. En avril, Henri avait épousé Gabrielle. Ce fut vers ses bras que Marie se jetait après ses premiers pas. La mort de Mathilde avait un an. La vie se restaurait. Les épreuves écrites approchaient. Jean s'exhorta au dernier coup de cravache. En juillet 1941, son rêve était atteint et sa vie trouvait sa forme. Il était reçu vingt-huitième sur cent. La rentrée à l'école était prévue en octobre, il passa l'été chez Valentine à Saint-Martin.

4 AVRIL 2015

La qualification de *Français libre* a fait l'objet d'une définition officielle par le ministère des Armées, le 29 juillet 1953 : "Peuvent être considérés comme *Français libres* les militaires ayant fait partie des Forces françaises

libres entre le 18 juin 1940 et le 31 juillet 1943." Jean
Bourgeois ne fut donc pas un marin de la France libre.
L'aurait-il pu, lui si jeune et basé en métropole ? Quitter le sol de France paraît avoir été une entreprise plus
simple pour un marin que pour n'importe qui d'autre.
La marine était dans les ports coloniaux (il est remarquable que les seuls officiers supérieurs qui dès 1940
se rallièrent à de Gaulle, dans les armées de terre et de
mer, arrivèrent des colonies), capable de mouvement,
libre de ne pas collaborer. Libre, comme le proposa
Churchill, de rallier l'Angleterre ou de s'en aller aux
Antilles. Libre de ne jamais se lier à Vichy. Mais pas
libre de désobéir, me dis-je. Le sens exacerbé de la discipline est une chose concrète et la condition *sine qua
non* du métier militaire. Aucun Bourgeois ne l'ignorait. On ne transigeait pas avec l'obéissance sauf si elle
réclamait des actes contraires à l'honneur. L'honneur
était une grande valeur. Or à cette aune qu'est-ce que
c'était qu'émigrer ? S'enfuir comme un malpropre ?
Abandonner le pays et le peuple dans un désastre ? Ainsi
pensait Jean à l'âge de dix-neuf ans. Mers el-Kébir ne
fit qu'aviver son amour pour la France, sa défiance de
l'Angleterre, sa confiance dans la légitimité de Vichy. Il
est possible de le comprendre si l'on parvient à ne pas
lire juillet 1940 à la lumière d'août 1945.

8 DÉCEMBRE 1941

À la fin d'octobre le fort Lamalgue accueillit Jean et ses
quatre-vingt-dix-neuf camarades de promotion. Des

travaux de rénovation avaient eu lieu pendant l'été ; les jeunes recrues de l'École navale trouvaient à leur disposition des aménagements spartiates mais bien conçus. Chaque matin la cérémonie de salut aux couleurs rassemblait les cadets dans la vaste cour carrée que délimitaient les remparts. Le drapeau français montait vers le ciel : on était en zone libre.

Avant d'apprendre à commander un croiseur de bataille il faut savoir naviguer, le maniement de la voile demeurait la base de l'instruction du marin. Différents voiliers avaient été réquisitionnés dans les ports de plaisance voisins. Les *corvettes* – sorties en mer – promenaient Jean de Toulon à Sète, à Nice et vers la Corse. Cette vie était magnifique : au grand air, avec le sentiment de se préparer pour une grande tâche, et enfermée au fond de soi la certitude que la France combattrait à nouveau. À Calvi, Jean descendit à terre, laissant à quai le *Black Swan*, une jolie goélette. Il en fit une photographie pour Jérôme et Claude à qui il écrivait : L'école dispose de peu d'annexes, la *Dédaigneuse* et l'*Yser* sont de vieux bâtiments, vestiges de la Première Guerre, qui rappellent les temps de pénurie que traverse notre pays.

En décembre, le mistral fut violent. La volonté de former les cadres était puissante : les exercices d'embarcation en rade abri furent maintenus. Trois élèves et deux instructeurs trouvèrent la mort au large de Toulon. Dans le Pacifique la grande base américaine d'Hawaii venait d'être attaquée. Après ce jour de l'infamie, la rumeur évoquait un grand discours de Roosevelt déterminé à aller jusqu'à la victoire absolue. Heureux de cette nouvelle, Jean se réchauffait à l'infirmerie. Son canot avait chaviré, il avait attendu vingt minutes dans une mer glacée. Votre grand frère a pris un long bain froid, écrivit-il à Jérôme et Claude. À quelle température est la Méditerranée en hiver ? demanda Claude à Jérôme. Dix degrés, pensait Jérôme. Si l'eau avait été plus froide, la vasoconstriction aurait contracté les artères de la périphérie, le cœur aurait pompé contre une résistance terrible, l'effort aurait pu être fatal, Jean serait mort d'hypothermie. Aucun des deux enfants ne le savait mais ils en avaient l'intuition. Claude faisait la grimace. Jean aurait pu mourir ? demandait-il à son frère (la lettre de Jean ne mentionnait pas les défunts). Peut-être, dit Jérôme.

Pauvre Claude ! Il venait d'avoir sept ans et la mort était partout autour de lui. Elle refermait ses petites griffes pointues sur son cœur tendre. Personne ne pensait à ce saccage et l'innocence était désolée. La dépression enfantine, le traumatisme, ces mots-là et les choses si réelles qu'ils désignent étaient inconnus. Et la mort était pourtant bien plus présente et proche de la vie qu'elle ne l'est aujourd'hui. Alors, me dis-je, la vitalité aveugle que je connus à Claude tout au long de sa vie adulte était une conquête, la réponse qu'il avait su donner au poids noir du passé. Il avait refermé un couvercle de plomb sur la mort et il avait vécu.

En zone libre et sous la neige, Jules continuait son instruction commencée un an plus tôt. Installée dans la maison royale de Saint-Louis que Mme de Maintenon avait autrefois consacrée à l'enseignement des jeunes filles, Saint-Cyr avait été déplacé après l'occupation allemande. Aix-en-Provence accueillait les élèves officiers de la future promotion Maréchal Pétain. C'était là que Jules vivait le temps de l'Avent et les premières rêveries sentimentales que lui valait, grâce au remariage de son père, la vie qu'il avait brièvement partagée avec Clotilde. Henri et Gabrielle s'étaient mariés au printemps, Jules et Clotilde étaient tombés amoureux dès l'été. Clotilde, fille cadette de Gabrielle, dix-sept ans, la grâce de cette jeunesse et pourtant déjà la gravité d'une adulte, une maturité inattendue et perceptible ! Dorénavant Jules n'avait besoin de rien ni de personne pour convoquer l'image du joli visage triangulaire, souriant et discret sous la torsade d'une lourde natte, ni même de l'avoir vue faire pour l'imaginer dénouant cette coiffure. Clotilde était jolie avec simplicité, sans manières, sans fard ni vêtements luxueux, semblable à une lycéenne avec ses socquettes blanches et sa jupe plissée. Elle avait un joli buste. Le temps n'était pas advenu où leur plénitude désespérait les filles, leurs formes étaient replètes, affectueuses. Avec ses bras d'albâtre d'une rondeur adorable, Clotilde était toute en tendreté et sérénité. D'ailleurs elle aida Jules à s'occuper de Marie et s'attendrissait chaque fois qu'il soulevait de terre sa petite sœur qui était aussi sa filleule. À quinze mois, la dernière fille de Mathilde marchait en chancelant. Jules la portait, elle devenait la plus grande de la famille et battait des mains en voyant le monde de si haut. Clotilde admirait Jules qui avait gagné une carrure et une présence. Toutes les jeunes filles étaient amoureuses de Jules mais il aima Clotilde. Et c'était à lui qu'elle devait déjà son bonheur. Séparés par la ligne de démarcation, promis aux longs éloignements que la vie militaire impose aux époux, Jules et Clotilde s'étaient choisis.

Pour l'instant la promotion Maréchal Pétain faisait son instruction. La guerre avait été perdue, l'armée française humiliée, la Spéciale (comme on appelait familièrement Saint-Cyr) pouvait réfléchir à ses carences. Plus que jamais la devise de l'école imprima son exigence dans l'apprentissage militaire. *Honneur et Patrie – Ils s'instruisent pour vaincre*. À la suite de ses glorieux ancêtres, Jules embrassait cette ambition. Le service de la Patrie, la fraternité des armes, le courage, ces grandes valeurs l'habitaient. Il appartint tour à tour aux trois bataillons que formaient les élèves d'une même année, élèves officiers, aspirants, sous-lieutenants. Il fit des marches dans le gel des nuits et des compositions écrites. Il nettoya des fusils et résolut des problèmes tactiques ou techniques. Il fit son lit au carré, lava et repassa son linge en vue de l'inspection. Il passa tous ses permis de conduire. La *pompe*, la *mili*, le *crapahut* formèrent ses qualités académiques, militaires et sportives. Il s'habitua à l'idée que le chef est à part, responsable de la vie de ses hommes, toujours seul pour décider et exécuter un ordre. Cette responsabilité pèserait lourd dans sa carrière, il la porterait et la défendrait au point d'accuser ses chefs si eux-mêmes s'en montraient indignes. La vie militaire était une succession de missions, il fallait pour les mener à bien solliciter le meilleur de ses facultés : la connaissance certes, l'intelligence, mais aussi l'imagination et la création. Répéter les stratégies anciennes, on avait vu les désastres qui pouvaient en résulter. L'esprit de discipline ne devait pas tuer l'indépendance d'esprit, la capacité de lire librement le livre du réel et d'inventer les réponses. Tel était le défi de l'École. Ne pas tuer le talent de ses recrues en voulant les façonner pour l'armée, ne pas instruire pour la défaite.

Voilà un programme qui incluait d'analyser les causes de la débâcle de 1940 et d'en tirer les conséquences. Comme son oncle Pierre, Jules avait compris que la vitesse avait été du côté des Allemands. Leur *Blitzkrieg* avait apporté la victoire. Leurs chars avaient couché les arbres, traversé les taillis et les trous d'eau, ils avaient franchi l'obstacle accidenté des Ardennes. Le char était l'arme moderne dont l'aviation protégeait l'avancée inexorable. Jules savait déjà que son arme d'appartenance serait la cavalerie, le blindé roi. Ce choix avait beaucoup de signification : le fils se démarquait de son père qui avait servi dans l'artillerie, de son oncle Adrien héros de l'aviation, et de son grand-oncle Louis mort en 1914 avec l'infanterie. Jules Bourgeois s'érigeait en héritier qui tient compte du présent. Et sur la neige tassée, ses gants à la main, ses chaussettes de laine remontées sous le genou, son képi enfoncé, il se tenait debout devant l'appareil photographique d'un camarade avec un contentement qui n'était pas de vanité mais de plaisir.

ÉTÉ 1942

Le 24 juillet, l'attribution des garnisons dispersa les jeunes saint-cyriens de la promotion Maréchal Pétain. Soixante-dix sous-lieutenants étaient affectés en Afrique du Nord, près de cent en zone libre dans des corps de troupe ou des écoles d'application. Après deux années aixoises, Jules Bourgeois allait rejoindre à Tarbes l'École de la cavalerie. Il avait obtenu l'arme qu'il désirait et, sans qu'il le sût, cette place lui épargnerait de tirer sur les Alliés qui débarqueraient bientôt en Algérie. Il était attendu en octobre. La maison de Saint-Martin était occupée par les Allemands, Jules passa l'été dans la campagne de Meaux, chez la mère de Gabrielle, et c'est là qu'il fit à Clotilde sa demande en mariage. Elle accepta.

Le 1ᵉʳ octobre, fiancé, Jules regagna son affectation, dans le quartier de Soult à Tarbes où l'École avait déménagé en septembre 1940. Il retrouvait là son instructeur, le capitaine d'Ussel, admiré pour ses titres de guerre et la persistance de son esprit combatif. Guillaume d'Ussel plaçait le relèvement – la revanche même – au cœur de son instruction. Il fut de ces militaires qui agirent contre l'ennemi tout en restant dans l'institution. Son message, comme son commandement, était vigoureux : Il faudrait être prêt quand viendrait le temps de l'engagement pour la libération du pays ! Ce temps semblait pourtant éloigné et la France perdue dans l'œil de l'ouragan qu'elle abritait. Pierre Laval était revenu au pouvoir en avril. Son cabinet œuvrait pour la victoire de l'Allemagne en renforçant l'esprit de collaboration. L'indignité de l'État atteignait son comble. Les lois traditionnelles d'hospitalité étaient bafouées. Le 16 juillet à Paris, la police française avait arrêté et livré à l'ennemi des milliers de Juifs. Jules et ses camarades cavaliers entendirent-ils parler de cette ignominie ? Sûrement ils l'ignorèrent, comme ils ignoraient qu'en janvier la conférence de Wannsee avait organisé le crime à l'échelle industrielle et qu'Heydrich était venu à Paris lancer les grandes rafles. De quoi parlait-on à Tarbes ? La clandestinité marquait de silence les activités à l'École. Les clauses de l'armistice étaient contournées. Camouflés en civils ou en congé d'armistice, les officiers et leurs élèves sous-lieutenants se défendaient contre les moyens financiers misérables, les fréquentes inspections allemandes, la puissance de la défaite, le gouvernement lui-même. Un soin ardent entourait le matériel soustrait aux Allemands au moment de la dissolution des unités en 1940. Des camions, des autos, des armes, des munitions, des canons de 75 étaient entretenus et cachés selon les directives de l'organisation illégale du CDM (camouflage du matériel). Carrières, grottes, souterrains, il fallait trouver des endroits sûrs pour y déposer les futurs instruments de la victoire. Le plateau de Ger offrait au-dessus de la ville l'espace idéal pour les exercices et les caches. Les futurs cadres de l'armée s'entraînaient avec un seul but : la libération. La campagne de France avait porté ses fruits : la formation militaire sur le matériel char et son maniement était importante. Les enseignements traditionnels se poursuivaient. Les écuyers du Cadre noir dirigeaient l'équitation. L'escrime plaisait à Jules. Le jeune homme avait vingt-deux ans, il attendait l'avenir, l'âme patriotique, il se formait, il obéissait, il observait. Avec une mentalité de vainqueur. Il n'avait pas retiré son admiration au Maréchal, ignorant alors la plupart de ses trahisons, le prenant pour un résistant secret, peut-être parce que lui-même demeurait dans la France occupée sans se sentir empêché de préparer le combat final. Peut-être ses oreilles étaient-elles sourdes, comme demandant à rester trompées. On ne fait pas facilement tomber ses idoles. L'invasion de la zone libre et le débarquement des Alliés en Afrique du Nord éclaireraient quelques esprits.

11 NOVEMBRE 1942

On dit de l'année 1942 qu'elle fut le tournant du conflit. Est-ce pourquoi elle eut les innombrables visages d'une folie meurtrière : sourire d'un aviateur japonais qui vient de torpiller un porte-avions américain ; dans l'enfer vert de Guadalcanal charge à la baïonnette des soldats fanatisés de l'empereur contre les mitrailleuses des marines ; tragique avancée allemande vers l'est sur la terre brûlée des Soviétiques ; dans le sable de Libye affrontement de Rommel et Montgomery. Le contrôle de la Méditerranée devenait un enjeu majeur.

Un gigantesque bateau d'acier traversait l'Atlantique, sur lequel les hommes grouillaient comme des êtres minuscules, en direction de la Méditerranée justement. On était le 8 novembre, les Américains et les Anglais débarquaient en Afrique du Nord. Alger, Casablanca, Oran, voyaient les soldats casqués marcher dans leurs eaux. Les coups de canon des Français les accueillirent ! Un nouvel appel du général de Gaulle à la radio de Londres sollicita une réaction plus adéquate. "Chefs, soldats, marins, aviateurs, fonctionnaires, colons français d'Afrique du Nord, levez-vous, aidez les Alliés, joignez-vous à eux sans réserve." L'amiral Darlan négocia avec Eisenhower. Jean n'en était pas étonné : en visite au fort Lamalgue, l'officier vichyste avait affirmé aux jeunes recrues que la marine entrerait bientôt dans le conflit aux côtés des Alliés. Jean imaginait Darlan depuis longtemps en pourparlers discrets avec les Américains et pour toujours le croirait en liaison secrète avec le consul général d'Alger, Robert Murphy, dont la prétendue duplicité jouerait un grand rôle dans la forme que prendrait l'Histoire. Le fait est-il avéré ? L'amiral demeure comme grande figure de la collaboration et retourneur de veste ; son assassinat est presque considéré comme juste. Derrière Darlan, les Forces françaises d'Algérie et du Maroc changeaient soudain de camp, la Méditerranée s'échappait des mains de Vichy et d'Hitler, la zone libre devenait un danger pour l'Allemagne. Les chars de la Wehrmacht y pénétrèrent le 11 novembre. L'esprit de relèvement était fustigé par l'occupant et, ce même jour – symbolique –, les unités de l'Armée française d'armistice, consignées l'arme au pied dans leurs quartiers, furent dissoutes.

À Tarbes, une fois leurs armes remises aux Allemands, les sous-lieutenants furent renvoyés dans leurs foyers. L'invasion de la zone libre était une catastrophe. Un grand désarroi avait saisi Jules et ses camarades. Quoi ?! Rentrer chez soi ? Ne pas participer ? Vivre avec la défaite. Que leur demandait-on !

— Attendez, soyez prêts, des recasements vous seront proposés, disait le capitaine d'Ussel.

Mais quand ? pensait Jules et il n'avait pas de réponse à cette question. Et il fallait attendre, trouver peut-être un emploi dans le privé (quelle horreur), enrager de ne pas combattre. Jules rentra boulevard Émile-Augier. Si le jeune officier n'était pas encore recasé, le fiancé, lui, était en passe de l'être. Et Clotilde éclatait du bonheur de cette surprise : retrouver Jules ! Elle l'attendait les bras ouverts au milieu des plus jeunes qui riaient. On les avait prévenus un mois plus tôt de ce nouvel amour dans la famille et maintenant ils criaient : "Oh les amoureux !"

6 OCTOBRE 1942

Après les vacances d'été, tandis que Jules était à Tarbes et Jean à Toulon, Henri, Gabrielle et les plus jeunes préparaient à Paris la rentrée scolaire. La famille restait sans nouvelles de Nicolas parti s'engager chez les Français libres. André, Joseph et Jérôme fréquentaient l'externat de Gerson. Louise et Claude étudiaient à la maison et se rendaient deux fois par semaine dans un cours privé. Une dizaine d'enfants y répondaient aux questions d'une institutrice, sous le regard des parents qui assistaient à la séance. Cette rentrée scolaire 1942 dévoilait l'infamie de juillet : après la déportation de leurs jeunes élèves, des milliers de chaises restaient vides dans les écoles de Paris. Un silence diligemment organisé par l'Éducation nationale entoura cette révélation brutale à laquelle personne n'avait pensé.

— Cette monstruosité, dit aujourd'hui Claude à son petit-fils en parlant du Vél' d'Hiv'. Ce n'étaient pas des Allemands qui ont fait ça, c'était la police française !

Claude Bourgeois est encore ému de ce qu'il dit, et je songe qu'au moment des faits il avait à peine quelques années de moins que celui qui aujourd'hui l'écoute. Le drame indigne avait été passé sous silence. Peu de sièges étaient vides dans les écoles catholiques. Les jeunes Bourgeois n'avaient rien su. Personne ne leur avait parlé du sort des Juifs.

La famille ne bruissait-elle que de la grande nouvelle ? L'idylle qui s'était nouée en son sein formait peut-être un centre de lumière dont on ne se lassait pas d'évoquer la merveille. Le dimanche soir, Gabrielle et Henri appelèrent au salon leurs enfants. Les petits s'assirent sur les bergères, Louise sur le tabouret du piano, Joseph à côté de sa sœur s'accouda à l'instrument. Aîné de la fratrie présente ce soir-là, André appuyait son épaule contre le chambranle de la porte, comme entre deux places, en retrait et prêt à repartir dans sa chambre. Gabrielle tenait Marie sur ses genoux.

— Devinez quoi ! dirent les parents en souriant béatement.

Quelques réponses extravagantes firent suite à un silence si décevant qu'on s'était hâté de le rompre. Henri et Gabrielle espéraient entendre décrypter le motif de leur bonheur.

— Vous ne voyez pas ? demandait Henri, étonné, comme si ce qu'il savait était criant d'une vérité qui crevait les yeux.

— Vous avez acheté une nouvelle voiture ? demanda Joseph.

— Nicolas va revenir ? dit Claude dont le cœur se soulevait à cette perspective.

André, Jérôme et Louise écoutaient sans rien dire.

— Tante Gabrielle attend un bébé ! proposa Guy avec l'audace d'un enfant chéri par son père.

Mon petit minet chéri ne risquait rien.

— Vous n'y êtes pas du tout ! dit enfin Gabrielle.

Et comme ils donnaient tous leur langue au chat, elle annonça avec un contentement apparent :

— Jules va épouser Clotilde !

— Ah ! fit Louise qui s'en était doutée.

Les autres ne soufflaient mot. Les amours des grands, ils en étaient loin. Et puis c'était l'ordre des choses, il fallait s'y attendre.

— Ils ont le droit de se marier ensemble ? demanda Joseph.

Il était le plus âgé après André et suffisamment cultivé pour ne pas méconnaître qu'il existe des règles d'alliance.

— Tu as raison de poser la question, dit Gabrielle, Jules et Clotilde sont un peu cousins, mais notre pape autorisera sûrement cette union.

Au sourire pincé qui était arrivé sur le visage d'Henri, ses enfants comprirent que le problème était clos.

Un peu cousins, l'expression était floue. Par leurs mères qui étaient sœurs, Mathilde et Gabrielle étaient cousines germaines. Leurs enfants étaient donc cousins issus de germains. Henri Bourgeois avait épousé la cousine germaine de sa femme et maintenant la fille de cette seconde épouse aimait le fils de la première, était-ce si compliqué ou préjudiciable ? Henri pensait surtout que c'était heureux. Il avait ce don d'oublier et de taire ce qui aurait pu devenir gênant.

Gabrielle et Henri Bourgeois ont la joie d'annoncer le mariage de leurs enfants. La formule sonnait comme incestueuse. L'amour né dans la famille recomposée satisfaisait tellement Henri et Gabrielle qu'ils n'y voyaient plus rien d'étonnant.

Gabrielle et Henri Bourgeois
ont la joie d'annoncer le mariage de leurs enfants
Jules Bourgeois
et
Clotilde Duval

Clotilde Duval sauvait tout ! La mention de son patronyme était cruciale. Eussent-ils écrit *Jules et Clotilde*, l'ambiguïté était parachevée. S'en soucièrent-ils ? Pas sûr ! Les Bourgeois allaient dans la vie, voilà ce que disait ce premier mariage à la jeune génération, moins de deux ans après celui de leurs parents veufs.

— C'était sympa et extraordinaire, se souvient Claude. Jules épousait Clotilde, j'étais content.

— Il y avait une atmosphère étouffante à la maison ! se remémore au contraire Louise en rigolant. Papa et tante Gabrielle surveillaient Jules et Clotilde comme le lait sur le feu ! Ils ont fait le mariage à toute vitesse pour qu'il ne se passe rien.

Louise rit de plus belle. La virginité a perdu sa place capitale, la moitié des naissances se font hors mariage, un tiers des alliances s'achèvent en divorce. Autres temps, autres mœurs.

27 NOVEMBRE 1942

Les épreuves d'hydrographie de l'École navale se passaient en rade d'Hyères. Jean avait été logé à La Londe-les-Maures dans une maison rigolote acquise par la marine. L'amiral Darlan était venu rendre visite aux futurs officiers. On se battrait bientôt pour libérer le pays ! avait dit le chef de la flotte française. Jean était satisfait à la fois de ses résultats et des paroles de l'amiral. Au fort Lamalgue, la formation se poursuivait à la manière d'une course derrière cet espoir : combattre du bon côté. Debout sur le pont d'un aviso, les mains dans les poches de sa vareuse boutonnée, les jambes légèrement écartées pour garder l'équilibre, sous la casquette de marin Jean porte son regard loin sur la mer. Son visage est serein. Ne retient-il pas un sourire ? Il paraît plein d'une détermination tranquille, presque heureuse.

Les promotions 1941 et 1942 de l'École navale navi-guaient. Tous ces jeunes gens passionnés ignoraient les déchirements que valait à leurs chefs l'opposition entre l'intelligence du moment et l'esprit de discipline. L'invasion de la zone libre était pour nombre d'amiraux le signe qu'il fallait dénoncer l'armistice, donner l'ordre d'appareiller et gagner l'Afrique du Nord. Mais l'ordre ne venait pas ! Le Maréchal ne s'y ralliait pas. Laval faisait obstruction. Les Allemands menaçaient de représailles. L'ordre ne venait pas et semblait indispensable : l'obéissance restait la colonne vertébrale, la manœuvre ne pouvait s'improviser ni se faire dans le désordre. À la mi-novembre, l'ennemi occupa les aérodromes du Sud. Ses avions étaient désormais en mesure de miner les passes. Le secrétaire d'État à la Marine, l'amiral Auphan, donna sa démission et quitta son poste. Pathétique et doulou-reuse, telle était la situation des équipages immobilisés à Toulon : les préparatifs étaient ceux du sabordage. Si disciplinées que fussent les troupes (pas d'appareillage sans commandement), elles ne collaboraient pas avec l'ennemi. Jamais elles n'accepteraient de laisser leurs bâtiments tomber aux mains des Allemands. Ce point serait à jamais clair pour Jean. Les grands amiraux firent ce qui était en leur pouvoir pour emporter la décision du ralliement aux Alliés. L'ensemble des tergiversations fut secret. Toute sa vie Jean serait passionné d'en connaître les méandres, les impasses, jusqu'à l'aboutissement mor-tifiant. Il n'aurait de cesse de justifier et de comprendre une marine vivement critiquée. Il lirait la littérature des historiens et celles des protagonistes sur ces journées qu'il avait vécues sans rien savoir. Car la jeunesse de l'École navale, en se mettant au lit dans les dortoirs le soir du 26 novembre, ignorait que son réveil serait brutal, qui mettrait fin à l'apprentissage et à l'attente.

Des portes qu'on ouvre avec force, des pieds qui martèlent les couloirs, il est quatre heures trente du matin, les troupes allemandes investissent le fort Lamalgue. Leurs blindés ont surgi dans l'arsenal de Toulon. Leurs avions survolent la mer. Les mines sont jetées comme des dés. Hitler a ordonné de s'emparer de la flotte. Il prépare cette attaque surprise depuis plusieurs semaines. Les craintes de Churchill étaient fondées. L'opération *Lila* fait fi des promesses réitérées de ne pas toucher aux navires français. Les élèves officiers sortent en rang et sont emmenés à la caserne de Grignan. Ils assistent à un spectacle inimaginable qui désole leur jeunesse.

Le ciel est noir de fumée noire qui s'élève en boules tourbillonnantes comme de grosses toupies qui naissent les unes des autres à la racine des feux, et s'envolent en se défaisant. La clarté est ensevelie dans l'explosion et l'incendie immenses. Les bâtiments brûlent, brasiers lumineux dans la nuit de cendres, barrettes d'or posées sur la mer obscure. *Algérie, Marseillaise, Dupleix*, les croiseurs flamberont pendant plusieurs jours. L'amiral Jean de Laborde a donné l'ordre du sabordage. La flotte française, comme une belle endormie sur les eaux, immobile et désarmée, silencieuse depuis deux années, vient de faire savoir qu'elle n'appartient pas au camp ennemi. Le sacrifice préserve en partie l'honneur. Les navires s'enfoncent sous les pieds des amiraux qui les quittent quand la gîte devient forte. L'esprit de résistance s'est levé comme un vent même si l'ordre d'appareiller n'est jamais venu. *Obéir c'est trahir, désobéir c'est servir.* Ces mots avaient été inaudibles à la plupart des marins, le sabordage fut leur voie moyenne.

Quelques jours plus tard tous les élèves étaient promus enseignes de vaisseau 2 et renvoyés dans leurs foyers. La France n'avait plus d'armée. La France n'avait plus de marine. L'École navale était démobilisée. Le 1er décembre, devançant de quelques jours son frère Jules, Jean sonna à la porte du boulevard Émile-Augier. Une seconde fois la grande Histoire venait de couper sa route.

30 JANVIER 2016

Je lis la copie d'une lettre que Jean Bourgeois écrivit en 1995 à l'un de ses petits-fils qui lui demandait des précisions sur la tumultueuse période de la guerre et sur la Résistance. L'éclaircissement que donne Jean veut contrer une lecture et une mémoire des faits qu'il juge monolithiques ou manichéennes. Il s'agit pour le marin en retraite de faire une place, si petite soit-elle dans l'écriture historique, à une résistance vichyste. En ne ralliant pas l'Angleterre dans les jours de 1940 où elle en eut la liberté, la marine française s'est liée au gouvernement de Vichy. L'image des plus gradés s'en trouve tachée et je perçois combien le second fils d'Henri, qui n'a jamais cessé d'être anti-Allemands tout en demeurant dans la marine nationale, en est affecté. Il estime cette tache immméritée. Que sait Jean et que ne sait-il pas ? me dis-je. En 1940, en 1942, et même en 1995 lorsque les archives s'ouvrent à peine.

Il n'a pas su la collaboration de ses chefs. Il n'a pas su, et plus tard peut-être négligé de connaître, les escarmouches fréquentes entre la flotte anglaise et la flotte de Vichy. Il fut lui-même méfiant envers l'Angleterre. Il sut Mers el-Kébir. Il crut à la thèse du double jeu soutenue dès l'imminence de la défaite et répétée au procès de Philippe Pétain. Il a pu y croire parce qu'il ne reçut jamais l'ordre de tirer sur des soldats français. Il n'a jamais collaboré. Il a vu couler la flotte à Toulon. C'était bel et bien le NON des marins à l'ennemi, le même refus qu'il portait au fond de son cœur. Jean est cohérent avec ce qu'il a vécu et ce qu'il sait.

Il sait la *déculottée* que la France s'est ramassée en 1940 (le terme est de lui). Il estime qu'avant le débarquement de Normandie toute résistance armée fut inefficace et apporta des représailles que les civils payèrent de leurs vies. Le renseignement était alors la seule action utile, avec l'obstruction administrative, qu'ont menée – pense-t-il – la plupart des fonctionnaires de Vichy. (Est-ce prouvé ? On craint le contraire.) Un souvenir qu'il conserve étaye son idée : la veille de la libération de Lyon, pas un seul groupe de résistants ne vint empêcher la compagnie allemande du génie de faire sauter les ponts. Un seul pont sera protégé. Par qui ? La garde mobile vichyssoise ! dit Jean. La colère le trouble aussi de voir pérorer des résistants de la dernière heure qui n'ont rien fait d'autre que s'enrichir avec les Allemands, puis se sont collé un brassard quand l'occupant reculait devant les libérateurs. Il n'imagine pas que les fonctionnaires de Vichy pourraient avoir pareillement retourné leur veste dans les jours où se profile la défaite. Vichy n'aurait pas fait que collaborer, voilà ce que persiste à croire Jean Bourgeois qui avait vingt ans en 1942.

Il fut à l'intérieur du système en se méprenant sur les intentions de ses chefs. Vivre cette période fut difficile et la comprendre fut long. Pétain a trompé les espoirs secrets des gens qui, comme Jean ou Jules, ou Henri, se trompèrent sur lui. C'est ce que dit Robert Paxton. Pierre Péan réclama précisément que les historiens fissent une place aux sentiments des Français qui furent anti-Allemands tout en faisant confiance au Maréchal. Pierre Péan réclame une place pour Jean et Jules, me dis-je.

25 AOÛT 1942

De tous les frères, Nicolas fut le premier à s'écarter pour regarder son monde sans être absorbé en lui. Il n'aima pas ce qu'il aperçut, il perdit l'innocence de son enfance, il s'agita contre cet ordre établi et confortable. Certains avaient donc droit de lire, de rêver, de réfléchir, ils prenaient peu à peu conscience d'eux-mêmes et de leur vie, d'autres n'avaient que le temps de travailler pour gagner leur pain, ils allaient après un sou comme des ânes courant vers une carotte ? Ceux-là n'avaient dans leurs maisons ni piano ni bibliothèque, juste un lit pour dormir et une table pour manger. Et le crucifix bien sûr, qui était la seule ressemblance entre les chambres des pauvres et celles des riches. Car tous ensemble, le dimanche à l'église, récitaient la grande prière, à haute voix *Notre père qui êtes aux cieux donnez-nous aujourd'hui notre pain de ce jour*, mais ensuite la bonne apportait le pain sur la table pendant que Mathilde et Henri étaient assis. En somme, l'Église et l'argent se donnaient la main pour fermer la bouche à ceux qui étaient affamés ! Et puisqu'il y avait des affamés à qui on ne voulait pas donner plus, Nicolas se rebellait dans le camp des rassasiés. Impossible de se réconcilier avec ce monde scindé ! Il n'aimait pas les grands bourgeois, leur morale et leur hypocrisie, leur domination sociale, et c'était contre son père qui en était un parfait représentant qu'il se dressa. L'esprit de la justice sociale enflammait sa jeunesse.

— Elles ne sont pas différentes de vous, disait Nicolas à Henri en parlant des employées de maison.

— Je les crois contentes de leur existence chez nous et attachées à notre famille, répondait Henri.

— Justement, c'est d'autant plus coupable de les exploiter.

— N'use pas des grands mots à tort et à travers. Ne parle pas de ce que tu ne connais pas. Je n'exploite personne et je n'autorise aucun de mes enfants à s'adresser à moi sur ce ton. Excuse-toi.

— Pardonnez-moi, père, disait Nicolas sans mettre fin à la conversation.

Henri évoquait l'ordre des choses. Les chambres sous les combles avaient toujours été comme elles étaient. D'ailleurs, il y avait peu de temps encore, la plupart des logements n'avaient aucune commodité, tout le monde se lavait à l'eau froide avec un broc et une cuvette. Ta grand-mère, ta mère, moi-même quand j'avais ton âge ! disait-il à son fils. Le progrès se diffusait lentement dans les couches de la société. Nicolas pensait : Ah les bons chrétiens, ils ont une explication pour tout ! Henri sentait qu'il n'avait pas convaincu, sans pour autant essayer davantage. Henri Bourgeois se taisait beaucoup. S'il avait ses inconforts, ses difficultés, ses chagrins, ses inquiétudes, il avait la force – décence et discrétion – de ne pas les dire. Il acceptait même que son fils rebelle ne les imaginât pas. De sa part il encaissa toutes les critiques, y compris d'ordre militaire. À lui qui avait été versé dans l'artillerie à Verdun, Nicolas lançait : Les artilleurs sont des planqués.

Peut-être Nicolas fut-il plus contemplatif que ses aînés Jules et Jean, l'un et l'autre requis par un idéal traditionnel et lancés à la conquête d'une place sur terre et sur mer dans les grandes institutions. À son tour d'élire un royaume ! L'armée et la marine retenaient Jules et Jean, Nicolas irait à la justice. Il commença son droit et rêva de progrès social. La générosité, c'était partager la tranquillité de la vie, cette manière de ne pas avoir peur du lendemain, de ne pas s'essouffler traqué par la richesse des autres qui veulent être servis. Nicolas était en colère, indépendant et susceptible.

— Fallait pas l'emmerder, Nicolas ! répète Claude (c'est le souvenir qu'il conserve de son frère mort avant les autres). Il était de gauche, quoi. Papa ne voulait plus parler avec lui. Pour papa, Blum c'était l'horreur. Papa appartenait à cette partie de la population française que révoltait son alliance avec les communistes.

À la fin de l'été 1942, Nicolas quitta la France occupée en passant par l'Espagne. Il n'avait pas vingt ans. À l'aube il laissa derrière lui le domaine de Château-Thierry où la mère de Gabrielle accueillait la famille depuis que Saint-Martin était réquisitionné par les Allemands. La maisonnée dormait encore. La veille, Nicolas avait embrassé Jérôme et Claude en les serrant très fort contre lui. Il avait ce sourire désolé qui plus tard serait définitivement le sien, comme s'il s'excusait d'être triste, baissant le menton vers son cou.

— Salut les petits gars, ne faites pas trop de conneries !

Sur trois cents hectares de champs et de fermes les garçons étaient livrés à leur liberté – grimper aux arbres, monter à cru, inventer des tours aux animaux comme par exemple saouler les poules. Claude ayant la veille fait vêler une vache avant terme à force de la harceler, il comprenait ce que voulait dire son frère.

— Promis, dit Claude, penaud au souvenir du veau mort-né qu'on avait pris soin de lui montrer.

— Où iras-tu ? demanda Jérôme à son grand frère.

— Je m'engagerai avec les Français libres.

— Où ils sont les Français libres ? demanda Claude.

— Je les trouverai en Afrique du Nord, dit Nicolas.

— C'est où l'Afrique du Nord ?

— Très loin, répondit Jérôme.

Et Nicolas lui frotta la tête en riant :

— Pas si loin.

Il était parti, portant à l'épaule un simple sac, et Henri était resté longtemps sans nouvelles de son fils.

— Papa ne parlait jamais de Nicolas, répète Claude.

30 JANVIER 1943

Rendu à la vie civile, revenu dans Paris occupé et rongeant son frein, Jules épousa Clotilde. La cérémonie religieuse eut lieu à la fin de janvier, en l'église Notre-Dame-de-Grâce de Passy, là où la vie et la mort ne cesseraient de rassembler les Bourgeois. C'était le même escalier, la même porte, les mêmes colonnes, le lieu même où Henri et Mathilde s'étaient unis au sortir de la guerre, au mois de juin 1919. La chair est plus vulnérable que la pierre, vivre n'est pas tant bâtir que passer : les marches sur lesquelles Mathilde avait timidement posé ses souliers légers s'offraient maintenant aux pas de Jules alors que Mathilde n'était plus. Les marches étaient éternelles, le tapis rouge avait peut-être été renouvelé, la mariée d'antan était morte. Est-ce pourquoi le visage d'Henri paraissait tendu, perdu, presque tragique ? Quel tour lui jouait sa mémoire qui s'insinuait dans le présent ? N'était-il pas tout à coup un père hanté par une autre fiancée, celle qu'il avait aimée, et un homme submergé par l'émotion des trésors perdus ? Il tenait sa place à l'entrée de l'église à côté de sa deuxième épouse, mais il ne souriait pas. Pouvait-il éviter de penser que le temps avait passé et tout balayé : la vie et l'amour de Mathilde, la victoire et la paix de 1918, la prospérité du siècle des sciences. Pouvait-il éviter de penser qu'il s'était marié au sortir d'une guerre et victorieux, tandis que son fils se mariait au cœur d'une autre et vaincu ? Son regard semblait requis au loin, concentré mais absent, et la nuée de ses enfants en habits de noce ne retenait pas son attention.

— Je me souviens que Jules s'est marié en uniforme. À la sortie de l'église des soldats allemands le regardaient et je me demandais ce qu'ils pensaient, raconte Claude.

Claude était enfant d'honneur. Il ne portait pas de veste, ses cheveux avaient été domestiqués, une lavallière de satin noir retenait le col de sa chemise blanche et une ceinture large lui faisait la taille haute. Il tournait le dos à son père et parlait joyeusement à deux gamines chapeautées. Joseph et André, les mains serrées autour de leur missel, en costume-cravate, plus sages que d'habitude, attendaient sur les marches comme des messieurs en miniature. Jacques, le jeune frère de la mariée, appuyé contre une colonne, semblait ténébreux. Cette prolifération de marmots exaspérait son tempérament secret et silencieux. Il partageait sa mère avec dix enfants et voilà que sa sœur épousait l'un d'entre eux ! Dans sa robe de mariée, sous un flot de tulle, Clotilde était un sourire silencieux. Le regard amoureux de Jules contemplait cette discrétion de bon aloi. Demoiselle d'honneur, grande pour ses treize ans, Louise posait à la droite de la mariée, heureuse comme si toute sa tristesse avait passé. Son visage ovale et sa coiffure tirée – la raie au milieu – soulignaient la ressemblance de la fille et de la mère. Par le fil rouge de la descendance génétique, Mathilde était présente.

La fête primait sur la guerre. Nappes blanches amidonnées, verres de cristal, argenterie de famille. À la table des jeunes, tous les garçons avaient les cheveux courts et la nuque dégagée, toutes les filles avaient des chignons et se tenaient droites sur leur chaise (un rat devant, un chat derrière). Les fêtes de mariage étaient les sites de rencontre de cette époque, me dis-je, on se devait d'y faire bonne impression. La petite Louise Bourgeois promet. Voilà le genre de phrases qu'on pouvait entendre lorsque les familles regagnaient leurs logis en partageant leurs sentiments sur la noce.

Clotilde avait dix-neuf ans, Jules vingt-deux. Aujourd'hui on les trouverait déraisonnables, d'ailleurs ils seraient encore étudiants sans situation et bien trop jeunes pour se marier. Mais en 1943, le mariage était l'accomplissement de Clotilde et la maturité de Jules. Bientôt Clotilde resterait seule. C'était déjà pour elle le lot d'une femme de militaire.

16 FÉVRIER 1943

La grande Histoire continuait de solliciter Jules. Il bouillait d'agir. À peine marié, il quitta sa jeune femme pour rejoindre le maquis de haute Corrèze. L'armée d'armistice était dissoute depuis trois mois. Hitler avait écrit au Maréchal son mécontentement devant l'esprit de revanche resté trop vivace. *Les unités, à l'encontre de leur propre gouvernement, sont excitées par leurs officiers à une résistance active contre l'Allemagne.* Jules eut-il connaissance de ce courrier ? C'est bien naturel ! aurait rétorqué l'esprit militaire et patriotique qui en lui ne faisait pas relâche. Dès le début de décembre, son chef d'escadron avait regagné les terres de sa famille à Neuvic et venait d'entrer dans la lutte clandestine sous le pseudonyme de Nicolo. Le capitaine d'Ussel cherchait des volontaires pour mettre sur pied une résistance armée. À la suite de son ancien instructeur, le sous-lieutenant Jules Bourgeois suivait les ordres des généraux Frère et Verneau qui encadraient les forces militaires désireuses de prendre part, le moment venu, à la libération du pays. Peu de monde en vérité mais Jules en était. L'armée et l'École spéciale cachaient leurs cadres dans des emplois administratifs, le fils aîné des Bourgeois fut affecté aux Eaux et Forêts : garde-chasse à Neuvic d'Ussel.

Ce recasement offert par l'armée tombait à point. Laval venait de créer le STO, les jeunes gens nés entre le 1ᵉʳ janvier 1920 et le 31 décembre 1922 étaient réquisitionnés pour travailler en Allemagne. Trois classes d'âge se trouvaient concernées, Jules comme Jean appartenaient justement à celles-là. Officiellement le jeune sous-lieutenant parcourait la campagne avec ses grandes bottes et son béret noir, en secret il participait à l'instruction des civils partisans, surveillait les parachutages d'armes – encore insuffisants –, camouflait et entretenait le matériel. Il œuvrait à établir les liaisons entre l'Armée secrète et l'Organisation de la résistance armée en Corrèze. L'AS et l'ORA, c'était d'un côté une majorité de civils maquisards, de l'autre les militaires en congé d'armistice. Si l'alliance s'affermissait, les seconds auraient beaucoup à apprendre aux premiers pour le combat final. Mais la méfiance était grande ! Déconsidérés par l'armistice, les officiers devaient vaincre la suspicion qu'éveillait le tropisme vichyste de la grande muette. Jules ne l'oublierait jamais : le combat commençait entre Français.

La lutte entre les réseaux de Résistance durerait jusqu'à la Libération. Jules s'inquiétait du pouvoir grandissant que le parti communiste avait acquis. Les FTP combattaient-ils à ses côtés ou contre lui ? À ces luttes internes s'ajoutait le harcèlement constant de la Milice de plus en plus active dans la région. Révoqué de sa fonction pour avoir refusé de voter les pleins pouvoirs au Maréchal, le maire de Neuvic avait attiré l'attention sur la petite commune. Tulle, Brive, ces lieux étaient le théâtre de rafles et de massacres. Retenir les actions anticipées ou seulement symboliques afin d'éviter les représailles était l'un des enseignements de l'ORA.

— L'efficacité est le seul objectif. Économisez les hommes, protégez les civils au lieu de les mettre inutilement en danger. Il faut avoir la sagesse de la révolte.

La jeunesse fébrile qui avait fui le STO devait à tout prix apprendre que la patience et l'attente étaient aussi les armes de ce combat. Jules ne doutait pas que reconnaître le moment opportun était un élément crucial de la stratégie.

Clotilde connaissait les risques de l'engagement clandestin. Jules échappait à la réquisition de l'occupant mais la Corrèze était surveillée. La jeune mariée consentait bien sûr, elle avait un frère prisonnier en Allemagne, l'oncle Pierre s'y trouvait aussi, elle n'ignorait ni que la guerre se fait loin des femmes ni qu'elle avait épousé un militaire. À peine était-elle installée dans le quartier d'Auteuil que Jules était parti. Sans mari ni enfant, elle rendait visite à sa mère et son beau-père dont le grand appartement était plein de mouvement. André et Joseph partaient le matin à Gerson ; Louise, Jérôme et Claude, Guy et Marie s'occupaient à la maison. À côté des enfants en batterie, Jean était en congé d'armistice. Depuis le sabordage de la flotte, en attendant que la marine le désignât pour un emploi qui le maintiendrait sous sa coupe, il travaillait dans une petite entreprise de tracteurs agricoles. L'entreprise souffrait de la pénurie des matières premières qui empêchait la production d'atteindre un niveau rentable. Le jeune marin circulait du 16e au 20e arrondissement, parcourant la capitale en métro comme autrefois la Méditerranée en aviso. Vingt-quatre stations, des ateliers (où il faisait du contrôle de fabrication) aux bureaux (où il gérait les approvisionnements) ! Gabrielle tenait les rênes de la maison et veillait sur les plus jeunes : André, éternel dernier de sa classe, Joseph, prix de camaraderie, Louise et Jacques malheureux, Jérôme et Claude en duo tantôt silencieux tantôt bagarreur. Mon petit minet chéri venait de fêter ses cinq ans et apprenait à lire. Je veux madame Gadon, répétait Marie qui venait d'avoir trois ans. Mme Gardon s'empressait. Que demande ma petite Mimi ? C'était le temps où Mimi ne voulait pas manger. Personne n'aurait parlé d'anorexie ou de dépression enfantine, il s'agissait seulement de lui faire ouvrir la bouche. On y arrivait très bien avec quelques gifles.

— Nous étions une triste famille, dit aujourd'hui Louise sans s'expliquer davantage.

Triste famille ou triste période, comment le savoir désormais ?

13 NOVEMBRE 2015

La passion des archives est un peu celle de la vérité – une illusion peut-être mais le tour de magie semble alors accessible : oublier ce qu'on sait, se placer dans l'instant pour être pareil à ceux qui l'ont vécu, dans l'ignorance de l'avenir. L'image est en noir et blanc. Année 1942, en Afrique du Nord, le général anglais Montgomery affronte les hommes de Rommel à El-Alamein. La bataille est déterminante pour le contrôle du canal de Suez et de la Méditerranée. Personne alors ne peut prédire qui vaincra. Le 23 octobre, Montgomery, austère, méthodique, prudent, lance une offensive de chars derrière une longue préparation d'artillerie. Les soldats de Rommel contre-attaquent. Les grenades volent, des pelotes de fumée se dispersent, les baïonnettes entrent en action comme les fantômes ressuscités d'une Grande Guerre que nul n'a oubliée. Négligeant les ordres du Führer, Rommel bat en retraite pour sauver ses troupes. El-Alamein – avec la bataille de Midway – est considéré dans les manuels d'Histoire comme le tournant de la guerre. Aujourd'hui, on en est certain. À l'époque, on le désirait. Churchill insufflait le courage par le mot d'esprit allié à la lucidité : *Ce n'est pas la fin, ni même le commencement de la fin, mais c'est peut-être la fin du commencement.* Churchill, vif et bouffi, Montgomery, sec et sérieux, Rommel, tempes rasées, visage tanné, militaire. Ils sont morts et mythiques. Ils se sont battus pour donner au futur la forme qu'ils voulaient. Une poignée d'hommes, puis quelques milliers, se sont battus pour tous les autres.

L'action se poursuit. 6 juin 1944. Six mille bateaux approchent de la côte normande. Dans ses jumelles un soldat allemand aperçoit l'armada qui perce la brume. Il hurle dans un combiné téléphonique : Invasion ! Invasion ! Mon propre téléphone sonne aussi. Il est vingt et une heures trente. Sur l'écran lumineux s'affiche le prénom de ma fille. Les appareils ont changé d'aspect mais servent toujours à alerter, apportent encore les grosses nouvelles.

— Tu sais ce qui se passe ?

— Non, dis-je, que se passe-t-il ?

L'image des milliers de navires dans la brume, traversant la Manche, est arrêtée sur l'écran de ma télévision. Je sais tout ce qui s'ensuivra, je connais ce passé mais pas mon avenir : les hécatombes sur le sable d'Omaha Beach, les vagues brassant le sang des morts, les hommes massacrés devant les barbelés, leurs tympans crevés par le bruit, la grande loi du nombre qui commande le déferlement massif pour que quelques-uns passent. Cent fois nous avons vu ce débarquement héroïque. Cent fois nous avons pensé que plus jamais un tel affrontement n'arriverait, parce que nous ferions tout pour l'éviter. Le passé est capable de nous éclairer ou de nous illusionner. Comment croire que nous reproduirions de telles erreurs, de telles tueries, de telles catastrophes ? Comment croire que la violence meurtrière n'est pas éradiquée de nos pratiques ? Nous connaissons l'avenir du passé et pas celui du présent. Voici que le présent se rappelle à nous violemment.

— Il y a eu des attentats. On a tiré sur les gens à la terrasse des cafés près de la République. Il y a au moins soixante morts. Et une prise d'otages est en cours au Bataclan.

Je repense à ce film *Timbuktu*. Une jeune femme chantait dans sa chambre avec deux camarades : la voilà arrêtée et battue publiquement par la police djihadiste. Nouvelle porte ouverte sur une violence barbare. Éternel retour de l'hydre. On a beau la combattre, elle renaît, monstrueux phénix, plante vénéneuse qui pousse et repousse dans l'esprit des hommes. Le fanatisme religieux remplace le fascisme et l'agression en ville remplace la guerre classique. La forme des conflits meurtriers a évolué, les guerres de postes ont succédé aux guerres de front, depuis les bombes dans les cafés d'Alger les civils ont été pris en otages. Critiquer l'aveuglement des politiques et l'esprit munichois est plus facile que savoir comment aujourd'hui prévenir le pire et n'être pas une nouvelle fois munichois. Qu'est-ce que la clairvoyance ? Aucune unanimité ne se dégage pour répondre. Les opposants s'étripent. Et nous continuons de vivre.

14 DÉCEMBRE 1943

En 1943, au cœur de l'Occupation, les Bourgeois continuaient de vivre eux aussi. Depuis Pâques, Clotilde était enceinte. L'enfant naquit quelques jours avant Noël, à

Boulogne-sur-Seine. C'était une fille, on la baptisa Élise, elle serait l'aînée du vaste cousinage. Clotilde entra sans Jules dans ce qui devait être la forme de sa vie, la même qui avait été celle de sa mère et de sa grand-mère et de la mère de sa grand-mère : une vie domestique au service des siens. Nourrir, vêtir, soigner, éduquer, lancer dans la liberté. Et proposer son aide quand ceux qu'on a enfantés enfantent à leur tour. Prendre soin d'autrui était chez les Bourgeois l'unique mission des femmes, qui leur conférait honorabilité et existence. Les femmes : ces ventres. Il faudrait attendre trente ans pour que le choix leur soit offert d'épanouir en elles autre chose que la capacité de procréer. Clotilde appartient à la dernière génération de ces femmes qui furent à la maison et laissèrent la parole à leur époux.

Pour l'heure la jeune mariée se montrait cependant volontaire : c'était décidé, elle rejoindrait Jules en Corrèze. Pas question de tenir Élise séparée de son père. Et puisque Jules officiellement était garde-chasse, quoi de plus naturel qu'il eût auprès de lui une femme et un enfant ? Le camouflage n'en serait que plus réussi. Voilà la mère et la fille en chemin pour Neuvic d'Ussel. Gabrielle et Henri les conduisent à la gare. Poussette, valises, nul ne sait combien de temps durera le voyage en train. En voiture s'il vous plaît ! Louise, qui a voulu accompagner Clotilde, agite sa main, debout sur le quai. Sa belle-sœur paraît heureuse. Ceux qui partent ont toujours l'air satisfait, pense Louise. Deux mois plus tôt elle a aussi accompagné Jean à la gare. Désigné par l'École navale pour suivre les cours de la section radio à l'École d'électricité, il partait s'installer à Lyon pendant la durée de l'année scolaire. Louise rêvait que quelque chose advînt dans sa vie, mais mon Dieu il ne lui arrivait rien ! Elle était une jeune fille de treize ans très jolie qui obéissait à ses parents. Après tout, pensait-elle, Clotilde n'a que six ans de plus que moi et elle est indépendante, elle a rencontré Jules à seize ans. Tu ne voudrais pas tomber amoureuse à quatorze ans ! s'exclamaient Jérôme et Claude. Mais oui, Louise enviait Clotilde comme ceux qui ne bougent pas envient souvent le mouvement des autres autour d'eux.

Dans une même année Clotilde connut donc le mariage, la maternité et la Résistance. 1943 s'achevait. Le général Paulus avait signé la reddition à Stalingrad où sept cent mille hommes avaient trouvé la mort. Goebbels inventait la guerre totale et enflammait encore les foules nazies. *Voulez-vous la guerre totale ? Encore plus radicale ? Oui !* La France occupée fournissait six cent mille ouvriers à l'Allemagne. La révolte du ghetto de Varsovie était matée après une résistance héroïque. Dans la démesure de ces drames, la jeune fille de dix-neuf ans vécut cette liesse intime : aimer, enfanter, vivre sa vie. Son cœur se recomposait tandis que le monde se décomposait dans la violence et la barbarie. Et sous le matelas léger de la poussette où dormait Élise, à la barbe et au nez des Allemands, image de la petite épouse parfaite et inoffensive, Clotilde passait des armes pour les maquis. Car les parachutages se multipliaient. Chaque nuit, dans le ciel obscur au-dessus de la campagne, les corolles de toile s'ouvraient. Des silhouettes embusquées sortaient de derrière les buissons et filaient dans l'ombre. Celui qui se trouvait le premier sur place était chanceux. À l'armement classique des colis alliés se joignaient toujours quelques armes de poing destinées aux officiers. Ainsi Jules, aux pieds de qui avait chuté un conteneur, récupéra un pistolet Luger à canon long. Il portait l'arme dans son fourreau à sa ceinture (et se la ferait voler en Algérie).

La guerre recrutait les Bourgeois.

15 MARS 1944

Le long de la botte italienne, Nicolas remontait vers le nord avec les armées alliées, dans une course jusqu'à Berlin menée à la fois avec et contre les Russes. Churchill avait vécu ce cauchemar de pressentir que son propre allié est pire que son pire ennemi. La découverte du massacre de l'intelligentsia polonaise à Katyn n'avait pas été commentée, pas plus que la mort du général Sikorski dans un accident d'avion suspect : le chef de guerre britannique était d'abord efficace et il ne fallait pas fâcher le petit père des peuples. L'URSS et l'Angleterre se battaient ensemble contre l'Allemagne. Mais la victoire et l'après-guerre seraient une autre bataille. Le communisme menaçait l'Europe, à la fois dans un choc direct et par ricochet (l'anticommunisme compta beaucoup dans les attachements à Vichy ou les amitiés impardonnables avec l'Allemagne). Il fallait forger les arguments de sa puissance, il fallait les premiers atteindre la capitale allemande. C'est pourquoi Churchill avait plaidé pour une attaque par l'Italie, ce ventre mou de l'Europe. Or

le ventre mou n'était pas si mou. L'avancée des libérateurs rencontrait des épreuves. À la hauteur du mont
Cassino la ligne Gustav résistait. Les milliers de tonnes
de bombes larguées sur le monastère de Saint-Benoît
n'avaient pas suffi. Il fallut franchir le Garigliano, esca-
lader la montagne comme des petites chèvres et délo-
ger au corps à corps l'ennemi retranché dans les ruines.
Telle avait été la première victoire française libre en Italie : celle des tirailleurs algériens.

Les armées avançaient vers le nord. Le silence des
arbres écoutait le pas des soldats, le bruit léger des jeeps,
le cliquetis du matériel secoué par le mouvement. Les
chars camouflés par un habit de branchages faisaient en
tête des béliers végétaux. Les automitrailleuses soulevaient
une poussière blanche. Le territoire reconquis s'accroissait. Les formations chirurgicales donnaient les premiers
soins d'urgence en arrière des lignes. Les routes étaient
parfois jonchées de matériel abandonné et de cadavres
en uniforme. Les Allemands reculaient en détruisant
tout derrière eux. Parmi les milliers d'hommes qui marchaient dans cette poussière : le deuxième classe Nicolas
Bourgeois, invisible sous le casque, discret dans l'effort.
Quand il se nettoyait les ongles avec la pointe de son couteau, quand il mangeait avec ce même couteau, quand
il s'imaginait le planter dans un homme, il oubliait le
garçon qu'il avait été. La vie qu'il avait menée, entre le
16e arrondissement et la propriété de Valentine, où était
cette vie ! Il rameutait les souvenirs, histoire de vérifier
que l'existence ne se perd pas comme un objet, et quand
il les racontait à son ami Bébert, quel émerveillement

rigolard il suscitait. Ils s'emmerdent pas tes parents !
plaisantait Bébert. Tu l'as dit, confirmait Nicolas. Puis
réfléchissant : Pourquoi ils s'emmerderaient ? Y en a qui
triment, y en a qu'ont rien, disait Bébert. Tu crois que
j'le sais pas ? Tu crois que ça changera ? C'est l'horreur
universelle ! concluait Nicolas.

5 JUIN 1944

C'était la bataille de France et la bataille de LA France.
Et le général de Gaulle avec la grandeur de ces mots
galvanisait ses soldats ; il appelait aussi les combattants
de l'intérieur, partisans et civils. Il réunissait dans leur
devoir simple et sacré ceux qui avaient résisté et ceux
qui avaient attendu. Il exhortait tous les fils de France
à bouter l'ennemi hors de la Patrie, à le combattre, à le
détruire par tous les moyens. Et c'était à quoi se consa-
craient les trois fils aînés d'Henri et de Mathilde. Jules,
Jean, Nicolas. Vingt-quatre, vingt-deux, vingt et un
ans. La France et le drapeau sortiraient enfin du cachot,
pensait Jules. L'honneur libérerait le pays, se disait Jean.
Les fascistes seraient abattus, pensait Nicolas. La liberté
triompherait. Rome venait d'être libérée ! Les Américains étaient entrés les premiers dans la ville. Le général
Juin s'était tenu debout sur la place du Capitole. Quels
seraient les mots du pape ? se demandait Nicolas. À
minuit ce même jour les planeurs anglais et les Dakota
américains filaient dans le ciel noir au-dessus des terres
normandes et les parachutistes posaient le pied sur le sol
de France. Partout en France la Résistance s'enfiévrait,

les sabotages se multipliaient. En Corrèze, Jules retenait ses hommes, la crainte des représailles des armées allemandes en retraite était une juste crainte. Ne pas précipiter des actions inutiles ! Suivre les plans établis pour le 6 juin ! Le capitaine d'Ussel qui les avait supervisés n'en serait pas : il avait été arrêté à Brive le 5 mai lors d'une rafle et n'avait pas reparu.

Nous allons nous battre et nous en sortirons vivants ou morts mais nous n'économiserons jamais nos forces. Les trois aînés de la fratrie Bourgeois avaient écouté ces paroles d'officier. Ils avaient prié et communié avec leurs camarades. Ils avaient confié à Dieu tous les hommes de cette croisade. Et leurs jambes étaient entrées dans leur marche la plus glorieuse. L'un qui remontait le long du Rhône avec la Iʳᵉ armée, l'autre dans le massif de la Chartreuse avec un petit groupe de résistants de Navale, le troisième en Italie, Jules, Jean, Nicolas – comme le maréchal de Lattre qui en fit une maladie – manquèrent la libération de Paris.

25 AOÛT 1944

Trois des enfants d'Henri combattaient, les sept autres attendaient. Depuis les débarquements de Normandie et de Provence le pays entier s'échauffait, la capitale guettait ses libérateurs. Radio Paris ment, Radio Paris est aux Allemands, clamait Joseph, fier d'avoir écouté la BBC chez un camarade. La propagande sur Radio Paris annonçait une victoire allemande en Normandie ! L'acharnement nazi accélérait le rythme des déportations et maintenait envers et contre la défaite l'esprit de lutte. Mais depuis le balcon du boulevard Émile-Augier, Claude et Jérôme regardaient partir les troupes d'occupation. Depuis le début de l'été, les soldats quittaient les grands appartements réquisitionnés. Saint-Martin serait bientôt rendu à Valentine, pensait Henri. La famille n'était pas partie en vacances. Jérôme et Claude passaient leurs journées à la CUV, une colonie de vacances improvisée par Gerson pour ses collégiens. Jeux, parties de football au bois de Boulogne, l'abbé et ses moniteurs encadraient les enfants. C'est donc rue de la Pompe que Claude vit passer les Américains. L'abbé sortit un tonneau de bière. Les gamins donnaient à boire aux vainqueurs. Claude avait grimpé sur un char et reçu un morceau de chewing-gum.

Assis par terre dans le salon, Jérôme et Claude avaient entamé une partie de dames. Penché au-dessus de l'échiquier noir et blanc, avançant la main pour faire glisser un pion, Jérôme s'interrompit pour réfléchir.

— Mange-moi ! dit Claude à son frère, et comme Jérôme ne voyait pas la préparation stratégique, Claude montra : Là ! Puis il réalisa son calcul : un, deux, trois.

Trois pions mangés pour un qu'il avait sacrifié.

— Bien joué, soupira Jérôme.

Joseph entra dans le salon et dit :

— Les chars alliés sont entrés dans Paris. Il n'y a plus un Allemand libre ou vivant dans la ville. Nous vivons une journée historique.

— C'est vrai ? Que va-t-il se passer maintenant ? demanda Jérôme en levant la tête.

— Joue ! dit Claude.

Mais Jérôme repoussa le jeu.

— J'espère que Nicolas va rentrer, dit Claude.

— La guerre n'est pas finie mais les Allemands reculent partout, dit Joseph.

Après le dîner, dans le soir tiède qui paraissait d'une douceur particulière, Henri emmena ses fils au-devant de la capitale libre. Ils marchèrent jusqu'à l'Étoile. Le Soldat inconnu n'était plus entouré d'Allemands. L'agresseur avait été défait, la victoire était proche. La fin de la guerre pour les Parisiens ! Un point de joie profonde, qui rencontrait l'écho de la victoire ancienne, s'était allumé. Claude pouvait l'apercevoir sur le visage de son père. Et le lendemain il le verrait sur les milliers de visages levés ensemble dans un rayonnement extraordinaire.

Les petits drapeaux bleu-blanc-rouge s'agitaient au-dessus des têtes. Les enfants sur les épaules de leurs pères dominaient la mer du bonheur. Sur les toits, des jeunes filles en blanc, fleurs dans les cheveux, applaudissaient. Vive de Gaulle ! Vive la France ! Le libérateur était acclamé. Sa grande silhouette avançait à la première ligne du cortège. Il marchait à pas de géant. Son avant-bras et sa main se levaient pour saluer le peuple de France. Un fin sourire était installé sur ses lèvres fines. Un sourire de contentement : il avait tenu jusqu'à ce jour attendu, la France se libérait du joug d'un occupant cruel, il avait eu raison, dès le commencement il avait eu raison. La foule l'acclamait parce qu'elle savait. Claude, Jérôme, Henri, Joseph, étaient là. Jamais ils n'oublieraient ces instants.

Dans quelle proportion cette foule était-elle semblable à celle qui, devant l'Hôtel de Ville, le 26 avril de cette même année, avait acclamé le vainqueur de Verdun ? Et à celle qui, un quart de siècle plus tôt, un même été, l'avait vu en tenue de maréchal sur un cheval blanc descendre lui aussi les Champs-Élysées ? Henri se souvenait qu'il était resté chez lui et que Mathilde s'était effrayée du bruit des canons. 14 juillet 1919, 26 août 1944, deux millions de Français dans les rues de Paris, des ovations et des larmes. Ces deux journées historiques appartenaient à la vie d'Henri, elles se faisaient face au fond de sa mémoire.

8 MAI 1945

Les mines explosives sont des armes formidables : on les pose ou on les mouille et elles attendent l'ennemi. Elles l'attendent avec patience, tout le temps qu'il lui faudra pour venir au contact. Pas besoin d'être là pour le tuer, les mines s'en chargeront sans leur maître. L'armistice ne les concerne pas. Elles continuent la guerre après la guerre, elles tuent en aveugle, elles pourraient rester tapies d'une guerre à l'autre. Toutes les armées avaient posé des millions de mines. Elles infestaient les champs, les routes et les chemins, les chenaux et les mers. Elles faisaient de vilaines blessures, elles tuaient ou elles amputaient. Un homme qui posait le pied sur le point fatidique pouvait être pulvérisé jusqu'à la taille. Ses pieds, ses mollets, ses cuisses, son bassin explosaient en lambeaux, il se voyait mourir comme une moitié d'homme vidée de son sang.

Voilà un spectacle qui avait le mérite de démoraliser les survivants. Difficiles à désamorcer, les mines faisaient autant de morts dans les sections d'élite du génie qu'il y en avait dans l'infanterie. Sur les routes d'Italie par exemple, en avant-garde des armées qui avançaient, les sapeurs avaient marché lentement en balançant devant eux leur appareil détecteur. Au voisinage d'un engin, l'aiguille battait comme un cœur et dans le casque relié à l'appareil un bourdonnement confirmait le repérage. Il fallait le plus grand sang-froid, une main sûre qui ne tremblait pas, pour neutraliser le mécanisme de déclenchement. Ainsi le maréchal Juin avait-il été capable de conduire ses troupes des portes de Rome à celles de Sienne en trente jours. Grâce aux ingénieurs du génie la terre était redevenue habitable, on pouvait y poser le pied sans le perdre. Grâce à quoi Toulon avait été libéré le 28 août et Marseille le 29.

Mais la mer elle aussi était explosive. Depuis 1942, les passes étaient minées. Les dragueurs alliés avaient entrepris de vérifier les accès aux ports : tâche impérative et fastidieuse pour laquelle Jean retrouva le cadre familier de la marine française. Il était officier en second, son pacha était un jeune lyonnais enseigne de vaisseau rencontré pendant la brève période de maquis. Ils commandaient vingt-six hommes à eux deux, ils cherchaient les mines. Ces saloperies donnaient la chair de poule. Car les ingénieurs sont inventifs et la mer vaste et profonde, ses courants la font vivante et il s'agissait de faire gagner la guerre à son pays. Tant de choses alors devenaient possibles. Les mines acoustiques explosaient au bruit, parce que la mer n'est pas une autoroute et que les hélices et les moteurs sont plus bruyants que les nageoires. Les mines magnétiques explosaient lorsque le passage d'un navire faisait varier le champ magnétique. Les mines à dépression se déclenchaient aux remous. Tout cela était adroitement élaboré. Ces prodiges avaient été largués par avion ou mouillés par sous-marin, ils reposaient sur le fond comme des prédateurs métalliques, immobiles et infaillibles. Par commando de six, les dragueurs passaient et repassaient en faisant sur l'avant et l'arrière un bruit infernal. Des barres de métal s'entrechoquaient et les hommes attendaient l'explosion. Les mines à contact flottaient en immersion à une profondeur évidemment inférieure au tirant d'eau habituel des navires marchands. Elles étaient accrochées à leur crapaud (un bloc de ciment) par un filin d'acier – un orin – et il fallait couper l'orin de sorte que la mine remontât à la surface et qu'un tireur la coulât à la mitrailleuse, au fusil ou même au canon. Les mines à contact étaient les plus dangereuses, les bateaux légers risquaient d'être poussés vers elles par le courant et de sauter avant d'avoir pu les neutraliser. Méthodique et rapide, voilà le bon démineur. Car tout ce qu'on oubliait dans les eaux de la guerre sèmerait la mort dans la paix. Jean en avait une conscience aiguë. Ses rêves étaient pleins de mines sournoises et d'explosions tragiques. En février, il avait reçu de son père de mauvaises nouvelles de Nicolas. Pauvre petit frère blessé à jamais ! Ce regret avait annulé la joie de savoir contenue la contre-offensive allemande dans les Ardennes.

Le 8 mai, l'équipage chantait. Les Allemands capitulaient. Les bérets s'envolaient. La guerre était finie. Mais les mines ne le savaient pas. Elles étaient comme les ordures meurtrières après une orgie criminelle. De l'Italie à l'Espagne, une barrière de mines bordait les côtes. Le travail de fond commençait. Un travail pourri ! En juillet, un chasseur baliseur sauta. Jean récupéra les survivants. Deux marins moururent des suites de leurs blessures comme si la guerre les avait poursuivis au-delà du temps réglementaire. Quel était le temps réglementaire ? La mer était hors du temps. La mer ensevelissait tous les crimes. Et la guerre était le phénix noir qui renaît de ses cendres. À peine finissait-elle là qu'elle recommençait ailleurs. Telle était la leçon du siècle. En août, les nationalistes viêt-minh déclenchèrent une insurrection en Annam et au Tonkin. On utilisa les grands noms, les beaux libérateurs. Haut-commissaire de France, général commandant supérieur des troupes, d'Argenlieu et Leclerc furent diligentés vers la colonie. Les marins l'apprenaient en même temps qu'ils entendaient pour la première fois le nom d'Hô Chi Minh. Un nouveau conflit éclatait alors que le découpage de l'Allemagne était à peine arrêté. En décembre, Jean fut désigné pour la flottille amphibie en Indochine. Le jeune homme qui avait voulu voir le monde prendrait livraison à Singapour d'un engin de débarquement acheté aux Anglais par la marine. Indochine. Cochinchine. Il ouvrit l'Atlas de bord. Les noms n'étaient pas encore familiers. Le port d'Haiphong à l'embouchure du fleuve Rouge, la baie d'Along, la mer de Chine, là se concentraient les forces maritimes françaises. Cette perspective tonifiait Jean. La jeunesse et la mer, ces deux merveilles se mariaient en lui.

JANVIER 1945

Un jour de janvier le téléphone sonna dans l'appartement du boulevard Émile-Augier. Qui répondit ? Qui, le premier, sut ce qui s'était passé en Italie ? Personne aujourd'hui ne se le rappellerait si je cherchais à le découvrir. Les événements les plus uniques eux aussi sont oubliés. Le téléphone sonna donc. Sans doute l'interlocuteur demanda-t-il M. ou Mme Bourgeois, ignorant que madame n'était pas la mère du jeune soldat. L'appel était d'importance : rapatrié en France, Nicolas se trouvait à l'hôpital Percy pour une longue convalescence. J'imagine Gabrielle chargée d'avertir son mari parti depuis le matin aux éditions. Avec sa douceur ferme, elle annonce à Henri de quelle blessure souffre son fils. Et Henri demeure silencieux. Cloué.

— Percy était un établissement de santé militaire situé à Clamart, dans la banlieue ouest. Alors, raconte Claude, nous sommes allés voir Nicolas.

Les cheveux décoiffés comme au saut du lit mais coupés court sur les tempes comme à l'armée, souriant, appuyé contre un gros oreiller, le deuxième classe Nicolas Bourgeois était allongé sur un des lits métalliques alignés dans une vaste salle. Le jour entrait par de hautes fenêtres à guillotine bordées de rideaux noirs. Un lit, une fenêtre, un lit, une fenêtre, et l'affairement tranquille des sœurs en robes blanches, discrètes sous leur voile assorti, voilà ce que découvrirent ensemble Henri, Claude et Jérôme lorsqu'ils se rendirent, avant toute la famille, au chevet de Nicolas. Redressé sur ses coudes le jeune invalide attendait ses visiteurs. Claude le reconnut immédiatement, de loin, comme si sa myopie n'existait plus alors qu'il avait une fois de plus cassé ses lunettes.

— Il est là ! s'écria-t-il en pointant son doigt.

À dix ans, Claude était encore un gringalet sautillant, il s'élança vivement, s'arrêta au pied du lit, éclata de joie en regardant Nicolas, puis vint se serrer doucement contre son frère à qui il avait peur de faire mal. Jérôme s'était ajouté à l'effusion silencieuse, cela faisait trois corps cramponnés et tranquilles que contemplait Henri.

Assis sur le lit Claude avait commencé à tout regarder, remarquer, imaginer. Nicolas avait les yeux cernés. Son teint était brunâtre. Il était si gentil et courageux qu'il souriait. À son cou, en forme de lame de rasoir, brillait au bout d'une chaîne la plaque portant son matricule. C'était ainsi que l'armée identifiait les soldats tués. Eh oui Nicolas aurait pu mourir, pensait Claude avec admiration. Il s'était représenté tout le concret du drame. Nicolas avait senti son corps pulvérisé et entendu les cris de ses amis avant de comprendre ce qui lui arrivait. Écroulé dans son propre sang et vomissant, il avait été évacué sur un brancard, emporté à l'arrière pour être soigné. Il avait passé des jours à dormir sans rien manger, des jours en fauteuil roulant, des jours à clopiner sur les béquilles coincées sous ses frêles épaules. Il était monté dans un avion et il était maintenant là, bien vivant mais pas entier. Ces pensées fourrageaient dans l'imagination de Claude. Sans en rien dire, il avait aperçu l'irrémédiable : le renflement que sous la couverture faisait la jambe droite de Nicolas s'arrêtait à mi-hauteur. Le fils rebelle d'Henri Bourgeois avait été amputé juste au-dessous du genou. Claude l'avait appris pendant le trajet jusqu'à l'hôpital. Mes enfants, je dois vous prévenir de quelque chose qui va vous faire beaucoup de peine. Et cette phrase à elle seule prouvait qu'Henri lui-même était mortifié par le chagrin. Claude avait senti un effroi, un frisson diffus, un pincement à son cœur touché. Pauvre Nicolas ! C'était tout de même extraordinaire et malheureux qu'il revînt estropié pour la vie. Il était un héros. Il était entré dans l'Histoire.

Le visage d'Henri était grave quand il embrassa celui dont il n'avait pas parlé depuis trois ans. Et il regardait Nicolas sans parler davantage. Nicolas ! Qui s'était esquivé. Qui avait débarqué en Afrique du Nord. Qui en avait bavé comme soldat de deuxième classe et s'était mis en danger. Que faisait Henri avec cette part de ses enfants qui lui échappait ? Il la subissait, il l'acceptait, il la découvrait. Lorsque par exemple ce camarade en permission était venu rendre visite à la famille de Nicolas, Henri avait reçu une gifle. Vous êtes Louise ! s'était exclamé le soldat en s'attablant après le bénédicité. Votre frère me plaisante souvent : "Ah Bébert, dis-moi que tu m'aimes sinon j'te donnerai pas ma sœur en mariage !" Les jeunes s'étaient esclaffés, Louise avait rougi, Henri s'était demandé quelle mouche avait piqué Nicolas pour qu'il proférât pareilles âneries. La gouaille blagueuse que

243

son fils se permettait loin de chez lui le stupéfiait. Il n'en revenait pas d'entendre ce qu'il entendait. Maintenant tout le passé était oublié mais Henri demeurait réservé.

— Son fils de vingt-deux ans avait perdu une jambe à la guerre ! fait remarquer aujourd'hui Claude, ça n'était pas gai !

Nicolas s'exclama. Les petits frères avaient tellement changé ! Un instant la conversation versa sur eux avec gaieté. Faire rire Nicolas était peut-être ce qu'ils voulaient, chacun racontait ce qui concernait l'autre. Jérôme s'en donna à cœur joie : Claude accumulait les bêtises à l'école et se faisait toujours pincer ! Pauvre Claude, il ne pouvait pas s'empêcher de faire le drôle.

— Faut bien rigoler un peu ! disait Jérôme pour excuser Claude.

La meilleure des blagues était récente, Jérôme raconta avec délice et admiration : Claude avait écrit une composition d'histoire-géographie au nom d'un élève absent. Bien sûr la fausse copie était truffée de stupidités et de bêtises historiques. Mais le plus drôle était à venir : le jour où M. Beau rendait les copies, l'absent paradait. Comment aurait-il été inquiet qu'on lui rendît une mauvaise note puisqu'il n'avait pas composé ?

— Tu l'aurais vu ! intervint Claude.

— Un vrai chien ! dit Jérôme. Ce salaud riait et se moquait des autres, visiblement réjoui par les critiques que subissaient ses camarades et se croyant tout à fait tranquille.

— Et là ! Surprise ! rigole Claude. M. Beau se tourne vers lui et dit : Dernier ! Copie absolument nulle, Blot ! C'est un scandale ! Et il se met à lire à haute voix ce que j'ai inventé de plus énorme ! La classe rigolait tu penses. Mais m'sieu ! mais m'sieu ! suppliait Blot dont le visage était tout rouge.

À ce souvenir Claude se frappait la cuisse. L'hilarité des petits gagnait Nicolas. Oui c'était une bonne blague et l'institution pourrait presque rire elle aussi d'une telle inventivité.

— Mais j'ai été renvoyé du cours d'histoire pour tout le reste de l'année ! souffla Claude.

Henri hocha la tête, un mélancolique sourire donnait une expression de souffrance à son visage blanc. À son tour, Claude vanta son frère. Jérôme deviendrait un savant ! Car il lisait tout ce qui lui tombait sous la main. Tante Gabrielle l'aidait à choisir des livres dans la bibliothèque. Il connaissait toutes sortes de choses dont lui Claude ne savait rien.

D'autres nouvelles s'égrenèrent. Guy cassait ses raquettes de tennis mais comme il travaillait bien en classe n'était jamais grondé ! Claude avait été en finale du rallye des scouts de Gerson. La journée dans Paris s'était achevée par une bataille au foulard dans la cour du collège devant toutes les équipes rassemblées en cercle.

— J'avais serré si fort ma ceinture que je pouvais à peine respirer ! dit Claude.

— Il est resté le dernier contre le gros Martineau mais là le pauvre Claude n'a pas fait le poids et l'autre lui a arraché son foulard !

Nicolas et Henri rirent d'imaginer Claude assailli. Henri donna des nouvelles des grands. Joseph avait commencé son droit en même temps qu'il était inscrit à

Sciences-po. André était heureux à l'École de la marine marchande. Jean était officier en second sur un dragueur de mines. Jules avait rallié la Ire Armée.

— *Et Louise a les plus jolis cheveux du monde !* ricana Jérôme en imitant sa sœur.

Claude posa sa petite tête bouclée sur la poitrine de Nicolas. Pourquoi ne peut-on jamais faire revenir le temps en arrière, effacer quelque chose de terrible qui n'aurait pas dû avoir lieu ?

Nicolas, c'était fini pour lui d'avoir deux jambes. Plus jamais il ne déambulerait pendant des heures dans le Quartier latin comme un Parisien de vingt-deux ans peut le faire. Avait-il vraiment vingt-deux ans ? En trois ans, il avait vieilli de mille ans. Et maintenant il lui semblait que sa jambe figurait à la fois sa jeunesse et son expérience. Alors Nicolas parla de sa jambe. Il la sentait comme si elle était là ! Il pouvait ressentir une crampe, des élancements, des brûlures, ou même avoir l'impression que sa jambe était gelée. Comme si le corps avait une mémoire de son intégrité.

— Et il en a une évidemment ! disait Nicolas à Jérôme qui voulait devenir médecin. Et moi aussi ! Je ne me représente pas incomplet, j'oublie que je ne suis pas intact, chaque matin j'esquisse le mouvement de sortir du lit et de marcher ! Mon cerveau ne s'est pas encore organisé, il continue de croire qu'il commande à mes deux jambes. Au fil du temps il va remarquer qu'aucun nerf ne répond jamais dans ce coin-là mais pour le moment il ne le sait pas !

Le chirurgien militaire qui l'avait amputé en Italie le lui avait dit : la puissance de l'esprit reconstitue le corps tel qu'il a été. Vous imaginerez très longtemps votre ancienne jambe et puisque vous savez que je vous l'ai coupée, elle vous fera mal.

— On appelle ça une douleur fantôme, dit Nicolas.

— Combien de temps durera cette sensation ? demanda Henri.

— La douleur apparaît immédiatement et peut persister pendant dix ans, dit Nicolas. Les médecins étudient le phénomène.

Les yeux de Claude étaient concentrés sur son grand frère. Nicolas se tourna vers Jérôme :

— Ambroise Paré fut le premier à décrire une douleur dans un membre qui n'existe plus. Connais-tu Ambroise Paré ?

Jérôme acquiesça.

— Tu vois qu'il est cultivé ! s'exclama Claude.

Mais il tremblait au-dedans. Il se débattait contre sa pensée. Car il ne voulait à aucun prix commencer d'imaginer le bout coupé de la jambe, le moignon de son frère Nicolas, la cicatrice qui le brûlait, une horreur que Nicolas porterait sur lui à tout moment du jour ou de la nuit, pour toute la vie.

18 DÉCEMBRE 2015

Il a ce langage qui n'appartient qu'à lui : *Qu'est-ce que c'est que ce cirque ?* dit-il quand il voit qu'on s'amuse et qu'il en est content. *Les meilleures choses ont une fin,* quand il faut quitter une fête, une maison de vacances. *Allez les nouilles !* quand ses enfants traînent un peu au lieu de se mettre en branle. *Espèce de guenon*, quand il veut signifier sa tendresse à l'un d'eux. *À partir de maintenant je ne rate plus !* quand il s'applique au tennis. En fermant les yeux je le vois. Il se passe délicatement la main sur le crâne pour contrôler sa coiffure. Il vérifie le frein à main de sa voiture quand il roule. Je connais Claude depuis cinquante ans. Je l'ai vu vivre, se lever le matin, prendre la salle de bains, nouer une cravate, lire un livre ou feuilleter un journal, parler, manger, conduire, sortir au théâtre, déboucher une bouteille de vin, aller au cinéma, prendre un café au zinc, boire un demi, jouer au tennis, partir au bureau, aimer son épouse, ses filles, ses petits-enfants. Je l'ai vu au milieu des siens, dans les réunions de famille. Je l'ai vu revenir de dîners où il s'était ennuyé et d'autres où ils avaient *rigolé comme des fous.* Je l'ai vu se mettre en colère au téléphone pour une réclamation sur un lot de ferraille. Je l'ai vu se disputer avec sa femme. Je l'ai écouté me parler de mille choses, il s'est adressé à moi en mille occasions. J'ai fait le compte de sa bienveillance. Jamais je ne l'ai entendu dire du mal de quelqu'un. C'est une qualité peu répandue à l'heure de la conversation libérée. Jamais la peine ou la contrariété d'un autre n'a rencontré son indifférence. Il ne sait pas passer devant un mendiant sans donner quelque chose et se sentir malheureux que des personnes ne connaissent pas la paix économique. Il ne sait pas ne pas payer au restaurant avec des amis. Il a couvert de cadeaux sa femme et la mère de sa femme qui faisait pourtant la grève de la gratitude. Il ne sait pas refuser quoi que ce soit à qui que ce soit. Et bien sûr cela lui a joué quelques tours.

Mais il est socratique sans le savoir : mieux vaut subir l'injustice que la commettre.

Je pense aux événements terribles qui ont martelé son enfance. À cinq ans, la mort de sa mère. À six ans, la guerre, l'Exode, l'Occupation, les soldats dans la ville, ses frères en danger. À dix ans, la libération de Paris. À onze ans, le retour d'un frère amputé. Claude porte en lui l'enfant qu'il fut, celui qui souffrit, tantôt livré à lui-même, tantôt à la sévérité des maîtres, avec ce sentiment d'être le bon à rien des Bourgeois, avec cette facilité d'admiration qu'il avait élargie au monde après l'avoir éprouvée pour Jules et Jean. La peine d'autrui réveille celle qui est enfouie en lui. Son bonheur est fragile. Toute discussion envenimée, toute querelle, éveille une panique de perte et de dissolution. Une parole blessante le tue. Jamais il n'y répond. Il comprend le coup et baisse la tête comme l'enfant puni. La vie lui a envoyé plus que des chiquenaudes, elle a frappé très fort et très tôt, elle a enlevé la douceur autour de lui. Et pourtant l'équilibre ne s'est pas rompu : Claude a tenu bon. L'expression me plaît. Car il possède la petite bonté, le geste quotidien, la sympathie perpétuelle. Claude a tenu à rester bon. Depuis la mort de Jérôme, la pensée de la mort l'occupe. Il semble avoir découvert que les hommes meurent ou peut-être, obligé de le faire, enfin il accepte d'y penser. Il m'en parle et secoue tristement la tête.

— Cette nuit j'ai rêvé que j'avais un infarctus, dit-il. J'avais si mal à la poitrine que ça m'a réveillé, je ne savais pas si je rêvais ou si c'était réel.

Et de nouveau il baisse la tête, honteux de cette confidence ou de ce rêve ? Je pense à toutes les scènes que contient Claude. Je dis *contient* parce qu'elles sont en lui.

12 AVRIL 1945

Le fait est désormais avéré – officiel et incontestable –, pour le présent et pour l'avenir on le saura sans forcément le comprendre : l'homme est le plus grand meurtrier sur la terre. Aucun animal, aucun ancêtre avant lui, n'a commis pareils crimes, n'a égalé cette cime monstrueuse qu'il vient d'atteindre en 1945.

Des images fixaient ce qu'il avait fait : rapter, séquestrer, asservir, torturer, priver de tout ce qui construit l'existence et la dignité, tuer des millions de ses semblables. Ces photographies brisaient à jamais quelque chose, une foi, une aptitude, une plénitude, chez ceux qui osaient les regarder. Aucun cocon, aucun amour, aucune famille, ne serait étanche à ce deuil épouvanté. Survivre à cette guerre réclamait, outre de porter ses propres souvenirs, de surmonter la déflagration intérieure que causait ce qu'on nomma la barbarie, qui fut celle des nazis alors même qu'ils avaient été civilisés, que l'on nomma inhumanité alors même qu'ils étaient des humains. Ce *cœur maléfique* qui avait prémédité, organisé, réalisé l'extermination de l'Autre était notre propre cœur à tous, fait des mêmes fibres, nourri des mêmes millénaires de l'évolution et de l'écriture. Des siècles de culture n'avaient pas désamorcé la graine de violence destructrice et cruelle qui était capable de pousser dans la tête d'un homme. Dorénavant aucune conscience individuelle ne serait protégée de l'inquiétude fondamentale d'appartenir à l'espèce humaine.

On était le 12 avril 1945. Le général Patton, le général Bradley et le futur président des États-Unis, Dwight Eisenhower, visitaient le camp de concentration d'Ohrdruf. Sa libération datait de quelques jours, les premiers soldats qui en avaient franchi par hasard les portes avaient laissé les morts en l'état, dispersés çà et là sur le sol de terre, entassés par endroits. Ces trois libérateurs n'ignoraient ni la guerre ni ce que mourir violemment veut dire – mourir jeune, mourir d'une balle dans la tête, mourir en sautant sur une mine, mourir dans un bombardement, mourir brûlé dans son char, mourir éventré. Ils avaient vu les plus vilaines blessures, les amputations, les entrailles à l'air libre, les visages défigurés. Et pourtant ce jour d'avril les accablait comme s'ils n'avaient rien vu. Leurs yeux aguerris découvraient une forme de mort que personne encore n'avait jamais imaginée : la mort voulue pour elle-même et industrialisée. Ils virent comment des personnes avaient anéanti tout ce qui fait une personne, la tenue de soi, le nom que l'on porte, la vie qu'on avait. Tout ensemble avait été balayé par la torture, la famine, l'esclavage, la cruauté perpétrée sans limite.

Quelles étaient les qualités essentielles de l'homme ? Quel respect méritait-il s'il était capable, alors même qu'il avait été instruit, de concevoir des camps d'extermination ? Le soubassement de l'humanisme, une certaine idée de l'homme, venait d'être détruit. À partir du mois d'avril 1945, les hommes auraient pu porter le deuil d'eux-mêmes. Comment les contemporains de la fin de la guerre et de l'ouverture des camps, firent-ils dans leur existence une place à cette évidence sombre ? En furent-ils changés pour toujours ? Foudroyés ? Pétrifiés ? Métamorphosés ? La réalité a montré que l'aveuglement, le déni et l'oubli leur furent d'abord nécessaires. Ils se cachèrent derrière les mots, les Juifs envoyés à la mort et miraculés furent appelés, comme les déportés politiques et les prisonniers de guerre, des *personnes déplacées*.

Je pense bien sûr à la lignée Bourgeois qui a vécu cette époque tragique et fut élevée par ceux qui avaient vu le défilé de la victoire. La fratrie entière s'était constituée de 1920 à 1940, la progéniture d'Henri et de Mathilde appartenait à la dernière floraison de la vieille société patriarcale et colonialiste, à cette génération dont les parents étaient nés au XIXᵉ siècle. Il faut se remémorer les faits et les anciennes pratiques qui ont été balayées mais ont participé, pour une dernière salve, à des éducations et à des catastrophes. Ces dix enfants entendirent parler de l'affaire Dreyfus et de Verdun, ils surent au plus près ce que c'est qu'un héros mort pour la France, ils grandirent dans la montée des fascismes, ils traversèrent la guerre, la collaboration et la Résistance, l'épuration, les lendemains au milieu des survivants et des anciens coupables. Plus tard, ils apprirent les camps, Hiroshima, le stalinisme, le maoïsme. Une société peut accoucher de ce bel ensemble. Ils vécurent dans sa maturation. Ils en entendirent les harangues, les défilés, les hymnes, les remises de décoration. Leurs parents et leurs maîtres leur avaient fait une tête ordonnée regardant un monde ordonné. Ils avaient connu l'autorité des pères, le déni des pulsions, leur place dans une hiérarchie sociale. Ils avaient fréquenté Dieu, ses églises, ses confessionnaux, ses serviteurs. L'ordre était bien sûr illusoire, mais l'illusion ne s'était pas contentée de disparaître, elle avait explosé en crimes et tyrannies barbares. Ils furent les témoins de cette déchirure dans l'étoffe du temps. Quelque chose sera-t-il encore comme avant ? ont-ils pu penser à chacune de leurs découvertes, comme je lis aujourd'hui que certains de mes contemporains, après le 11 septembre 2001, se sont posé la question. Et s'ils ne parlèrent pas, pudeur et silence et retenue furent les remparts qu'ils érigeaient contre les désastres, l'expression d'une consternation plutôt que d'une insensibilité.

— Que disait Henri du massacre des Juifs d'Europe, lui qui était antisémite ?

— On n'en parlait pas, dit Claude.

Depuis que j'ai lu le récit des pérégrinations que vécurent ensemble l'écrivain américain Meyer Levin et le photographe français Éric Schwab, je sais que la question posée à Claude est anachronique. Henri ne pouvait pas penser ce qui n'exista pas immédiatement – dès 1945 – dans la conscience et l'Histoire collectives. La culture des Juifs d'Europe, toute une population, avait disparu par le feu et la haine mais personne alors ne voulait ou n'était capable d'entendre ça. Une indifférence-ignorance du monde a bel et bien existé et, en 1947, aucun éditeur ne voulait publier *Si c'est un homme*. Maintenant qu'il est

253

lu dans tous les collèges, il est aisé d'oublier le temps que prit sa diffusion. La guerre elle-même, le combat contre l'Allemagne nazie, avait tenu secret le foyer sombre de la barbarie. Les Bourgeois pouvaient bien passer le sujet sous silence. Ils avaient eu leurs prisonniers en Allemagne. Le jeune frère d'Henri et le fils aîné de Gabrielle avaient passé toute la guerre dans un camp. C'était de cela que parlait la France et Buchenwald était le modèle représentatif. Un camp de travail. La faim, la violence, les épidémies, la mort y étaient, mais pas le four crématoire. On doit au peuple juif la mémoire et la vérité. Ses membres ont continué de chercher les identités, de retrouver les noms, d'établir des listes, d'écrire, de pourchasser. En 1961, Eichmann serait jugé en Israël et la confusion des genres prendrait fin. On saurait alors ce qu'était Auschwitz. Et dans la famille de Claude Bourgeois, on en parlera, les enfants liront les livres, ils connaîtront les noms de Primo Levi, Robert Antelme et Charlotte Delbo.

AOÛT 2014

— Si vous n'avez jamais évoqué le sort des Juifs, avez-vous parlé d'Hiroshima ? dis-je à Claude. Que pensait Henri de la bombe atomique et de l'usage qu'en firent les Américains ?

— On ne parlait pas de tout ça, dit encore une fois Claude.

— Je ne comprends pas comment ce silence était possible.

— Il l'était, dit Claude.

La guerre, Pétain, de Gaulle étaient devenus les sujets à éviter en famille. Nicolas d'un côté, Henri, Jules et Jean de l'autre, et tous se taisaient pour ne pas s'engueuler, ou pour ne pas entendre ce que pensaient les autres. Il existe un cercle vicieux du silence : moins on converse, moins on sait converser. Plus on évite le conflit en se taisant, plus le conflit est violent quand il éclate, plus on le craint et plus on se tait. Il me semble que la passion est aujourd'hui le trait caractéristique des enfants d'Henri et la véhémence le ton de leurs conversations. Ou ils s'engueulaient ou ils se taisaient. Du vivant d'Henri, ils se taisaient. Voilà ce que révèle la mémoire de Claude. Ils se taisaient quand les faits étaient frais.

Lui aussi s'en étonne, maintenant qu'il parle davantage, alors il y revient :

— Je ne me souviens pas bien, mais je suis sûr que l'on n'en parlait pas.

Il rit :

— La plupart des choses personnelles et intéressantes, on n'en parlait pas !

De la tenue ! Voilà à quoi avaient été éduqués les Bourgeois. La tenue exigeait discrétion et silence. Se tenir, c'était d'abord garder pour soi sa peine, sa souffrance, sa fureur, son inquiétude ou son effroi. Éviter d'exposer son émotion ou même sa joie. Tous vécurent ce temps des muets, raides et figés, clos au cœur même de leur famille. Il ne suffisait pas qu'une chose fût vraie pour être dite. Car ce qui est vrai n'en est pas moins vulgaire parfois. Se livrer est vulgaire. Le mot *inconvenant* était maître. On ne raconte pas sa vie. On ne déballe pas ses états d'âme. On ne pleure pas en public. On ne se donne pas en spectacle. Tout cela en effet est proprement inconvenant. Henri est mort au moment du basculement vers l'extériorisation de soi. Il n'était pas indifférent mais secret, et marqué par les deux guerres, celle qu'il fit et la suivante. Il était d'un autre temps et d'ailleurs il en resta à ce que les procès de la Libération inscrivirent dans les esprits. N'entend-on pas forcément la défense de ceux qu'on a admirés ?

23 JUILLET 1945

Il faisait une chaleur accablante et le Maréchal comparaissait devant ses juges. Pour un homme de la génération d'Henri, c'était une chose inconcevable. Henri Bourgeois ne verrait pas dans ce procès la farce que dénonça Aragon, cette réouverture du musée Grévin, mais un scandale. Le vainqueur de Verdun incarcéré au fort de Montrouge ! Appelé comme un talisman, ovationné par les foules, jugé comme un traître. Quelle bande d'hypocrites étaient les Français ! Le général de Gaulle lui-même aurait préféré éviter ce procès. Pourquoi le Maréchal était-il rentré en France au lieu de rester en Suisse comme une sorte de réfugié politique ? Pourquoi le jugeait-on ? aurait pu demander Henri. La photographie du généralissime était posée sur la corniche de sa cheminée. Dans l'expression de ce visage dont le front disparaissait sous le képi brodé d'or ne lisait-on pas courage, dignité et valeur militaire ?

Le procureur André Mornet a rédigé l'acte d'accusation. Attentat contre la sûreté de l'État. Intelligence avec l'ennemi. Mais non ! pense Henri Bourgeois. L'ancien combattant de 1917 n'oubliera jamais le passé. Sans le savoir, il n'est pas si loin de soutenir, comme le jeune Albert Camus, que la question essentielle consiste à se demander si le Maréchal a servi la politique allemande. La réponse aux yeux d'Henri est évidemment non. Il a réécrit la guerre : Qu'on le veuille ou non l'armistice a été une chance pour la France. Le général Weygand l'a démontré. Le prestige de Philippe Pétain est donc inentamé. Si l'armistice n'avait pas été signé, le déferlement de la Wehrmacht n'aurait rencontré aucune résistance, le pays entier aurait été occupé. Pressée de céder, l'Espagne aurait livré passage aux divisions allemandes. Gibraltar serait passé sous le contrôle d'Hitler qui débarquait en Afrique du Nord. Et qu'aurions-nous opposé ? Quelle était alors l'issue du conflit ? Résister est par définition ralentir, gêner, réduire l'action de l'ennemi, il faut donc considérer le Maréchal comme le premier résistant de France.

Henri, Jules et Jean ignoraient beaucoup de choses. Ils ne pensèrent pas que le prestige de Pétain avait malencontreusement servi Hitler parce que le peuple français obéissait au grand homme qui avait gagné Verdun, alors que si Laval ou Déat s'étaient trouvés à la tête de la France, la Résistance aurait été puissante. Ils ne pensèrent pas que les conditions de l'armistice étaient un calcul d'Hitler pour occuper la France avec peu de troupes et cueillir les fruits du pays sans avoir à les produire et non une réussite du Maréchal.

Philippe Pétain avait préparé sa défense avant même ses avocats. Il ne plaiderait pas gâteux. L'était-il d'ailleurs ? Il sait très bien ce qu'il faut dire et taire, remarque aujourd'hui l'historien Marc Ferro. Il sent que l'opinion publique, telle une girouette bien graissée, a tourné à cent quatre-vingts degrés. Pétain a toute sa tête. Ce qu'il affirme va marquer la lecture ultérieure de son régime pendant des années, tant que les archives closes et secrètes ne livreront pas la contradiction. Henri, Jules, Jean, approuvèrent et crurent ses paroles. *J'ai conservé la France vivante en attendant sa libération. Ne pouvant être l'épée, j'ai été le bouclier. J'ai protégé les Français. Je n'ai voulu que leur bien.* Henri ne croyait pas autre chose. Il n'était pas le seul, la thèse du bouclier commençait une longue carrière.

Ce vieil homme qui se tripotait nerveusement l'oreille avec la main ! Le respect et la pitié se mêlaient chez de nombreux spectateurs des débats. Chez Henri le respect seul perdurait. La déposition de Paul Reynaud le révolta. Quelle idée de rattacher l'armistice aux ambitions personnelles de Weygand et Pétain ! On ne lit les autres qu'à l'aune de soi-même.

— Tous les jugements seront jugés, disait Henri à Gabrielle.

Et la photographie du vainqueur de Verdun resta sur la cheminée. Et la vie continua, la vie des anciens qui se maintenaient, celle des jeunes qui se déployaient.

Elle est brune, coiffée à la mode du moment, cheveux ondulés à mi-longueur – juste au-dessous du menton –, retenus par une barrette et crêpés pour avoir du gonflant sur la tête. Ses yeux sont aussi noirs que sa chevelure. Elle sourit beaucoup et poliment. Son père est amiral et pour époux de sa fille n'acceptera qu'un marin. Ça tombe bien, tu l'es. Un camarade te la présente sans se douter de ce qu'il engage :

— Françoise.

— Jean Bourgeois, dis-tu en serrant la main de la jeune fille.

Françoise te sourit, elle n'a pas manqué de reconnaître ton uniforme. Voilà la première gracieuseté féminine que tu vois depuis quatre ans : ton ravissement est accompli. C'est un coup de foudre. Il est immédiat et réciproque. Françoise ne cesse plus de sourire. Elle emportera ta timidité. L'observateur averti pourrait voir que tu ressembles à son père et qu'elle ressemble à ta sœur. Vous dansez ensemble. Quinze jours plus tard tu es ficelé : fiancé. C'est un engagement que le temps pourrait rompre, car tu repars. Début février tu appareilles pour Saigon. Tu t'en vas en Indochine et Françoise vient à Paris se présenter à tes parents. La pauvre ! C'est une guerre pour elle aussi. L'humour fraternel a ses embuscades. Comment être de taille toute seule face au nombre ! Sept frères, deux sœurs, quatre beaux-enfants, une tribu lui tombe dessus. Elle est mignonne la petite fiancée de Jean ! Joseph et André la mettent en boîte. Jérôme et Claude ricanent. Que disent-ils ces jeunes gens ? Ils se complimentent tout en se moquant de Jean :

— Tu as choisi le moins beau de la famille !

La jeune fille rougit et proteste.

— Ce n'est pas vrai !

Le soir elle s'abîme dans la contemplation de ta photographie. Mais non, que racontent-ils, tu n'as pas le nez en patate !

23 NOVEMBRE 1946

Jean avait peut-être le nez en patate mais dans l'uniforme immaculé, sous la casquette gansée d'or, quand son être attentif goûtait l'air sur la mer de Chine, personne, et surtout pas lui, n'aurait songé à ce détail esthétique. La vie militaire l'emportait loin de lui-même, vers l'engagement qui dépouille de tous les masques, le rendant à sa vérité, ailleurs et nu. Jean avait quitté Toulon le 4 février à bord de la *Gloire* et s'était amarré à Saigon le 24. Moins de trois semaines, quatre brèves escales à Port-Saïd, Aden, Colombo et Singapour, et le monde autour de lui – formes, couleurs, odeurs – avait changé. Était-ce *maintenant* le pic de son existence ? Fabriquait-il ce souvenir qui dans une vie domine à jamais tous les autres ? Il aurait pu le croire. Quand il fermait les yeux, c'était pour retrouver le visage de Françoise. L'étonnement de ce bonheur intime l'envahissait. Quand il les ouvrait, c'était pour être ébloui par une fantasmagorie inconnue. La lumière était neuve. La pluie tombait autrement. Les nuages se gonflaient, bas, énormes, s'évasant devant un soleil qui brûlait. La ligne des corps humains était une finesse pleine de sortilèges, les femmes d'une beauté hiératique et souple, absolument mystérieuse, des princesses dont le silence se rompait dans des rires juvéniles. Les buffles remplaçaient les bœufs et les flamboyants les chênes. Les champs de blé étaient ici des rizières à perte de vue. La mer était percée de rochers coniques et verdoyants. Jean contemplait tout ce qu'il avait d'abord lu. À Françoise, dans de longues lettres de fiançailles, il décrivait tout ce qu'il avait regardé. Il racontait ses occupations de chaque journée, sa vie sur l'eau et le mouvement autour de lui, la course silencieuse des sampans et des jonques dans le réseau serré des canaux, le trafic des chaloupes à vapeur. Ce pays était d'une splendeur à couper le souffle. Une effervescence végétale recouvrait des reliefs comme il n'en avait jamais contemplé. La température oscillait autour de trente degrés. Il fallait avoir la chance de supporter la chaleur humide.

Le 3 mars, Jean embarqua sur l'*Elorn*, un vieux pétrolier de la marine, et rallia Singapour en trois jours. Le voilà commandant d'un Landing Craft Tank – LCT –, engin de transport et débarquement de chars d'assaut ou autre matériel militaire. Les réparations le retinrent au nord de Johor. Aux yeux d'un marin ces lieux étaient chargés d'histoire. En décembre 1941, deux cuirassés de la marine britannique avaient été coulés non loin de là par des avions japonais. Les eaux recouvraient les épaves du *Prince of Wales* et du *Repulse*. De grands requins les parcouraient. En mai, la traversée de retour prit trois jours, sans difficultés. Au cap Saint-Jacques l'embarcation de métal glissa entre les rives de la rivière de Saigon et remonta vers la ville. La paix indochinoise était méfiante, mais c'était encore la paix. À la fin du mois, de conserve avec un aviso, Jean mena le LCT jusqu'à Haiphong. Le 2 juin 1946, il s'amarrait.

La veille, trahissant les accords Hô-Sainteny, l'amiral d'Argenlieu avait fait proclamer la république autonome de Cochinchine. Hô Chi Minh était en route vers Paris où la conférence de Fontainebleau débuterait le 22 juin. La guerre d'Indochine n'avait pas commencé mais la France de toute évidence ne se résignait pas à la fin de son autorité. Dans ce moment où la complexité masquait les enjeux, une activité intense commençait pour Jean. Transbordements, transport de personnel, de matériel, de personnalités diverses à qui l'on offrait une visite touristique de la baie d'Along et des voies d'eau du delta. Hon Gay, Cam Pha, Port-Wallut, Tien Yen. La passe Henriette, l'île des Merveilles, l'île du Cimetière. Ce n'était pas la guerre, c'était l'émerveillement. Les entraînements au tir et les manœuvres, de nuit comme de jour, par vent fort, par courant fort, rappelaient qu'on n'était pas en voyage d'agrément. Les habitudes, l'obéissance aux règles, l'entraînement s'imposaient. Toute l'attention était requise et la conscience du danger devait prendre sa juste mesure. Un jour le LCT transportait des chevaux sur pieds : drôle de chargement ! Le lendemain il transbordait six cents tirailleurs annamites rapatriés de France sur le *Pasteur* : danger potentiel ! La propagande viêt-minh les avait caressés. Retournés ? Il fallait l'envisager et Jean sentit une hâte de livrer ces passagers. Ils s'entassaient dans la cuve pour les quatre heures de route vers Hanoi. Vingt-six membres d'équipage et dix fusiliers marins n'auraient pas le dessus sur un soulèvement. Ce voyage resterait un souvenir. L'ordre était tombé avec le soir : trop de retard, mouillez dans la rivière, débarquement demain matin. Dormir à un contre vingt ! Et les Annamites étaient d'excellents soldats, certains étaient d'anciens bandits de la plaine des Joncs, vifs, futés... Le chef de leur détachement était un adjudant calme et astucieux.

— Distribution d'eau à volonté, dit-il.

La troupe se désaltéra joyeusement. Jean fit installer deux fusils-mitrailleurs vers ses invités ! L'adjudant comprenait la dissuasion. Les Annamites dormirent sous l'œil de métal des armes. Son pistolet armé à portée de main, Jean lui ne dormit pas. Au matin de ce 4 octobre 1946, il débarqua ses six cents hommes à Haiphong. Un conflit autour du service des douanes occupait le port depuis le 10 septembre. Les Vietnamiens refusaient tout contrôle douanier de la part des Français. Dans quelques semaines, à la fin de novembre, trois navires de guerre français bombarderaient Haiphong, pour regagner la position et donner une leçon aux autochtones. Mais il n'y avait plus d'élèves pour cette leçon-là. Dans la nuit du 19 décembre, toutes les villes et les postes français seraient attaqués en même temps par les viêt-minh. La guerre serait ouverte dans laquelle Jean tiendrait son rôle.

22 AVRIL 1946

Pendant que Jean au fil de l'eau courait quelque danger dans l'Extrême-Orient foisonnant et furieux, Jules goûtait le repos du guerrier. La victoire des Alliés dans la campagne de France et d'Allemagne avait libéré le 1er régiment de spahis à la fin de l'été 1945 et le lieutenant Bourgeois fut nommé instructeur à l'École de la cavalerie déjà réinstallée à Saumur. Il remplissait cette mission comme un hommage à celui qui l'avait instruit à Tarbes dans cette même institution déplacée par l'Occupation, puis appelé au maquis, le capitaine d'Ussel, arrêté à Brive, déporté et mort au camp de Neckargerach le 27 novembre 1944. Jules n'oubliait pas la vitalité magnifique et l'indomptable esprit de ce maître resté fidèle à la France. Qu'il repose en paix et soit honoré par ceux qui l'ont aimé. Avec le capitaine défunt, Jules Bourgeois partageait sa médaille de la Résistance.

L'alternance est l'un des traits de la vie militaire. Après le maquis et la guerre, c'était la belle vie : bals, tennis, bridge. Jules alors ne boudait pas son plaisir. Les manœuvres, l'entraînement au tir, l'équitation, l'escrime, tout l'amusait. Et le soir valses à gogo, Clotilde en robe longue portant les bijoux de Mathilde, la regarder c'était contempler son bonheur. L'amour qui rend heureux rend séduisant, dans la communauté restreinte le jeune lieutenant faisait chavirer le cœur des dames en étant simplement lui-même : unifié et beau. Rien de douteux dans ce succès personnel, d'ailleurs la chance de plaire était peu à côté de celle d'aimer Clotilde et Élise.

Dans ce confort heureux, la famille de Jules s'agrandit. Le 22 avril 1946, naquit Mathilde, une petite fille noiraude et chiffonnée qui ne pesait pas lourd et longtemps serait de santé fragile. Ce fut ma liberté, dit-elle aujourd'hui. Mathilde ? Elle fait ce qu'elle peut la pauvre ! répondrait Clotilde chaque fois qu'on lui demanderait des nouvelles de sa fille cadette. Une certaine philosophie qui consiste à prendre les choses comme elles viennent (des épreuves envoyées par Dieu et dont le sens nous échappe) était la marque de Clotilde. Elle était à la fois résignée et courageuse, toujours vaillante et à l'appel, sans commentaire. La meilleure *petite femme* que réclamait cette époque. Une petite femme qui suivait son mari mais n'en avait pas moins une vie intérieure.

Dix-huit mois passèrent à Saumur et Jules fut affecté au 2e régiment étranger de cavalerie, basé à Oujda, garnison dans les montagnes du Nord marocain. La famille partit pour l'Afrique du Nord. Clotilde, Élise et Mathilde embarquèrent à Marseille après Jules qui avait filé en éclaireur. On était loin de la France et du confort de la vie d'instructeur. Clotilde bien sûr s'en accommoda. En cette année 1947, outre la formation des cadres pour l'Indochine qui réclamait des troupes, le régiment était chargé de maintenir l'ordre dans la région. Première expérience de pacification. Le lieutenant Bourgeois continuait d'apprendre son métier. Les guerres coloniales ne seraient pas des affrontements classiques. Elles seraient des guerres sans front. Le contact avec les populations locales jouait un rôle premier. Le renseignement était crucial. Il faudrait sans cesse battre l'estrade. L'armée française découvrait le mélange de guérilla et de pacification dans lequel elle excellerait.

L'armée avait parsemé de fortins un territoire au contrôle de l'ennemi. Le drapeau tricolore les surplombait, affirmation de la présence française en Indochine. Jean n'avait ni l'esprit pour voir là une provocation ni encore la formation pour pressentir la catastrophe. Pourtant ! Pendant un an, entre Hanoi et Haiphong, il avait assuré le ravitaillement des fameux postes kilométriques le long de la rivière Kinh Môn et connu leur isolement. Entourés de rebelles, une vingtaine d'hommes vivaient enfermés – ordre formel de ne pas quitter son poste –, contraints à l'inaction en même temps qu'à la vigilance. Les soldats s'occupaient aux travaux de fortifications et attendaient. Les LCT sont leur seul lien avec le monde, écrivait Jean à sa fiancée. Essence, munitions et vivres, nous leur apportons tout. Il espérait que les récits de l'attaque d'une chaloupe restaurée par les légionnaires du 3ᵉ étranger n'étaient pas arrivés jusqu'aux oreilles de son futur beau-père. Ne vous faites pas de souci pour moi, les LCT sont blindés, les risques d'attaque sont mineurs, assurait-il à Françoise. Mais il sentait que les viêt-minh apprenaient la guerre. Ils étaient de plus en plus patients et connaissaient le terrain. Or le terrain fait la guerre et ici la nature était l'ennemi.

Tu navigues entre deux rives, on te tire dessus, tu cherches, tu scrutes, impossible de localiser le tir ! La végétation est si dense que le regard n'y distingue rien. Ceux qui te tombent dessus se confondent avec le paysage. Cela, c'était une lettre à Jules. Jules savait que la Légion étrangère payait le prix de la fusion des hommes avec leur terre. Les meilleurs soldats du monde luttaient contre des ennemis infiltrés partout et qui surgissaient par surprise. L'embuscade lourde ou légère était la forme première du danger. Les routes étaient ensorcelées, la jungle grouillante de petits hommes en noir, toute patrouille risquait d'être décimée dès qu'elle sortait. Ce nouveau type d'affrontement était engagé dans le Tonkin, on pouvait appeler ça une guerre de postes. Sécurisation des voies de communication, enrôlement de supplétifs autochtones, protection des populations locales en étaient les caractéristiques. À la frontière chinoise il existait une zone maudite, un coupe-gorge. Des sommets à pic, des cuvettes indéfendables, une végétation serrée à perte de vue et la route coloniale n° 4 qui circulait dans ce paysage comme voué aux guets-apens. Là encore la route était hérissée de postes, chacun distant des autres d'une dizaine de kilomètres. De passage à Bel-Abbès, Jules avait entendu parler en douce de cette aberration. Qui à l'État-Major avait imaginé un piège pareil ? se demandaient les officiers de la Légion. Le nom de Cao Bang n'éveillait pas encore la honte et la tristesse, mais déjà le 3e régiment étranger avait été regroupé à Lang Son et son placement sur la RC4 commençait.

La correspondance entre les deux frères commentait le conflit indochinois. Jean avait décrit l'opération combinée pour évacuer la garnison encerclée de Nam Dinh sur la rive est du fleuve Rouge. En liaison avec les parachutistes, l'aviation, la marine, les coloniaux, les chars, la 4e compagnie du 3e régiment étranger avait donné l'assaut, s'emparant d'une cotonnière au bord du fleuve pour en faire un camp retranché que les légionnaires avaient tenu pendant deux mois. La Légion accumulait les exploits, concluait une lettre admirative. Jules percevait combien son frère cadet avait pris de l'ampleur dans ses expériences en Asie. Un lieutenant de vaisseau avait été tué au moment du débarquement, le lieutenant François avait reçu une balle en plein cœur. Jules s'inquiétait. Mais Jean était solide, capable même de rire. Il avait raconté avec beaucoup de drôlerie le sauvetage des religieuses du couvent de Thai Binh. Je n'y étais pas, écrivait-il, je ne fais que te rapporter ce qui a circulé !

Le conflit était cruel. Les populations étaient massacrées. Les rebelles communistes déclenchaient des raids sanglants, le corps expéditionnaire français protégeait les civils et combattait les hommes de M. Hô. La fréquence des razzias s'accroissait. Les militaires déploraient la sous-information et l'idéologie. Des crimes odieux étaient perpétrés à Hanoi mais le Paris intellectuel adulait les communistes et condamnait les colonialistes rétrogrades ! Cette guerre lointaine était oubliée avant d'avoir commencé. Jean fut heureux de rentrer en France.

8 AOÛT 1947

Il prit passage le 1er juillet 1947 sur le *Félix Roussel*, un paquebot aménagé en transport de troupes. Les machines étaient anciennes, le voyage fut lent. Trente et un jours sans quitter le bord, le bridge, la lecture et la rêverie de l'avenir en guise d'occupations. Jean Bourgeois n'avait pas revu sa fiancée depuis dix-huit mois mais dès son arrivée il se marierait. Aucune hésitation, aucune inquiétude, l'amour est une décision. Arrivé à Marseille le 31 juillet, il reçut sa désignation pour le sous-marin 2518. C'était un ancien bâtiment allemand, ce qu'on faisait de plus moderne à la fin de la guerre, une merveille technologique qui par chance n'avait pas eu le temps de nuire à la victoire alliée. Après le lent voyage de retour en bateau, la vie allait très vite. Huit jours pour se caler dans la paix, la Méditerranée et l'amour ! Le 8 août, à Toulon, la famille Bourgeois au complet avait rejoint Jean pour assister à son mariage avec Françoise. Les uniformes blancs s'étaient pressés à la noce, les épées s'étaient levées en une haie d'honneur grandiose. Jean admirait son beau-père. Françoise était heureuse : elle avait épousé un marin. Ils espéraient un enfant bientôt. Trois semaines plus tard, Jean ralliait son affectation laissant sa femme installée à Toulon. Commençaient dix années de navigation en Méditerranée. En février, il fit escale à Casablanca et rendit visite à Jules à Oujda.

— Tôt ou tard nous y serons (Jules parlait de son régiment). Le 2ᵉ est actuellement dispersé sur toute la Cochinchine. Bientôt on enverra les cavaliers.

Tous deux ignoraient que l'Indochine ferait plus de mal à Jules qu'elle n'en avait fait à Jean. Ils allaient dans l'existence qu'ils avaient choisie. Le bras pour le pays, le cœur pour la famille, l'âme pour Dieu : les fils aînés d'Henri et de Mathilde avaient repris le flambeau sans changer une once à la recette familiale et leurs femmes ne faisaient pas autrement.

Françoise était contente parce qu'elle était bien installée à Toulon. *Installée*, le mot le plus bourgeois qui soit. Les femmes de Jules et Jean avaient ce qu'on tenait alors pour les plaisirs et ambitions des femmes. Une maison, des enfants, un mari. Le monde féminin se juxtaposait sans se mêler à celui des hommes. Pendant que Jean était en plongée, Françoise accoucha d'une fille, elle l'appela Noëlle, on était le 26 décembre 1948. Tandis que Jules pacifiait la montagne, Clotilde se trouva enceinte pour la troisième fois. Elle passait l'été à Saint-Martin avec sa mère et son beau-père lorsque l'enfant naquit et mourut le même jour. C'était le 15 août, on fêtait l'Assomption, Henri (le petit mort, celui que personne n'a connu, reçut ce prénom du patriarche) fut inhumé dans le cimetière derrière le tennis. Au début de l'année suivante, Clotilde était enceinte à nouveau. Madeleine naquit le 27 décembre 1949. La famille était réinstallée à Paris et Jules sur le point de s'embarquer pour l'Indochine. L'ordre de départ arriva. Le jeune père traça le signe de la croix sur le front de sa fille et le soldat quitta la France. Un bateau caserne l'emportait à douze mille kilomètres de la mère et de l'enfant. On était le 2 janvier 1950. Clotilde était à la clinique, Élise et Mathilde chez leurs grands-parents. L'aînée des petits-enfants d'Henri et de Gabrielle n'avait que trois ans de moins que la dernière fille d'Henri : on poussa les deux fillettes vers l'amitié. Élise devint la petite sœur que Marie n'avait jamais eue et leurs jeux rassuraient Henri qui se remettait d'une grande faiblesse.

La pleurésie est une complication des infections pulmonaires. La membrane séreuse qui enveloppe les poumons à l'intérieur du thorax s'est enflammée. Si le pus envahit l'espace respiratoire, la pleurésie devient purulente. Il va de soi qu'on en meurt. Henri Bourgeois ne l'ignorait pas. Alité depuis trois semaines, accroché au diagnostic d'évolution, il ressentait la profonde détérioration de ses forces. Il éprouvait aussi combien son asthme accroissait la souffrance et compliquait les symptômes. Les pics de fièvre se succédaient. Gris comme un marbre, son grand front plat se couvrait périodiquement de petites gouttes de sueur. Misère du corps ! En pyjama à deux heures de l'après-midi ! Henri se sentait plein de mépris pour lui-même. On n'aime pas son corps, on le tient. Voilà que ce principe était bafoué, l'animal échappait à son maître, il disait non, faisait le mort et le sourd. Le corps s'écroulait comme un cheval blessé et la cravache était inutile. Était-ce la silencieuse réponse d'Henri à tous les coups du sort : la mort de Mathilde, la débâcle des armées, l'Occupation, la révolte de Nicolas et son issue tragique, la bataille pour maintenir les éditions malgré les restrictions de papier, les pleurs de Louise ? Que d'efforts et de chagrins l'avaient épuisé ! Il avait fallu tenir debout et accueillir Marie, Henri l'avait fait, Dieu l'avait aidé croyait-il, mais comment être léger et rire ? Il n'avait jamais su tout à fait. Dans la vie, il avait été sérieux, austère souvent. Même marier Jules et Clotilde avait été un combat pour la vertu ! Était-ce exténuant de vivre sur la ligne de grands préceptes ? Celui à qui tout tient à cœur finit par perdre ses forces. L'infection l'avait pris dans ce moment de relâchement qui suit le combat ou la victoire. Les Alliés avaient gagné. La France avait siégé à Potsdam. L'épuration avait sévi. Des horreurs proférées, des haines déclarées, des règlements de compte infâmes. Et son monde à l'envers, Pétain devant les juges et de Gaulle – ce général qui mettait toujours une mer entre lui et la guerre – assis sur le piédestal de sa clairvoyance. Et maintenant le péril rouge. Le blocus de Berlin révélait l'ambition des Russes en Europe ! L'arrivée massive des communistes dans la France libérée révoltait Henri. Comment un homme de conviction encaisse-t-il ces événements ? Henri avait peut-être embrassé la maladie.

Vais-je mourir maintenant ? Il était capable de se poser cette question comme n'importe quelle autre d'un ordre pratique. Et puisqu'il croyait que Dieu donne et reprend, il se disait : Mon heure est-elle venue ? Un mois plus tôt il s'était senti fatigué mais plein de projets. Il avait cinquante-deux ans et cinq de ses enfants n'avaient pas encore quinze ans. L'œuvre familiale n'était pas achevée. Henri suivait les prescriptions du médecin. Le lit, beaucoup de repos, des cataplasmes à la moutarde, voilà tout ce dont disposait l'homme de science. Et la prière bien sûr. Des semaines avaient passé dans l'inquiétude. Mais un samedi en fin d'après-midi, on avait su que la guérison était proche. Le fils aîné d'Adrien, qui travaillait aux éditions, était venu présenter les comptes à son oncle et patron. Qu'avait-il fait ou dit, ou pas fait et pas dit ? Que révélaient les chiffres ? Henri était entré dans une rage épouvantable. Les enfants au salon s'étaient pétrifiés en entendant les hurlements de leur père. Au contraire Gabrielle souriait. Le jeune Marcel était sorti de la chambre du malade. Henri va beaucoup mieux, avait-il dit. Gabrielle l'avait déjà compris.

— À Gerson, après le déjeuner, les curés nous emmenaient à la chapelle, se remémore Claude. Nous allons prier pour le père de Claude et Jérôme, disait le père Albert. Prions pour qu'il se rétablisse.

Mais un autre rituel dérangeait ces intercessions : au sortir de la cantine le premier qui posait sa main sur le mur de paume était le premier à jouer. Alors Claude séchait la prière et filait à la paume. Et le soir dans son lit, soudain seul avec lui-même, il avait peur de ce qu'il avait fait. Et si papa allait mourir ? Mais Henri se rétablit et l'avenir fut une besace pleine de surprises.

JUILLET 1948

Jérôme, Claude, Guy, les garçons ! Ils rigolaient, ratiocinaient, se cherchaient des noises, se lançaient des chaussures à la figure, tous les trois dans leur chambre où personne ne venait les embêter, ni les domestiques, ni Henri, ni Gabrielle, encore moins Valentine qui ne montait plus tant d'escaliers. Louise leur rendait parfois visite. Ouvrez la fenêtre ! s'exclamait-elle. À l'écart dans la tourelle, ils pouvaient faire tout le bruit qu'ils voulaient, se disputer ou se bagarrer, personne ne les entendait. C'était la belle vie d'été, les vacances à Saint-Martin, les grandes tablées, les parties de tennis, les balades à vélo, les tournois de dames, le croquet sur la pelouse. On avait le temps de sourire aux choses. En tournoyant à la barre fixe, on touchait le soleil, on attrapait le vent, on quittait la terre.

Claude était assis sur son lit, les pieds nus à côté de ses chaussures de tennis et chaussettes sales. Il venait d'être battu sur le court par la femme de Jean.

— Elle t'a foutu une belle branlée ! dit Jérôme.

— Est-ce que je t'ai sonné les cloches ? Tu l'as bien aidée avec toutes tes fautes d'arbitrage !

— Françoise joue très bien, il n'y a pas de honte à perdre contre elle, fit remarquer Guy.

Je devais gagner cette partie, pensait Claude. Guy n'était encore qu'un gosse et ne connaissait rien au sport, et il voulait être gentil, aussi Claude ne fit pas de commentaire. Mais il était malheureux. Je suis nul, se disait-il. Et quel regret il en avait ! Il voulait être bon au foot et au tennis, rien ne lui importait davantage. Et maintenant la honte le cuisait. Une femme l'avait battu ! S'il avait été moins bien élevé il aurait pu dire : une bonne femme. Elle était mère de famille depuis six mois ! C'était pour lui, sans qu'il le sût, comme le comble de l'infirmité. Il n'avait jamais vu que des femmes en robe, occupées avec des nourrissons rougeauds et vagissants, tricotant une layette ou donnant un biberon, trempant leurs lèvres dans une tasse de thé. Les sexes étaient absolument différenciés, séparés même. La modernité n'était pas entrée dans le monde de Claude. Sa grande sœur jouait du piano. Il n'y avait pas de sportive dans la famille. C'était donc à la fois sa fierté de joueur et son honneur de garçon qui venaient d'être malmenés. Quelle humiliation !

Et en public de surcroît. Cet imbécile de Jérôme avait arbitré, trop content de voir son frère perdre contre sa belle-sœur ! Et Martine avait regardé le match ! Martine que Claude aimait d'amour tendre. Sa cousine chérie l'avait vu défait par Françoise !

— Martine avait les larmes aux yeux chaque fois que tu ratais une balle, murmura justement Guy.

— Martine est amoureuse de toi, ça crève les yeux, dit Jérôme pour se rattraper.

Si ça pouvait être vrai ! pensait Claude. Martine devenait jolie, elle chahutait avec ses cousins, Claude commençait de découvrir avec elle l'attrait que la joliesse féminine exercerait sur lui. Il jetait ses yeux dans le décolleté et serrait la main de Martine. Il était un garçon de quatorze ans pressé de devenir un homme et qui surveillait les signes extérieurs de sa virilité. J'arrête, j'en ai trop ! avait dit un jour Jérôme tandis qu'ils comptaient ensemble les poils autour de leurs sexes et Claude s'était désespéré d'être si en retard quant à lui. Il avait ce caractère à être facilement malheureux, une âme vive et prompte à se blesser. Que quelque chose eût été brisé en lui ou bien qu'il eût été ainsi fait, il n'avait ni la gaieté indestructible de Jérôme ni la concentration studieuse de Guy. Aussi était-il davantage amené à douter de lui-même. L'énergie faisait place à l'abattement chaque fois que l'échec était là. La confiance s'envolait, la dépréciation s'installait. S'il était un grand bêta, que ferait-il ? Que réussirait-il ? Il n'était pas foutu de battre au tennis une femme alors qu'il en avait envie ! Sur son lit, dans le désordre de cette chambre de garçons, Claude était à la fois déconfit, furieux et songeur. Mais la vie toujours l'entraînait, le mouvement perpétuel des jours et de la famille.

— Vite ! j'ai entendu la cloche, dit Jérôme.

Les trois frères Bourgeois s'habillèrent et dévalèrent les escaliers pour se rendre au dîner.

21 JUILLET 1948

À Saint-Martin, les garçons avaient pris l'habitude de ne pas utiliser les cabinets trop éloignés de leur chambre quand l'envie de pisser les prenait en pleine nuit. Allègrement, pour ajouter aux choses réjouissantes, Claude, Jérôme et Guy pissaient par la fenêtre, ce que fit Jérôme, à deux heures du matin. Ses deux frères dormaient. Il se leva et ouvrit la croisée sur le jardin. La poignée couina sans éveiller les dormeurs et pas même Jérôme, semblable à un somnambule qui se soulageait. Comment s'y prit-il ? Il tomba. Au sens propre il tomba de sommeil et dans toutes les chambres pourtant occupées de la maison, personne n'entendit son corps atterrir huit mètres plus bas. Le son amorti, sans résonance, que fait la chair blessée, ce bruit imperceptible qui accompagne l'éclatement intérieur, se fondit dans le concert nocturne – une brise dans les arbres où les feuilles se frôlent, un chat qui miaule, une chouette qui hulule –, et la nuit palpita autour du corps inerte de Jérôme. La douceur de l'été protégeait son sommeil, il ne se défendait pas, l'obscurité l'absorba et tout se passa comme si Jérôme Bourgeois dormait dans son lit. La grande bâtisse veillait le jeune homme évanoui. Sa masse pierreuse, captant la lumière d'une lune qui était pleine émergeait de l'ombre en clarté grisée. Le septième enfant d'Henri et de Mathilde entrait dans les espaces inconnus où va l'esprit sans la conscience. Toute intelligence était suspendue, la volonté abolie, la sensibilité interrompue, le mouvement arrêté dans l'assoupissement profond du coma.

Une domestique se leva de bonne heure. Il était sept heures quand elle caressa les marches du perron avec la paille de riz du balai assigné aux usages extérieurs. Elle vit le corps allongé dans les graviers sans reconnaître aussitôt un fils de la maison. Quel zigoto avait escaladé les grilles et dormi là ? Elle s'approcha pour réveiller l'intrus. Jérôme ! Elle apercevait le sang coagulé sous l'oreille. Elle ne cria pas (réflexe éduqué, pour ne pas réveiller ceux qui dorment), mit sa main sur sa bouche avant de laisser ses doigts effleurer le menton du garçon. Elle l'appela. Jérôme ? Et comme il restait inerte, elle eut un minuscule sanglot d'effroi et de chagrin en le voyant si loin. Henri vint, en hâte et robe de chambre. Claude et Guy avaient jeté un œil par la fenêtre et dégringolé l'escalier. Agenouillés autour de leur frère, ils l'appelaient. Jérôme ? Jérôme ?

— Surtout ne le déplacez pas, répéta doucement Henri.

Il se redressa en entendant la voiture du médecin. Que s'est-il passé ? Nous avons trouvé mon fils ce matin, tombé par la fenêtre de sa chambre. Le docteur Mélier leva la tête. Silence. Attente. Il avait vu trois étages.

— Je ne peux rien faire, dit-il après un temps de réflexion. Où se trouve le téléphone ? J'appelle tout de suite l'hôpital de Beaumont.

Comment ?! s'écriait maintenant Henri Bourgeois devant le médecin-chef qui ne voulait pas hospitaliser Jérôme. Le pauvre garçon allait mourir et ce serait préjudiciable à la réputation de l'établissement ! La fureur étouffait Henri. Jérôme n'était pas encore mort ! Le médecin-chef pensait que c'était tout comme. D'ailleurs, le transporter était dangereux. Il arrive que les médecins s'accoutument au mal et s'éloignent des hommes ordinaires, pensait Henri, il faut les attraper par le bras et poursuivre avec eux la bataille. Les choses ne se passeraient pas de cette façon, Henri le jurait sur le souvenir de Mathilde ! Les enfants étaient la force de Dieu, cette force habitait Jérôme et ne devait pas mourir. Elle ne mourrait pas sans qu'on eût tout essayé. Il exprimerait sa colère, il ferait sauter le verrou de sa politesse.

— On ne laisse pas mourir les gens sans les soigner. Quelle sorte de médecin est-on quand on se permet des prévisions indignes de sa vocation ? Où avez-vous rangé le serment que vous avez prêté ?! Votre conscience vous interdit de décider d'une mort. Vous pouvez croire ce que vous voulez, mais vous n'avez pas le droit d'agir selon votre seul diagnostic. Mon consentement vous est nécessaire, ma volonté a valeur d'impératif. Mon fils doit être admis à l'hôpital et il le sera. J'ai reçu la responsabilité de cette vie. Savez-vous ce qu'est la paternité, docteur, ou bien dois-je vous l'apprendre ?

Jamais Claude n'avait entendu son père crier aussi fort. Henri Bourgeois dans une pareille colère ! La loi morale et l'amour paternel le faisaient droit comme une épée.

— Vous allez admettre mon fils à l'hôpital !

— Comme vous voulez mais je vous aurai prévenu, avait dit le directeur de l'hôpital en s'éloignant après avoir fait signe aux deux brancardiers sidérés.

À quoi Henri répondit :

— Taisez-vous monsieur.

1ᵉʳ AOÛT 1948

À l'hôpital, on le couche. Voilà monsieur, vous avez ce que vous vouliez, semble dire le médecin-chef à Henri Bourgeois. On a placé le jeune Jérôme dans un lit et il demeure immobile. Il n'est pas mort, Claude le sait, mais est-ce qu'il guérit ou est-ce qu'il dépérit ? Un bandage enveloppe la tête blonde. Et quel drame dans cette tête peut bien s'accomplir ? Claude met son visage dans ses mains, il a entendu que la fracture du crâne va d'une oreille à l'autre, il se fait bien des imaginations. Chaque jour il parcourt à vélo le trajet de la maison à l'hôpital. Neuf kilomètres, ce n'est pas long. Il gare son vieil engin, s'assoit au pied du lit de son frère et attend. Des jours et des jours il attend. Rien ne change. Le mystère est énorme. Où se tient la conscience de Jérôme ? À quoi s'exerce-t-elle ? Où se trouve Jérôme ? L'attente est si pleine de son silence que Claude perd lui aussi la parole. Il se tait et regarde son frère absenté. Il pleure aussi, par brèves crises qui l'assaillent et refluent. La tristesse le fait tomber sur lui-même. Parfois il se pose – et repose – tout doucement sur l'endormi, le tâte, le palpe, le caresse, pour vérifier qu'il est chaud et vivant, pour atteindre son cœur caché qui l'aime.

— M'entends-tu ? souffle Claude. C'est Claude…
ton petit Claude chéri.

Et il pense : Quelle bonne action ferait effet ? Quelle
prière ? Quelle promesse à Dieu ? Jérôme se réveille-
rait si son petit frère Claude faisait quoi ? S'il… Si. Si.
Claude fait tout ce qu'il peut pour être parfait. Il range
sa chambre. Il se lave. Il est sage et gentil. Il rend service. Il aide Clotilde, Gabrielle, Louise. Et il promet. Plus
de disputes ! Plus de bagarres ! Plus de jalousies ! Plus
de plaintes ! Plus rien ! Évidemment il a cessé de pisser
par la fenêtre. Qu'est-ce qui vous a pris de vous tenir
comme des voyous ? a demandé Henri sans se fâcher le
soir de l'accident. Ne recommencez plus ces sottises !
Jamais Claude n'oubliera le silence et la douceur qui
viennent dans une maison quand quelqu'un peut mourir. Les engueulades, c'est la vie. La mort est un silence.
La maison Bourgeois attend aussi, suspendue aux nouvelles de nature médicale. Gabrielle caresse la tignasse
noire de Claude qui s'en va voir Jérôme. Combien de *Je
vous salue Marie* ne dit-elle pas ? Elle pense à Mathilde.
Elle la prie aussi. Mathilde, ma chère amie, je t'en prie :
Aide ton fils !

Ils auront sûrement pensé que les prières sont efficaces,
me dis-je, car le miracle advient. Le dimanche 1er août,
après la messe, Claude s'assoit au chevet de son frère et
tout à coup Jérôme s'éveille. Il s'éveille avec une énergie
qui gronde. Il se redresse sur son derrière.

— Qu'est-ce que je fous là ? J'ai faim !

Et le rire est là lui aussi… Parce que celui qui sort
du coma ne sait pas qu'il était absent et que les autres
attendaient.

— Imbécile ! dit Claude en se jetant dans les bras de Jérôme.

Jamais Claude n'oublierait ces jours où il veilla son frère égaré et inaccessible entre la vie et la mort, dans des limbes inexplorés. Jérôme à tout moment risquait de mourir et personne ne pouvait rien pour le sauver, et il n'y avait qu'à attendre une issue qui serait le sommeil éternel ou un réveil inexplicable. Claude fit en un été l'expérience de l'absence, du mystère de l'être et de sa vie, et de sa disparition à venir.

12 FÉVRIER 1949

Les séquelles étaient insaisissables mais réelles : depuis son accident, Jérôme était un peu zinzin. Les élèves se moquaient de lui. Claude ne le lâchait pas d'une semelle : son frère était capable de dire n'importe quoi. Quelque chose en lui ne prenait plus le temps de penser. Il parlait, parlait, sans retenue, comme si la vie – idées, sensations – se pressait vers ses lèvres. L'insolence lui devenait naturelle. Il oubliait à qui il s'adressait.

— On n'a pas besoin des conseils d'un p'tit minus comme vous.

Voilà ce que Jérôme avait dit à un surveillant ! La réponse avait été immédiate : une gifle comme il n'en avait jamais reçue.

— Attention, monsieur ! Mon frère a été dans le coma ! s'était écrié Claude.

— Ton frère n'a qu'à être poli, avait répliqué le pion avant de tourner les talons.

Jérôme se tenait l'oreille en pleurant puis il s'était mis à rigoler.

— On s'en fout de ce p'tit minus.

— Tais-toi ! Ne dis rien ! suppliait Claude.

Claude frémissait. Quelle peur il avait pour cette tête fragile ! Il ne fallait pas la toucher ! Jérôme se tordait de rire. Voilà qu'il était doux dingue !

Il était aussi devenu sourd de l'oreille droite. C'était assez pratique pour gagner du temps quand il ne savait pas répondre à une question.

— Pardon, mon père, je n'ai pas entendu… disait-il au professeur de latin.

À la rentrée scolaire de 1948, Henri avait installé Jérôme et Claude en pension à l'école Saint-Stanislas, la seule qui avait accepté Claude. Ils étaient arrivés à Saint-Jean-les-Deux-Jumeaux en octobre. Au dortoir, Claude couchait à côté de Jérôme. Il aurait pu se sentir moins seul et abandonné, si seulement il n'avait pas été trop souvent privé du bonheur de rentrer à Paris chaque fin de semaine avec son frère. Mais non, et il était tout à fait découragé ! La pension, c'était pire que le collège à Gerson. Les mauvaises notes vous y maintenaient au lieu de vous en faire mettre à la porte. Et l'on était si malheureux qu'on avait envie de tout envoyer promener, les versions latines et les questions d'algèbre ! Chaque samedi soir le lit voisin était vide, Jérôme avait pris le train pour Paris, Claude pleurait. Qui pleurait en lui, le petit garçon qui avait perdu sa mère ou le jeune garçon qui était seul et puni ? Il pleurait de cette triste vie surveillée et notée, où chaque mot que l'on disait, chaque geste que l'on faisait, chaque déplacement, pouvait plaire ou déplaire, être sanctionné par un surveillant malveillant et partial. Rien de spontané qui trouvât grâce aux yeux des maîtres ! Le silence, qui était sans cesse réclamé, pouvait même vous tomber sur le nez.

— Alors, monsieur Bourgeois, vous avez perdu votre langue ?

Mais enfin, pensait Claude, qui peut connaître toutes les réponses ?

À quatorze ans, Claude était encore trop tendre pour haïr plutôt que souffrir. Les punitions le peinaient de n'être que lui-même, un mauvais élève. Pourquoi n'arrivait-il à rien ? me dis-je en pensant à la formidable mémoire qui est la sienne. Comment est-ce possible alors qu'il s'exprime si bien et récite encore avec passion Corneille ou Victor Hugo ? Impossible à démêler. L'orthographe était déplorable. L'algèbre et l'arithmétique le piégeaient. Quand il ne révisait pas sa géométrie, c'était justement là que tombait l'interrogation. On lui posait des questions auxquelles il ne comprenait rien. La racine carrée d'un nombre c'était quel nombre ? Il n'en savait fichtre rien et il s'en moquait bien ! Et les notations médiocres s'amoncelaient, qui régissaient toute son existence d'enfant. S'il ne rentrait pas le samedi avec Jérôme c'était qu'il était collé pour son travail. Il écrivait à son père et lui donnait de tristes éclaircissements : la semaine précédente il avait réussi à avoir une moyenne de 10,1 mais ses notes avaient chuté, il ne comprenait pas pourquoi – il avait appris ses leçons et fait ses devoirs – et sa moyenne était de 7,2 ! Comme il aurait aimé pourtant rentrer à la maison, voir la famille, tante Gabrielle et ceux des frères et sœurs qui seraient là. Claude pensait à eux en écrivant sa lettre hebdomadaire. Chers parents. Les mots noir sur blanc imposaient une sincérité émouvante. Le fils numéro huit ne pouvait tricher avec le papier. Vous ne me verrez pas, je suis collé. Je regrette de ne pas venir vous voir et j'ai bien peur de ne pas venir non plus pour Mardi gras. Je n'y arriverai jamais ! Je suis découragé. Je suis dégoûté. J'espère que tout le monde va bien à la maison.

Pauvre Claude ! pensait peut-être Henri. Mais comment faire autrement que le laisser en pension ? Claude s'était fait renvoyer de tous les établissements qu'on connaissait. On avait trouvé en Seine-et-Marne cette école qui voulait bien de lui. Les pères s'étaient montrés compréhensifs. Jérôme et Claude avaient fait ensemble la rentrée. Jérôme redoublait. Le directeur avait choisi d'inscrire les deux frères dans la même classe de 4ᵉ. Sacré attelage ! Jérôme parlait à tort et à travers et Claude n'était pas remis de sa détresse quand il avait cru que Jérôme allait mourir. Dire qu'il l'avait imaginé mort en le regardant vivant dans son lit ! Et maintenant il ne quittait pas d'un cheveu ce grand frère accidenté. L'amour n'était pas de tout repos. Jérôme faisait des trucs bizarres et on ne pouvait pas lui en vouloir. Pauvre Jérôme, pensait Claude qui pourtant devenait la victime des singeries fraternelles. Il récitait sa leçon de français, le professeur avait inscrit un 17 sur 20 à côté de son nom, quand Jérôme fit remarquer une faute passée inaperçue. Avait-on déjà vu un frère qui enfonce son frère !

— Monsieur Jérôme Bourgeois, n'avez-vous aucune objection à faire à la récitation de votre frère ? demandait désormais le professeur chaque fois que Claude était interrogé.

Et la classe riait. La paire s'était fait remarquer et ne parvenait pas à se faire oublier. Claude détestait cela. Il rougissait, bredouillait, baissait les yeux, supportait le malheur. Il n'était pas assez fier de lui pour aimer se singulariser. Il en aurait pleuré s'il n'avait aimé Jérôme de tout son cœur, si Jérôme n'était pas revenu de la mort. La mort ! Là où maman s'était engloutie. Maman toute blanche et glacée. La perte et la tristesse entouraient la vie de Claude comme un halo que personne ne voyait. Tout son être supportait le chagrin, il avait très mal au fond de lui-même, et *très mal* était aussi l'appréciation de ses professeurs sur son bulletin de notes. Alors toute sa vie allait très mal. Il était absolument seul. *Très mal* : un samedi et un dimanche de plus à la pension !

27 OCTOBRE 1949

Guy fête ses douze ans alors que son frère aîné Jules s'apprête à partir en Indochine et sera père une troisième fois. Marie est une fillette au moment où Louise est une jeune femme. Jérôme et Claude sont deux gringalets adolescents pendant qu'André et Joseph prennent leur envol et que Jean a la responsabilité d'un sous-marin. La fratrie rassemble dix positions. Les frères et sœurs n'ont pas eu la même enfance et ne l'ont vécue ni ensemble ni au même moment. Leurs parents n'ont pas été semblables avec chacun, soit qu'ils aient changé soit qu'ils réagissent différemment à l'une ou l'autre des dix personnalités. Plus tard leur apparaîtra cette évidence que nous méconnaissons parfois et qui se trouve amplifiée dans les familles nombreuses : les événements n'ont pas trouvé en eux le même écho. Car le temps s'en mêle. Une ou deux décennies séparent les naissances, des effets de générations interviennent. Les événements historiques, qui créent des contextes, différencient les trajectoires de ceux qui sont nés des mêmes parents. Les deuils ne frappent pas au même âge et ne laissent pas les mêmes traces. Ainsi Claude (peut-être parce qu'il perdit sa mère à l'âge où commencent les apprentissages) fut-il un pitoyable lycéen quand ses frères aînés (solidement accompagnés) avaient été de brillants élèves. Être dix, ce fut connaître au plus intime comment on diffère d'autrui, par le caractère autant que par l'expérience, par la chance donnée ou retirée, par le sort et par l'histoire. Ce fut sentir immédiatement qu'on s'élabore soi-même seul avec ce qu'on vit au milieu des autres.

La meute avait donc épanoui dix personnalités. Jules serait toujours l'aîné, fort de ce droit ancien, forgé comme un pilier, à la fois recours et autorité. *Jules le magnifique* : haute stature, belle tête, chevelure peignée et persistante, cravaté jusqu'au dernier jour. Il sera pieux, serviable, taquin, peu à peu intransigeant. Jean, le cadet, tout aussi solide et probe, mais effacé : à la seconde place. Ses qualités seront secrètes : impeccable, pieux lui aussi, pénétrant, placide, cultivé. *Jean le bon* : plus petit et fluet que Jules, un visage étroit marqué par un nez qui n'était pas celui des Bourgeois. Ces deux aînés étaient si disciplinés que le troisième ne pouvait être qu'indocile. Nicolas sera solitaire, en opposition avec son père, épris d'idéal. *Nicolas le héros discret* : rêveur et énigmatique, coléreux, un visage romantique et un corps brisé, de plus en plus chétif. Jules, Jean, Nicolas furent tous trois décorés de la Légion d'honneur. Si différents, ils avaient servi leur pays et puisque le temps n'était plus à la guerre, la fratrie pouvait se permettre la rigolade. André sera plutôt détendu, ni sérieux ni rebelle, moins idéaliste. *André le simple* : un corps plus enrobé, mal fagoté, souriant, grand amoureux. Et Joseph sera foncièrement marrant et séducteur. Il voudra la réussite, il sera insatiable. *Joseph l'ambitieux* : beau garçon, jamais coiffé, sale et débraillé, hâbleur comme aucun de ses frères. La panoplie était large. Et c'était sans compter Louise, exubérante et fantasque, tourneboulée en son centre. *Louise la passionnée* : grande et belle brune aux yeux verts, musicienne irrésolue, emportée parce que longtemps bridée par les conventions.

Jules, Jean, Nicolas, André, Joseph, Louise. Ces six enfants pour grandir avaient eu une mère. Les suivants ne l'auraient pas. Jérôme, soi-disant dingo, sourd de l'oreille droite, toujours éberlué et heureux, ratiocineur et allègre. *Jérôme le brave* se dévouerait toute sa vie, comme Claude qui s'était assis à son chevet. Claude, facilement chagriné, ébranlé par la mort de Mathilde, et courageux, travaillerait plus que tous les autres pour rattraper le handicap de ses mauvaises études. *Claude l'impétueux* : une distinction naturelle, une coquetterie de bon aloi, du mordant, de la générosité. Ces deux-là se souviendraient de leur mère pour la regretter, tandis que les plus jeunes n'auraient aucune image. Ils auraient Gabrielle. Guy, bon fils, chouchou de son père, attentif, appliqué, doué, dur à la peine. *Guy le chevalier* avait la blondeur d'Henri, un de ces visages à l'architecture apparente que le temps n'altère pas, l'énergie tourbillonnante de sa lignée. La même fougue animait Marie, petite dernière, orpheline adossée à neuf aînés, modeste. *Marie nourricière* : physiquement du côté de son père, moins grande que sa sœur, moins brune, avec ses yeux bleu fort, loyale et inébranlable.

Ils ne vécurent tous ensemble sous le même toit que quelques mois, pendant la guerre, après quoi chacun à son tour atteignit l'âge de s'éloigner et vivre sa vie. Être le premier c'était quitter tout le monde, Jules le fit. Être dernier c'était voir partir les autres, Marie le vit. Peu de disputes rompaient leurs liens. Ils étaient ardents, excités, véhéments mais pacifiques. Aucun n'était hostile, sournois ou traître. Aucun n'était imbu, infatué, dédaigneux. Aucun n'était pingre ou parcimonieux. Aucun n'était pleutre ou frileux. Aucun n'était obséquieux ou cérémonieux. Les Bourgeois ne manquèrent jamais de noblesse. Ils avaient appris la droiture avant la ruse, le sérieux avant le divertissement, le travail avant le loisir. Leur père était responsable de cela.

— Henri n'était pas marrant du tout, disent quelquefois ceux qui l'ont connu.

Henri aimait néanmoins aller au cinéma (et *marrant* est un qualificatif d'aujourd'hui, sans doute insuffisant pour décrire le personnage). Le vendredi ou le samedi soir il emmenait avec lui ceux de ses enfants qui avaient l'âge et l'envie de l'accompagner. Être captivé, c'était être délesté. Henri donnait en partage cet engouement silencieux qui était le sien. Quelle machine ce cinématographe ! Dans l'enchaînement des images lumineuses on se sentait étreint, mordu, détaché de la réalité et nourri des mondes que l'on ignorait. Une invention merveilleuse ! La modernité et les progrès fascinaient l'homme d'affaires visionnaire né au siècle précédent : les automobiles de M. Citroën, les avions à réaction de M. Dassault, ces grandes ailes qui allaient se perdre dans les nuages, Henri en connaissait les améliorations techniques et les performances. Que de prouesses ! Mais ce que les frères Lumière avaient inventé l'année de sa naissance, il s'y livrait avec jubilation.

— Allons-y ou bien nous serons en retard, dit-il ce soir-là à Claude et Jérôme qui partaient avec lui.

Gabrielle restait à la maison avec Guy et Marie.

Le père marchait en éclaireur devant ses deux fils, vers la rue de Passy qui comptait alors trois salles de cinéma. À quinze ans, Claude n'avait pas achevé sa croissance, il était fluet, chevelu et complexé, tout envahi par les fantasmes de l'adolescence dans cette famille où la conversation privilégiait les sujets convenables plutôt que les sujets intéressants. Long et pâle, les cheveux blonds, Jérôme quant à lui était surnommé *l'asperge* par sa sœur Louise, qui se vengeait ainsi des taquineries constantes de ses frères. Il avait seize ans et demi, un jeune âge que sa vocation de médecin rendait plus confortable : Jérôme savait ce qu'il voulait faire de sa vie. Il le savait dans le secret de lui-même, à Claude il l'avait confié, parce que Claude et lui c'était une seule vie qui s'était scellée le matin où Jérôme était sorti de son coma. L'accident de Saint-Martin n'était pas oublié, chaque fois que Jérôme faisait une blague l'assemblée se demandait si c'était du lard ou du cochon : s'il plaisantait ou s'il avait encore la tête à l'envers.

Ce samedi on projetait *Stromboli*, de Roberto Rossellini. Ingrid Bergman y tenait le rôle principal – et éprouvant. La comédienne venait d'incarner Jeanne d'Arc. Avec discrétion et retenue, elle avait prêté sa beauté à la sainte et à l'héroïne. Elle avait porté jusqu'en Amérique ce noble morceau de l'histoire française. La presse parisienne évoquait peu son récent divorce. Sans s'intéresser aux commérages et calomnies, Henri admirait Mme Ingrid Bergman. Il n'était pas le seul si l'on en jugeait par la file d'attente devant le guichet au fond de la galerie d'entrée. On partit sans lambiner vers les autres cinémas. *Les Amants traqués* étaient sortis sur les écrans le mercredi 23 novembre. Aux côtés de Joan Fontaine, Burt Lancaster y jouait le rôle d'un soldat américain, rescapé d'un camp de prisonniers, qui ne se réadaptait pas à la vie civile après la Seconde Guerre mondiale. En cette fin d'une année où la France avait bénéficié du plan Marshall, le film attirait du monde. Toutes les places étaient vendues. Dans le dernier des trois cinémas de

Passy se donnait *L'Épave*. L'épave, cela devait être une histoire de mer et de bateau. L'envie de la salle obscure et des images ne réclamait pas plus d'information pour se satisfaire. La capacité de décision d'Henri n'était pas une légende : il prit trois billets et puisqu'il était myope, le père et ses deux fils s'assirent au deuxième rang. Claude, Jérôme, Henri.

Le générique passa sur fond de nuit étoilée, l'insigne des films du Verseau puis la liste longue des gens de cinéma qui avaient collaboré. Pas de mauvaise surprise, aurait pu se dire Henri s'il avait été inquiet, on était bien sur un bateau. Le capitaine parlait à des réfugiés entassés au fond de la coque. Perrucha était l'un d'eux. Françoise Arnoul, le visage poupin, incarnait la jeune femme sans papiers qui avait faussé compagnie à un beau-père trop pressant et rêvait de vivre en France, pour danser et chanter. On apprenait cette histoire avec le premier bienfaiteur de Perrucha, un homme aisé qui roulait dans une voiture avec chauffeur, avait ramassé en stop et conduit chez lui la jeune clandestine. Si Perrucha avait du talent, il l'aiderait, car il avait de l'entregent. Voilà ce qu'il lui disait après l'avoir écoutée.

— Le talent, personne ne sait au juste ce que c'est. La preuve, on n'est jamais d'accord, disait le riche monsieur qui semblait loin d'être stupide.

Perrucha écoutait en faisant des mines de coquette, des bouderies de jeune fille, des yeux qui vrillent de séductrice. Henri devait être content, le film était vraiment pour tout public.

Mais c'était sans compter avec l'ambition de Perrucha ! La jeune fille sans papiers allait devenir une petite garce. Elle ferait ses griffes sur le cœur de Mario, un scaphandrier, et leurs amours de cinéma feraient rougir Claude et Jérôme qui se poussaient du coude. Quand apparut à l'écran le buste dénudé de Françoise Arnoul, les deux garçons pensèrent bientôt quitter la salle derrière leur digne père. Au deuxième rang de la salle, ils avaient la paire de seins dans les yeux ! Claude se tortillait sur son fauteuil, chatouillé par l'émoi et la surprise. Jérôme battait du coude. Henri ne bougeait pas. Ses fils pouvaient voir le profil impassible de son visage éclairé par l'écran. Le drame courait vers son issue tragique, car l'amour est tragique.

Soixante-sept ans après ce samedi soir, Claude se rappelle ce moment bouleversé par cette féminité qui s'exposait. Et je vois son émotion lorsque je trouve sur le web l'affiche du film et la vidéo d'une des chansons que chantait Perrucha. Le temps est aboli dans ces retrouvailles d'un souvenir et du présent.

— Papa adorait le cinéma, dit Claude. Il avait vu tous les films de Brigitte Bardot. Il avait vu *Et Dieu créa la femme*.

J'entends dans cette phrase la stupéfaction qu'elle recèle : Henri, le catholique rigide, était allé voir Brigitte Bardot qui danse sauvagement devant la convoitise des hommes ! Claude s'émerveille-t-il du pouvoir de Bardot ? Ou bien s'amuse-t-il de l'idée du face-à-face Henri-Brigitte ? Ou bien se réjouit-il que son père fût malgré tout capable de se détendre ?

— Et que pensait-il de Bardot ? dis-je.

— Ah ! dit Claude en rigolant, il pensait qu'elle était la preuve qu'on peut avoir reçu une bonne éducation et mal tourner !

2 JANVIER 1950

En Indochine, *aller au cinéma* était une expression des légionnaires pour désigner les missions difficiles. Ça n'était pas courir voir Brigitte Bardot se tortiller sur un écran (la starlette n'avait pas encore percé et c'est en Algérie que les soldats rêveraient devant sa photographie). On va au cinéma : c'était dire sans le dire *En route pour le coup dur, on est bons cette fois pour y laisser notre peau*. Les mots tordaient le cou aux superstitions. *Rouler sur bikini* signifiait s'embarquer dans un camion dont le chargement – carburant ou munitions – exploserait à la première balle reçue. À la Légion, on ne parlait pas de certaines choses. Jules constatait que sa bonne éducation était un passeport de qualité, Henri Bourgeois lui avait appris la discrétion et une réserve de bon aloi. Ici, il ne s'agissait pas de *se tenir* mais d'écarter toute évocation de mort imminente. En somme le courage commençait avec le silence. Il s'installait au début de ces opérations impossibles dans lesquelles les pertes en hommes sont mathématiques. Nous allons sortir en nombre, le feu tue, dans moins d'une heure certains seront morts : tout le monde le sait, tout le monde le tait. La force incomparable des légionnaires, corvéables à merci, ces volontaires qui allaient se battre et mourir à la place des Français, était silencieuse.

À la Légion, on ne parlait jamais non plus du passé. Du passé on faisait vraiment table rase. Un engagement avait obéi à d'inavouables motifs ? Personne n'en soufflait mot. Des proxénètes poursuivis par le milieu, des bandits corses, des collabos, côtoyaient des amoureux éplorés ou des orphelins. Au 3ᵉ régiment étranger d'infanterie, au 2ᵉ régiment étranger de cavalerie, il y avait des fascistes italiens et sans doute d'anciens nazis. Quatre-vingts pour cent de l'escadron de Jules était composé d'Allemands. Ces types étaient rentrés chez eux et qu'avaient-ils trouvé ? La mort, la désolation, la culpabilité et le désespoir. Certains avaient perdu toute leur famille : leurs pères avaient préféré la mort au déshonneur de la défaite ou à celui d'avoir suivi Hitler. Les fils rentraient pour découvrir les leurs suicidés. Jules eut vent de quelques tragédies spécifiquement allemandes. Il avait vu de ses propres yeux l'Allemagne monceau de ruines. Le spectacle avait de quoi abattre un cœur qui avait combattu. Que savaient faire les soldats rentrés dans ces décombres ? La guerre. Alors ils y retournaient. Ils s'engageaient à la Légion, suivaient quatre semaines d'instruction à Sidi Bel-Abbès et s'embarquaient sur les navires mis à disposition pour acheminer les troupes vers l'Extrême-Orient. Jules était passé par Sidi Bel-Abbès et maintenant il avait à côté de lui des survivants de tous les grands fronts, d'anciens membres de l'Afrikakorps, des combattants de la campagne de Russie, peut-être des survivants de Stalingrad. Certains avaient connu Rommel ou Paulus. Jules songea-t-il à la bêtise de la guerre ? Que pensa-t-il du refuge qu'offrait la Légion à des criminels ? Sans doute rien, car il lui fallait rester dans l'action. L'Indochine demandait beaucoup aux légionnaires. Quand on donne son sang à la Patrie, elle le prend et elle pardonne. Ces criminels offraient leur vie. Ce sacrifice valait absolution. Jules commençait de penser que Dieu seul peut juger.

Il avait embarqué le 2 janvier. Un mois plus tard il accostait à Tourane. Les compagnies attendaient leurs ordres de route. Jules fut affecté sur la route coloniale 1, dans le secteur de Dong Hoi, la base aérienne du Centre-Annam. Et maintenant il combattait aux côtés de ses ennemis d'hier. Très vite, il l'oublia.

29 AVRIL 1950

Notre psychisme est ainsi fait que nous oublions. Nous oublions les événements, la forme des journées que nous avons vécues, les pensées que nous avons eues, les sentiments et les humeurs qui nous ont envahis. Ne restent que des impressions sommaires. Le passé devient un grand résumé indistinct. Les dates s'emmêlent, des pans entiers s'engloutissent, et nous ignorons même ce que nous avons oublié. C'est merveille. Sans cette machine à estomper, sans cette sorte de gomme intérieure, nous serions éternellement dans le deuil, le chagrin et l'angoisse. Jamais nous n'oublierions ceux que nous avons perdus, ni la détresse que leur perte fit lever en nous, ni l'horreur de leur mort et de leur agonie. Nous oublions et c'est une grâce. Le présent nous capte. La vie nous entraîne. Ainsi en allait-il dans l'esprit d'Henri. En dix ans, la mort de

Mathilde avait perdu sa violence de drame pour devenir une absence supportable. Le visage de Mathilde était devenu le visage de papier, lisse et tranquille, que restituaient les photographies. Il n'avait pas vieilli comme celui de Gabrielle. Mathilde existait dans une jeunesse figée alors que la ligne de son corps dans la main d'Henri autant que le sang de sa mort étaient effacés à jamais. Chacun avait oublié le détail des jours avec Mathilde pour ne plus connaître que ceux avec Gabrielle. Alors Henri devint capable de fêter l'anniversaire de Marie. La naissance de son enfant et la mort de sa femme s'étaient enfin disjointes. La vie avait remporté la partie. Le 16 mars, on fêta donc les dix ans de la dernière fille de Mathilde.

— Ton premier anniversaire à deux chiffres Mimi ! disaient Jérôme et Claude en chatouillant leur sœur, et Marie riait en se tortillant.

Gabrielle avait accompagné Valentine dans les grands magasins pour acheter une de ces nouvelles poupées qui ont de vrais cheveux à coiffer. Un mois plus tard, le 17 avril, ce furent les vingt ans de Louise. Nouvelle fête. Que d'étapes ! pensait Valentine en contemplant ses deux petites-filles. La grande était le portrait de Mathilde et la plus jeune ressemblait à Henri. Valentine était à peine capable de se remémorer son fils quand il avait dix ans. Elle ferma pourtant les yeux. Henri en 1905. L'année de la déchirure française ! La rage de laïciser avait saisi le pays et la haine de l'Église jaillissait ici ou là comme un feu de forêt qui se répand. C'était un tout autre temps. On n'avait pas encore connu ce que l'homme peut faire à l'homme. On ignorait sa puissance de ravage. La Grande Guerre n'avait pas frappé les familles et la seconde n'avait pas horrifié les consciences. Valentine alors était entourée de tous les siens, son monde entier était vivant, personne encore n'était mort. Ni Jules son mari, ni ses fils Louis et Jean, ni Margot ni Élisabeth. Et Pierre n'était pas né. La vie est un songe infini : on l'imagine, elle vient différente, on la traverse et la retraverse, elle semble en nous mourir et renaître, nous tuer et nous ressusciter, on y repense et l'on s'étonne.

— À quoi pensez-vous, mère ? demanda Henri.

— Je suis là, dit gentiment Valentine.

Elle regardait son fils. Henri avait cinquante-cinq ans ! Et elle non plus ne rajeunissait pas.

— Bon anniversaire grand-mère !

— Vas-y, souffle très fort ! Allez !

— Bravo ! Bravo, Mathilde !

Ils fêtaient maintenant les quatre-vingt-un ans de Valentine en même temps que les quatre ans de son arrière-petite-fille, Mathilde. Clotilde découpait les gâteaux et servait les enfants.

— Asseyez-vous, dit-elle à Élise et Marie en leur tendant une assiette.

Gabrielle berçait Madeleine qui avait quatre mois et ne connaissait pas son père légionnaire. On était le 29 avril 1950 et Valentine ignorait absolument qu'il lui restait cinq jours à vivre.

4 MAI 1950

Elle se sentait fatiguée comme jamais auparavant dans sa vie et il est vrai que jamais dans sa vie elle ne s'était

trouvée si proche de sa propre mort. Essoufflée au moindre effort ! Monter les quelques marches de Saint-Sulpice
lui devenait pénible. Était-ce passer devant la plaque de
marbre et lire pour la dix millième fois les noms de Louis
et Jean ? Pas seulement. Comment pourrait-elle ne pas
être lasse ? Elle avait vu tant de choses, elle avait aimé tant
de gens qui n'étaient plus. Tant d'années les unes sur les
autres, comme les briques d'une tour, venaient à bout de
sa force. La tour de sa vie l'écrasait de toute sa hauteur.
Trois guerres, le siège de Paris, une saignée dans la jeunesse et deux fils disparus, une crise financière, l'exode,
l'occupation allemande, un fils prisonnier, le bruit du
canon, le ronflement des avions et des bombardements.
Des morts et des morts. Elle ne les comptait pas et les
gardait dans ses prières. Ceux de ses petits-enfants qui
avaient dormi chez elle le savaient. Ils avaient vu dans
sa chambre son autel, ses photographies et son prie-
Dieu. Ses morts étaient présents. Un nouveau-né, un
mari, deux fils et deux filles, ses parents, une belle-fille,
qui l'attendaient dans la grande paix des défunts. Elle
ne serait pas seule au ciel quand à son tour elle mourrait. Et ceux qui restaient ne seraient pas seuls non plus.
Valentine se le disait. Jules et Clotilde avaient trois filles.
Jean et Françoise une fille et un fils qu'ils venaient de
baptiser Henri. À lui seul le retour de ce prénom disait
la suite des générations, le recommencement, la jeunesse qui déserte les uns mais se déploie dans les autres.
Valentine pensa-t-elle qu'à l'âge de quatre-vingt-un ans
on a acquis le droit de quitter le monde ? Les vivants
ont eu leur part de vous-même et l'on s'appartient. On
fait de soi ce qu'on veut. On est enfin libre de consentir

à mourir, d'aspirer même à disparaître. C'est ce que fit Valentine au début du mois de mai. Le 4, elle mourut.

Quatre jours plus tard, les Bourgeois formaient un cortège noir dans le cimetière Montmartre. Valentine reposerait à côté de son mari et non loin de Mathilde. Après la mise en terre et l'adieu, Henri entraîna Jérôme et Claude sur la tombe de sa femme défunte.

— Venez mes enfants dire une prière pour votre mère.

Claude penchait la tête et se taisait, il récitait le *Je vous salue Marie*, les yeux fixés sur le nom et les dates gravés, 1897-1940. Maman était là, sous la pierre, dans une longue boîte en bois. Il aurait voulu la voir et la toucher, oh oui ! Il était saisi d'effroi et de tristesse. Comme elle lui avait manqué ! Il se sentait abandonné. Jérôme était tranquille. Henri avait les yeux fermés. Au loin dans l'allée, Guy et Marie marchaient derrière Gabrielle. Eux n'avaient pas d'autre mère qu'elle. Mathilde était une abstraction et Valentine un souvenir. Voilà ce que fait de nous la mort.

17 DÉCEMBRE 1950

Une lettre de Clotilde avait averti Jules : sa grand-mère venait d'être rappelée à Dieu, ses filles prospéraient. Élise était première de sa classe, Mathilde se débrouillait, Madeleine pesait onze kilos et faisait deux dents. La mort et la vie se côtoient, s'interpénètrent, se démolissent, et nos esprits doivent s'en contenter, surmonter cet emmêlement cruel. En ébranlant le jeune lieutenant, la disparition de

Valentine l'affermit, et à l'adversité du moment il répondit par la fermeté du tempérament. Une seule réponse lui vint : faire honneur. Dans le maelstrom des naissances et des décès où l'on figure minuscule et modeste, il fallait se vouer crânement au dessein qu'on avait formé. Voilà ce que pensa Jules. Le conflit indochinois sollicitait son engagement. Il découvrait la guerre révolutionnaire que menaient les viêt-minh. Il retrouvait sa peur du communisme, la même qu'il ressentait en 1944 quand les maquis FTP étaient devenus si puissants qu'il craignait un coup de force. Le massacre des élites, la rééducation des masses, la dictature du prolétariat, ces mots qui désignaient des choses abominables mobilisaient l'officier chrétien. L'arrivée du général de Lattre en Indochine officialisa cet élan dans toutes les troupes. *Je vous apporte la guerre et la fierté de cette guerre. Notre combat est désintéressé. Nous ne combattons pas pour la domination mais pour la libération.* Le 17 décembre, le grand chef de guerre atterrit à Saigon. Son prestige civil et militaire devait lui permettre de restaurer la situation et l'état d'esprit des armées. Il remplaçait le général Carpentier sous le commandement duquel l'abandon dramatique du camp retranché de Cao Bang avait décimé le 1er régiment étranger de parachutistes, l'élite de l'élite. Dans les cols montagneux du Tonkin, à la frontière chinoise, des milliers de légionnaires étaient morts. Sur les six mille hommes engagés dans l'opération *Thérèse*, les lignes françaises en recueillirent une centaine. La tristesse et la honte avaient saisi les armées. Le corps expéditionnaire français se battait depuis 1946 et jamais le moral n'avait été aussi bas.

Avec de Lattre, les choses évidentes étaient enfin formulées : les soldats colonialistes devenaient les soldats de la liberté. La reconquête coloniale se muait en guerre contre l'expansion communiste. La guerre des Français (comme on l'appellerait plus tard au Viêtnam) était l'expression en Asie de la guerre froide. Jules n'en doutait pas, il combattait pour la paix et la liberté dans un pays menacé par la dictature communiste. De nombreux Vietnamiens risquaient leur vie à ses côtés parce qu'ils refusaient de se soumettre au Viêtminh. Cette guerre était aussi une guerre civile. L'opinion française, si désintéressée de ce conflit lointain, devait en être informée. Le général de Lattre l'avait compris. Un événement n'existe pas tant qu'il ne flamboie pas dans les journaux, disait-il à ceux des correspondants de presse qu'il affectionnait. À quoi bon remporter des victoires si l'opinion les ignore ? Les militaires devaient communiquer eux-mêmes. Laisser ce soin aux politiques était la dernière connerie à faire, pensait Jules. Du Chemin des Dames à Cao Bang, on reconnaissait le résultat criminel des décisions de gouvernements qui se souciaient beaucoup de l'opinion ou des grandes idées, mais trop peu des réalités, du terrain, des hommes, des renseignements. Ils nommaient les généraux les plus soumis et entraînaient l'armée dans les désastres qu'ils prétendaient éviter. L'évacuation des citadelles de la route coloniale n° 4 était venue d'une de ces alliances déplorables. Contre l'avis stratégique et tactique des généraux qui commanderaient l'opération, le repli avait été décidé et la frontière chinoise était devenue à la fois le tombeau des légionnaires et une zone abandonnée aux communistes.

1951

En vérité, l'arrivée de De Lattre relança la guerre au moment où la France ne pouvait plus la gagner seule. La victoire de Mao sur les partisans de Tchang Kaï-chek venait de changer la donne. Mais pour l'instant, en cette fin de l'année 1950, le général faisait du Nord un verrou et du Sud une zone pacifiée. Le cantonnement de Jules était exactement au milieu de ce dispositif.

Une seule route reliait le Nord au Sud : la RC1. La route coloniale n° 1 menait de Saigon à Hanoi en longeant la côte sur une portion, de Phan Thiet à Ninh Binh. C'était le plus grand axe de communication du pays. Elle le bordait, comme la mer, du delta du Mékong à la frontière chinoise, de Sadec à Lang Son. La route doublait la voie ferrée sur laquelle depuis novembre 1948 un train blindé précédait chaque convoi important. Construit par la Légion, ce mastodonte ahurissant était servi par cent guerriers d'élite et gagnait la bataille du rail. Des patrouilles en descendaient qui assainissaient aussi les abords de la route. De Sadec à Lang Son les légionnaires combattaient.

À la tête d'un escadron de Légion, Jules était cantonné dans le secteur de Dong Hoi, là où la RC9, venue de l'intérieur, se jetait comme un affluent dans la RC1.

Le lieutenant Bourgeois et ses hommes étaient logés à proximité de ce carrefour à trois branches. À cent soixante-dix kilomètres au sud, sur la côte, se trouvait l'ancienne cité impériale de Hué, garnison française où résidait l'état-major. L'escadron du 2ᵉ REC évoluait sur le tronçon Dong Hoi-Hué pour des missions classiques et routinières : escortes routières, surveillance des infrastructures, dégagements des postes. Le Viêt-minh tendait de multiples embuscades et appliquait contre l'armée impérialiste les tactiques militaires de Mao. *L'ennemi avance, nous reculons. L'ennemi s'arrête, nous le harassons. L'ennemi est fatigué, nous l'attaquons. L'ennemi se replie, nous le poursuivons.* Doublée d'une manœuvre diplomatique pour faire reconnaître la république du Viêtnam, cette guerre défensive préparait une contre-offensive générale dont Diên Biên Phu serait l'acmé trois ans plus tard.

Dong Hoi, ce n'était pas le triangle des rizières ou la Haute Région, c'était un coin relativement tranquille et depuis son arrivée l'unité du lieutenant Bourgeois y faisait aussi la guerre à l'ennui. L'alcool, les cigarettes, le jeu et les femmes distrayaient des hommes menacés par le désœuvrement. C'était la vie des légionnaires dès qu'ils n'étaient pas en opération. L'officine de jeu et le claque engloutissaient leur paie. Il fallait bien se fondre dans le groupe par un de ces joujoux. Jules dédaigna le jeu, refusa les femmes – j'en ai quatre à la maison ! disait-il – mais goûta au whisky. Il prit une stature de géant, un cou et une grosse tête un peu apoplectiques. La chaleur et l'alcool modelèrent son visage et lui volèrent pour toujours sa jeunesse. Il eut le visage de l'innocence perdue.

— En Indochine Jules n'a pas fait une grande guerre, me raconte un fils de Marie que les questions militaires intéressent.

Il faisait une *petite guerre*. L'expression se comprend bien chez les militaires. Mais c'était une guerre quand même, me dis-je, une véritable guérilla, et Jules ne couperait pas à son expression la plus désastreuse. Celle qui l'attendait changerait sa carrière et toute son existence.

Car voilà le lieutenant Bourgeois sur la route de Hué à la tête de deux compagnies de Légion. Le départ ne s'est pas fait sans discussion. Malgré la bonne éducation – ou peut-être à cause d'elle –, le caractère Bourgeois est emporté, et celui de Jules réagit violemment à la bêtise, la bêtise qui fabrique les fautes graves.

— Deux compagnies, mon colonel ? Donnez-m'en quatre ! s'exclame Jules quand il reçoit l'ordre de mission.

D'importants rassemblements de rebelles ont été signalés le long de toute la côte. On pense que dans certains villages l'ennemi a creusé un labyrinthe de tunnels qui lui permettent de jaillir par surprise. Le lieutenant en a eu vent, le colonel n'y croit pas. C'est pourquoi il envoie seulement deux compagnies en reconnaissance jusqu'au poste de Lien Thien à une cinquantaine de kilomètres au sud de Dong Hoi. Il faut ratisser ! Les hommes se délitent ! Cette pensée est récurrente chez ce chef qui répond aux objections de Jules par la hiérarchie :

— Personne ne vous a demandé votre avis, lieutenant.

— C'est de la connerie ! déclare Jules.

— C'est un ordre et surveillez votre langage.

Cent soixante cavaliers avancent de conserve avec une compagnie de spahis que commande un camarade de promotion de Jules. L'un et l'autre ont décousu leurs galons car l'ennemi charge ses tireurs d'élite d'abattre les officiers. La route longe une cocoteraie sur sa gauche, sur la droite la végétation effervescente est insondable. L'ordre de progression a été établi. L'automitrailleuse de tête sait qu'elle court le plus grand danger. Une patrouille du génie a vérifié la voie, mais le camouflage des mines dans des toiles plastifiées neutralise les détecteurs. Tout à coup un véhicule au milieu du convoi roule sur un déclencheur et saute en l'air. Un tir infernal se déclenche. La surprise ne dure qu'une fraction de seconde, le temps que retombe l'écho du premier tir. Jules a prescrit à ses hommes de ne pas gicler immédiatement des véhicules, mieux vaut profiter des blindages en laissant l'agresseur vider ses chargeurs. Quand le feu faiblit vient le moment de se débarquer. Mais cette fois l'embuscade est énorme. Un millier de soldats viêt-minh, tapis dans des trous individuels creusés dans les dunes et le long de la route, se jettent sur les deux compagnies. Le combat est à un contre six. Jules Bourgeois voit mourir ses hommes. Le serveur d'une mitrailleuse a été frappé d'une balle dans la gorge et son sang l'inonde. Le jeune Haas a reçu une balle dans la tempe, il est couché par terre les bras en croix. Un corps se traîne vers un fourré, à sa cuisse une blessure saigne abondamment, à peine a-t-il atteint sa cache qu'un petit soldat en noir l'attrape par-derrière et l'égorge. Les serre-files sont-ils partis chercher des renforts ? Aucun moyen de le savoir. Les deux compagnies de Légion et les spahis se font étriller.

Quelques jours après ce massacre, au mess des officiers, Jules retrouve le colonel qui a négligé les renseignements. Ses yeux bleus fondent sur son supérieur.

— Lieutenant, quand on fait la guerre, il faut être sûr que l'objectif poursuivi justifie les pertes. Sans cette certitude on ne saurait commander, dit le colonel.

Jules lui jette son verre de whisky à la figure et tourne les talons. On ne justifie pas la bêtise quand elle coûte la vie, on ne retrouve pas la vie quand on l'a perdue. Pour la première fois il pense : lorsqu'il n'y a plus rien à faire, il reste la prière.

À son père, Jules écrit : J'ai eu le malheur de le constater, une embuscade montée avec des mines et d'importants effectifs réussit presque à tous les coups. Le découragement nous guette. Militairement la situation paraît sans issue. Nous tenons les villes et une constellation de petits postes, nous sécurisons les voies de communication. Mais les viêt-minh sont partout, harcèlent les postes, coupent les routes, terrorisent les villages. Nous tenons et les hommes tombent. Personnellement, je crois que nous avons perdu la guerre le jour où nous avons abandonné le Nord aux communistes. Père, je vous embrasse.

À Clotilde, Jules n'avait rien raconté.

5 JUIN 1951

Clotilde avait vingt-sept ans ce jour-là et en l'absence de son mari, la table était mise dans la salle à manger du boulevard Émile-Augier pour fêter cet anniversaire.

Gabrielle et Henri, droits sur leurs chaises, présidaient ce repas en l'honneur de celle qui était à la fois fille et belle-fille. Élise et Mathilde, sept et cinq ans, étaient assises à côté de leur mère, parfaitement silencieuses, les mains à plat sur la table comme elles avaient commencé d'apprendre que le font les personnes bien élevées. La petite Madeleine dormait dans une chambre. Un nœud dans les cheveux, un nœud derrière le dos, Marie glissait des regards à Élise en attendant de jouer avec elle. À table, la règle demeurait : ceux qui n'avaient pas le baccalauréat avaient l'autorisation de se taire. Fraîchement majeure, Louise racontait les anecdotes que lui valait de connaître sa place d'hôtesse de Paris. Avec sa voix forte, ses grands gestes et ses emportements quand elle parlait, elle agaçait son père de toutes les manières possibles. Henri avait fini par lui couper la parole et replacer la conversation sur le sujet de l'Indochine. Chacun partagea les nouvelles que Jules envoyait aux uns et aux autres. Jules était parti depuis un an et demi mais Clotilde parlait de lui comme s'ils conversaient ensemble tous les soirs. Les lettres étaient une communion des esprits et Clotilde se sentait proche de son mari comme jamais. Jérôme, Claude et Guy écoutaient avec un respect marqué pour leur frère aîné combattant. Ces évocations auréolées de noblesse achevaient de convaincre Guy que sa vocation était militaire. Claude n'avait pas le feu sacré. Il admirait. Un an plus tard, le retour de Jules lui montrerait le prix que la guerre fait payer.

5 JUILLET 1952

Il n'avait pu avertir de son retour et sonna à la porte de chez lui en pleine journée à l'improviste. Des petits pas pressés résonnèrent sur le parquet. Clotilde ouvrit. Elle n'avait pas vu son mari depuis deux ans et demi.

— Bonjour monsieur, dit-elle très poliment et sur le point de demander l'objet de cette visite.

Jules avait pris quinze kilos. Dans ses yeux un peu exorbités, le blanc était rouge et faisait une blessure larmoyante au cœur d'un visage enflé, au teint rubicond. Un légionnaire était de retour et sa femme le recevait comme un inconnu.

— Clotilde, murmura-t-il.

Et Clotilde reconnut son mari.

Son mari ! Comme il avait changé ! Jamais il n'avait eu ce visage. Jules, c'était le même prénom, c'était le même fils, mais ce n'était plus la même âme. Sa famille l'ignorait, désormais il habitait autrement le monde, il habitait un autre monde. Toutes ses représentations antérieures étaient brisées. La guerre qu'il avait faite lui avait laissé le temps d'écouter, d'observer, de penser. Il avait vu des hommes mutilés, d'autres décapités – leurs têtes tranchées remisées dans les latrines –, des soldats pendus en grappe à six dans le même nœud. Il avait entendu cent histoires et compris pourquoi ne pas tomber vivant aux mains de l'ennemi était une obsession des légionnaires. Plutôt se donner la mort. Le raffinement des supplices faisait vomir les plus aguerris des soldats. Les populations des villages qui acceptaient la protection des Français étaient exposées, les chefs et leurs familles torturés les uns sous les yeux des autres. Des pères et des fils s'étaient regardés mourir, face à face dans des orchestrations cruelles, inconcevables pour un homme d'honneur. Les viêt-minh vouaient une haine féroce aux légionnaires. L'empalement au bambou ou la crucifixion, qui savait ici que ces tortures duraient des jours ? Ici on ne savait rien, que tenir les militaires français pour d'affreux colonialistes, des types rétrogrades qui se battaient contre le vent de l'Histoire. Comme si ça n'étaient pas les hommes qui font l'Histoire ! Soldats de France, ils étaient les soldats de la liberté, personne ne voulait l'admettre et il fallait vivre en sachant cela. Il avait fallu combattre non pas pour être admiré mais pour gagner la guerre contre l'endoctrinement communiste et la cruauté qui le portait vers le pouvoir. Tâche impossible. Des types venaient lui demander l'autorisation de se saouler la gueule. Vous l'avez ! disait Jules. Merci, mon lieutenant ! Lui-même avait bu plus que de raison. Jules avait vu éclater la fureur de vivre et les idylles des légionnaires avec des congaïs. Ces histoires se terminaient dans les larmes et cette guerre s'achèverait dans le désespoir.

D'Indochine, Jules rentra dévasté. Le désordre moral était silencieux mais bien lové au-dedans. Des actes qu'il n'avait jamais envisagé ni de voir commis ni de commettre, une situation de tragédie, des camarades morts bêtement, un colonel qui était le plus fameux imbécile qu'il eût jamais rencontré dans l'armée, l'aîné des fils Bourgeois revenait écrasé par cette somme de catastrophes. L'épisode du verre de whisky nuirait à son avancement, il ne serait jamais général, mais ce n'était pas à quoi il pensait. L'esprit de jeunesse en lui était tari. Le prisme à travers lequel il voyait l'existence était devenu sombre. Ses parents, sa grand-mère, ses oncles, tous avaient infiniment de jugement, de courage et de sagesse, par leur exemple ils avaient forgé son idée de l'homme, la guerre venait de ravager cet édifice intérieur. Sa personnalité devait absolument se reconfigurer pour ne pas s'écrouler à la manière d'une charpente dont on aurait scié la poutre maîtresse. Alors quelque chose d'irréversible se passa, une métamorphose inattendue. Celui qui aimait rigoler, danser, manger, se tourna exclusivement vers Dieu. Était-il à bout de foi dans l'homme ? Il plaça en l'Église toute celle qui lui restait. Au message du Christ il donna son esprit, son temps, ses discours, et Clotilde le suivit, comme elle pensait qu'une épouse suit son mari. Maintenant et pour le reste de leur vie, Jules et Clotilde Bourgeois se tenaient par la main de la foi. Ils n'avaient aucune autre ambition que de plaire à Dieu et de porter haut son image. Ses commandements commencèrent de contraindre leur vie.

24 MARS 1954

Les commandements de Dieu n'ordonnaient pas seulement la vie de Jules et Clotilde, ou celle des Bourgeois. En Irlande – où séjournait Claude –, pendant tout le temps du Carême, les gens allaient à la messe à six heures trente chaque matin. M. et Mme Bradley faisaient ensuite la prière silencieuse jusqu'à huit heures trente. Et le soir ils retournaient à l'office de dix-huit heures trente. Et cela pendant quarante jours ! Si Claude choisissait de ne pas aller à l'église, tout Londonderry en parlerait. Le petit Français ferait honte à la famille Bradley qui le recevait si bien. Claude ne voulait pas cela. Il voulait être un pensionnaire aussi parfait que l'était prétendument son anglais.

— *You speak english perfectly !* lui disait Joe Bradley, qui avait dix-sept ans et aurait aimé parler aussi bien le français.

Tout le monde ici trouve naturel de passer la plupart de son temps à l'église, écrivait Claude à son père. Et cela semblait dire que lui ne trouvait cela ni naturel ni fascinant. Il commençait d'avoir au catholicisme cette relation d'acceptation sans certitude ni exaltation qu'il aurait toute sa vie. Il est presque impossible de dire s'il avait la foi. L'eût-il perdue ou même jamais trouvée, il ne l'aurait pas dit.

Tout le monde trouve naturelle de passer la plus part de son temps à l'Église. Claude faisait dans ses lettres une extraordinaire quantité de fautes d'orthographe dont avant de finir il s'excusait par des formules élégantes qui détonnaient. Là se trouvait la raison de son expatriation provisoire. Un si mauvais élève, renvoyé de tous les établissements et qui n'avait aucune chance de réussir le baccalauréat, qu'en faisait-on ? Henri avait jugé qu'apprendre l'anglais et voyager était la meilleure option pour son septième fils. Il envoya Claude chez des amis écossais, dans la région de Glasgow, à Hamilton. Louise s'était mariée le 26 juin, le 7 juillet Claude fêta son anniversaire – on était en 1953 –, quelques jours plus tard il rejoignait une jumelle anglo-saxonne de la famille Bourgeois.

À dix-neuf ans, il découvrait l'exil et la liberté. Les cours commençaient à neuf heures quinze et finissaient à quinze heures quinze. Jamais l'école française ne lui avait laissé autant de temps libre. Il lisait les journaux, il lisait des romans – surtout des romans policiers –, il jouait au football, il regardait les matchs des équipes locales dans les halls publics avec ses camarades de collège, il suivait des cours en langue anglaise et en donnait en français aux jeunes collégiens. Se félicitant de réussir dans cette tâche, il écrivait à ses parents : vous voyez que je suis toujours aussi content de moi ! Ce qui était l'exact contraire de la réalité. Il commençait à rêver en anglais et à regarder les filles. La séparation était difficile. Avait-il le sentiment de la subir parce qu'il avait été nul à l'école ? La fratrie manquait-elle d'autant plus qu'elle était grande ? Claude réclamait sans cesse des nouvelles, les attendait, les ressassait. À Glasgow, il apprit que Jérôme avait échoué au bac et que Louise attendait un bébé ! Il prenait à cœur ces événements. Guy ne répond pas à mes lettres ! se plaignait Claude dans celles qu'il envoyait à Henri. Quel étrange sentiment d'éprouver tout à coup sa vie indépendante d'une famille que l'absence d'un des siens ne trouble pas. On se croyait ligoté à la fratrie et l'on s'apercevait que chacun mène sa propre existence. Cette découverte faisait mal et donnait des ailes.

À la fin de novembre 1953, Claude quitta l'Écosse : il prit le bateau pour l'Irlande du Nord et arriva à Londonderry dans la famille Bradley. M. Bradley – quarante ans comme sa femme – dirigeait un commerce de vin et alcool, whisky particulièrement, et madame était à la maison. Père, mère et cinq enfants tous plus jeunes que lui accueillirent Claude avec chaleur. Mais l'Écosse lui manqua, où il s'était fait des amis. Les meilleures choses finissent toujours trop vite, écrivit Claude à son père. Il fallait maintenant tout recommencer, il se sentait mélancolique. Pour la première fois depuis dix-neuf ans, il fêterait Noël loin des siens ! Comment se passent les préparatifs ? Racontez-moi le programme des festivités habituelles ! Claude réclamait des nouvelles à cor et à cri ce qui se traduisait sur le papier par une gentillesse désarmée. Sa personnalité se révélait marquée par de grands besoins affectifs, une importance extraordinaire de la famille dans ses pensées. Jérôme n'écrit jamais et Guy ne m'a pas encore répondu !

1954

S'il n'avait pas été à ce point un enfant, Claude en Irlande aurait pu découvrir le grand émoi de l'amour. Londonderry était une ville sans hommes. *The old maids city !* Quand il n'y a pas de travail, les garçons s'en vont, Claude était une rareté. Vingt ans, un mètre quatre-vingts, brun aux yeux bleus : il fut convoité.

— Toutes les filles me regardaient avec des yeux ronds ! me raconte-t-il.

Il en plaisante aujourd'hui et je vois que c'est un bon souvenir. Il se moque de l'ingénu qu'il était. Car les filles étaient charmées mais le jeune homme, pas encore fait, ne savait pas ce qu'on lui voulait.

— Les mères étaient méfiantes. Elles ont vite compris que je ne ferais pas de mal à leur fille !

Entouré de demoiselles formidables, Claude éprouva le plaisir de ce côtoiement innocent et en perçut peut-être les promesses. Mais une passion chasse l'autre, de l'autre côté de la rue il trouva le club de tennis.

Quand les jours de printemps étaient secs, il y passait ses après-midi. Il se fit une réputation terrible. Il attaquait à tout va, ça passait ou ça cassait. Ce jeu époustouflant et fragile commençait de lui valoir des gloires, des espérances et des déceptions. Au tournoi d'Irlande du Nord, il passa quatre tours et se trouva en demi-finale. Les finalistes recevaient une coupe en argent ! Claude s'imagina vainqueur et de retour en France avec ce trophée. Il en rêva toute une nuit ! Il perdit le lendemain par une défaite nette. Le score était tranché (six jeux à zéro, six jeux à deux). En vingt minutes le rêve de Claude était fini. Sous la pression qu'il s'était mise, son jeu avait explosé – les balles s'envolaient dans les grillages, ses beaux coups sortaient du court. *Out !* Tout le tennis de Claude était dans cette histoire, tout Claude était dans son tennis. L'appétit, l'aspiration, la fougue, la modestie. Mais la passion du match ne s'éteignait pas et il avait hâte de défier Jules qui était le meilleur joueur de la fratrie. Le 22 juin 1954, près de fêter ses vingt ans, Claude Bourgeois se réjouissait de rentrer à la maison après deux ans d'absence et parlait du terre-battue de Saint-Martin. Je suis dans une grande forme et j'espère que le tennis est bon. Ses frères l'attendaient ! Pendant son absence, la famille s'était agrandie. Des filles étaient nées chez Jean, chez André, chez Louise. Joseph se fiançait. Le tracé imposé d'une voie tenue pour sacrée semblait ne jamais devoir être ni contesté ni détourné.

1943-1965

Dans la tête d'Henri, dix enfants ce sont dix mariages et dix futures familles. La chose est assurée. Qui négligerait le commandement du Seigneur ? Qui le négligerait quand il lui a été si puissamment inculqué et qu'il est si plaisant à accomplir ? Croissez et multipliez, cela veut dire aimez ! Et la jeunesse aime.

La vie donne raison à Henri : ses fils ne pensent pas à aimer sans procréer. En 1953, il y a dix ans que Jules a épousé Clotilde, ils ont quatre enfants, leur premier fils – Paul – vient de naître. Paul, c'est Dieu ! pensent ses grandes sœurs. Ces petits-enfants-là – nés du fils d'Henri et de la fille de Gabrielle – sont différents de tous les autres. Henri les partage pleinement avec sa seconde épouse. Ils scellent leur alliance. En eux se mêlent Henri, Mathilde et Gabrielle, leur triangle d'amour et de mort. Les enfants de Jules et de Clotilde sont l'extraordinaire procréation de Mathilde et Gabrielle.

En cet après-guerre, une partie de la fratrie Bourgeois arrive à l'âge adulte, la famille a mûri et tourne à plein régime. En août 1947, après un an et demi de fiançailles et de séparation, Jean a épousé Françoise. La jeune fille de vingt ans l'a attendu ! Elle a regardé chaque soir sa photographie, elle a écrit et reçu de nombreuses lettres, et admiré la bague que son beau-père lui a remise, à la place de Jean qui navigue en mer de Chine – manière de se donner du courage, car elle a le cœur gros d'attendre un fiancé qu'elle a vu moins de dix fois dans sa vie. Comme son frère Jules, Jean a très vite une famille nombreuse. Deux filles et un garçon. Il n'est pas prévu de s'arrêter là.

Henri a toujours su compter : après ces deux aînés, il reste six garçons. Six garçons feront en somme six belles-filles à baguer. C'est beaucoup. Henri achète un stock de diamants. Ils sont d'égale valeur et de tailles différentes. Le plus gros est donc le moins pur. Ils sont rangés dans une bourse de velours ; chaque fois qu'un fils se fiance, Henri retourne la bourse et présente les pierres à la jeune fille qui choisit. Un joaillier créera ensuite le bijou. En tant que femme du fils aîné, Clotilde a reçu les bijoux de Mathilde. (Henri n'a pas pensé à les conserver pour ses filles. Louise avait treize ans et Marie trois, le présent et la vie ont gagné sur l'attente : la bague de leur mère est au doigt de Clotilde.) Jean a épousé Françoise avant qu'Henri ait eu cette idée de s'organiser : la demoiselle a pris ce qu'il lui offrait. La première à choisir dans le lot des diamants d'Henri est donc Lilianne. Sa jeune main saisit le plus gros brillant. Plus tard elle découvrira qu'il contient un crapaud, pour l'instant elle est heureuse. André l'a rencontrée à Toulon pendant qu'il faisait l'École de la marine marchande. Elle est la fille d'un notaire de Nice, elle a trois ans de plus que le quatrième des fils d'Henri et sûrement très envie – à presque trente ans – de se marier. L'occasion est belle, ce fils de bonne famille qui a choisi la mer est une bonne pâte. Lilianne est amoureuse. André a passé son temps avec elle à la plage. C'est merveilleux. À Nice ou à Toulon l'amour peut paraître aussi facile que des vacances. Le 19 juillet 1952, André et Lilianne sont mariés à Saint-Martin. Jules vient de rentrer d'Indochine, son visage rouge et bouffi luit comme un phare dans l'église du village. Il chante plus fort que tous ses frères, il s'agenouille, tombe dans la prière. Voulez-vous prendre pour époux André Bourgeois ? Oui, dit Lilianne. Et de trois ! peut se dire Henri. Nicolas, qui est plus âgé qu'André, s'est installé dans le célibat. Est-ce son invalidité ? Est-ce son esprit rebelle (il vote à gauche et critique les bourgeois) qui rejette le mariage ? Ou n'est-ce que l'absence de sentiments pour une jeune fille ? Nul ne sait.

Moins d'une année passe et la machine à aimer s'est remise à tourner. C'est au tour de Louise. Parce que les filles se marient plus jeunes que les garçons, la sixième devance le cinquième – Joseph qui est de trois ans son aîné. C'est bien naturel et c'est une aubaine, pense Henri. Un père ne se l'avoue pas mais il est heureux quand la surveillance se termine. Les filles ! Quel problème ! Quels soucis ! Car il est encore interdit aux princesses de faire des expériences amoureuses. Si elles veulent un homme dans leur lit, le mariage est la seule solution honorable. Louise vient d'avoir vingt-trois ans. Depuis quelques années, son tempérament impulsif et changeant a valu des tourments à ce père qu'elle critique. Ses lubies, ses idées, on ne les compte plus ! Par chance la jeune fille fantasque s'est trouvée envoûtée par un ami de Joseph qui ne manque ni d'intelligence ni de solidité. Yves vient d'une bonne famille, a fait d'excellentes études, affectionne l'équitation – comme autrefois le jeune Henri –, et surtout fait preuve de la fantaisie nécessaire pour apprécier Louise. Henri a parlé avec les parents du jeune homme. Il présage que le fils de *ces gens très bien* n'ignore pas le sérieux que réclament la vie et le mariage. Henri rend grâce autant qu'il donne sa fille et sa bénédiction à ce grand garçon qui ressemble à Jacques Tati. Ouf ! soupire l'autorité paternelle ravie de se décharger sur le nouvel élu. On hâte le mariage (à vrai dire c'est une spécialité familiale). Une seconde fois l'église de Saint-Martin accueille la noce, M. le curé connaît la famille. À quinze heures, le 26 juin 1953, les cloches sonnent. Gabrielle arrange les couronnes des demoiselles d'honneur. Mathilde et Madeleine accompagnent Louise qui, dix plus tôt, accompagnait Clotilde – leur mère. Qui éprouve le sentiment du temps ? Louise ? Clotilde ? Dans l'agitation heureuse où l'on est, personne peut-être. Du jardin qui jouxte l'église, la famille arrive en grappes dispersées et joyeuses. Où est le futur marié ? demande-t-on à la cantonade en parcourant des yeux l'assemblée qui grossit. Toujours pas d'Yves en vue ! Louise et son père attendent maintenant devant l'église.

— Que fait-il ? s'impatiente Henri.

M. le curé jette des coups d'œil vers le tournant que fait la route à la sortie du village. Tout à coup une pétarade de moto se fait entendre.

— Le voilà ! rigole Joseph.

Yves arrête son engin, enlève ses lunettes. Deux bouteilles de bière dépassent des poches de sa veste.

— Excusez-moi, père, j'ai rencontré une fille à Saint-Denis !

Henri fait mine de n'avoir rien entendu.

— Dépêchez-vous, Yves, tout le monde est installé.

— Yves pouvait tout se permettre ! se remémore Claude, les parents l'adoraient. Et puis ils étaient trop contents que Louise se marie !

Deux ans plus tard, Paule entre dans la famille et d'abord choisit son diamant. Elle n'est pas fille de notaire à Nice, mais parisienne et fille de bâtonnier. Joseph fait un mariage prestigieux qui ne surprend pas de la part d'un premier secrétaire de la Conférence plein d'éloquence et d'audace. Un ambitieux, pourrait-on dire de ce fils-là. N'est-ce pas légitime quand on a du talent ? Joseph est une fierté pour son père. Les fiancés ont le même âge, vingt-sept ans tous les deux, et le même parcours. Paule a fait son droit, elle est avocate comme son futur mari. C'est une exception dans la famille Bourgeois. Une femme qui a fait des études supérieures ! L'épouse de Joseph bénéficiera toujours d'une considération particulière. Encore une fois le mariage a lieu à Saint-Martin en juillet. On est en 1955. Claude, qui fête ses vingt et un ans, grâce à la noce bénéficie d'une permission.

Alléluia ! chante l'assemblée. Les grains de riz tombent sur les mariés à la sortie de la messe nuptiale. Et de cinq !

Cinq des dix enfants sont mariés et cinq années passent. La Ve République a été proclamée. Henri demeure monarchiste et fidèle au comte de Paris. La France a perdu l'Indochine. La chute de Diên Biên Phu a traumatisé les militaires. Bientôt les Algériens décideront de leur destin. L'écho dans la presse de la bataille d'Alger et du putsch des généraux écornera le prestige de l'armée dans l'opinion. L'abandon des harkis déshonorera les officiers à leurs propres yeux. Les guerres coloniales s'achèvent. Les "petits" de la fratrie Bourgeois ont eu vingt ans. Le nouveau franc qu'on dit lourd est entré en circulation. Le paquebot *France* va embrasser la mer. Les années soixante s'annoncent glorieuses. Symbole de cette prospérité, la télévision qui est un monopole d'émission et d'exploitation de la RTF, pénètre dans un nombre croissant de foyers. À Reggane, dans le Sahara, la première bombe atomique française a explosé. Le jeune et dynamique John Kennedy vient d'être élu. Jérôme, qui finit difficilement sa médecine, a rencontré Clarisse Le Noble. Elle est aussi d'une famille nombreuse, elle a aussi une grosse voix, elle n'est pas moins enjouée que lui. Voilà lancé le sixième mariage, à Saint-Valery-en-Caux. Est-ce par épidémie fraternelle ou effet de génération, Claude se décide lui aussi. En mars 1961, aux Invalides, il marche au bras de Solange sous la double haie de drapeaux. On a caché à Henri que les parents de la mariée ne sont pas pratiquants. Mon Dieu quelle horreur ! penserait Henri s'il en était informé. La mère

de Solange, veuve, a épousé en secondes noces un aviateur qui a divorcé pour elle. Cela aussi reste un secret.
Dans sa cape noire, portant ses décorations – officier
de la Légion d'honneur, médaille de la Résistance –, ce
beau-père a belle allure et, de toute façon, les familles ne
s'épousent pas. La réception se passe boulevard Émile-
Augier. Et de sept. Guy quant à lui est tombé amoureux
d'une aristocrate dont le seul nom remplit Henri d'une
fierté bavarde et agaçante. Le mariage a lieu la même
année au mois d'octobre. Et de huit.

En 1961, Henri vient de prendre sa retraite, il a
soixante-six ans. Le stock de diamants est épuisé, sept
de ses huit garçons sont mariés et la plupart déjà pères
de famille. Avant le martèlement de la mort qui prendra
l'un après l'autre les dix frères et sœurs, il y eut ce martèlement de la vie, la joie des rencontres amoureuses et
des naissances, la jeunesse si éphémère et splendide. À
trente-huit ans, Nicolas est devenu le seul célibataire des
Bourgeois. Et Marie qui a tout juste vingt et un ans est
une pâquerette qui ne demande pas encore à être cueillie.

13 AVRIL 1954

Pendant que Claude se ruait au filet sur les courts de tennis de Londonderry, sa sœur Louise accueillait l'envahisseur. La première fille de Mathilde allait devenir mère à
son tour. Elle n'avait pas conscience alors de suivre sans y
réfléchir la voie toute tracée des femmes Bourgeois. Elle
ne s'étonnait pas d'être passée sans transition du monde

plein d'interdits d'une jeune fille à celui plein d'obligations d'une épouse. Croyant choisir seulement un mari, elle avait en réalité opté pour une façon de vivre. Sa fantaisie et ses ambitions s'apprêtaient à mourir dans les embuscades de la maternité. Mais puisque cette mort est douce et que l'amour rend myope, aucune pensée ne lui vint de ce qu'elle sacrifiait. Le 13 avril, quatre jours avant ses vingt-quatre ans, Louise donna naissance à une fille, Marielle. Six mois plus tard Louise était enceinte à nouveau et le 2 juillet de l'année 1955, naquit Marguerite. L'affaire était bouclée. Une aînée qui commençait à marcher, une cadette qui était au sein, un mari idolâtré et fréquemment en voyage, ce trio d'objets aimés suffisait à rapter Louise. Fini le piano, adieu le chant, oublié le projet de travailler l'un et l'autre. Il restait la chair ! Car c'est bien le corps qui vampirise nos aspirations spirituelles, non pas comme on le sous-entend parfois, par ses transports et ses désirs, mais par ses besoins les plus prosaïques, qui reviennent chaque jour, jour après jour : c'est lui qui mange, se vêt et se salit, et veut un toit sur sa tête et des draps où se coucher… c'est à lui que l'intendance est vouée. Ces tâches à la fois subalternes, gratuites et pesantes engloutissaient des existences entières, toujours féminines. Le corps des siens occupait Louise, et d'abord celui qu'elle possédait en propre et qui venait d'enfanter. Se remettre des bouleversements physiologiques de la maternité sans négliger le nourrisson qui vous avait traversée était une activité à plein temps lorsqu'on la menait seule. Et Louise était seule. Les années cinquante furent vraiment patriarcales et grand l'abîme entre ce que vivaient les hommes et le reste qui fut dévolu aux femmes. Louise vécut ces derniers moments d'une société où certains maris avaient beau jeu dans cette relégation des épouses. Impérial, inaccessible, Yves avait les mains dans une autre pâte. Sa fantaisie et ses ambitions à lui s'exprimaient pleinement dans la voie qu'il venait de choisir : la réassurance. Il commençait de voyager dans le monde entier. Séismes, ouragans, accidents industriels, crashs aériens, instabilités politiques, tous les accidents de la planète le sollicitaient. On l'admirait : il avait fait le tour du monde. Il ne restait plus à Louise qu'à hausser le ton à la maison.

13 AVRIL 2016

Pourquoi Louise a-t-elle eu six enfants alors qu'elle désirait chanter de façon professionnelle ? Soixante-trois ans après son mariage, je me pose la question. Comment la jeune fille passionnée et exubérante a-t-elle si facilement renoncé à son rêve ? À la première occasion, je le demande à Louise.

— Est-ce toi qui voulais une grande famille ou bien est-ce Yves ? Yves était-il très pratiquant ?

— Yves était profondément croyant, me répond Louise qui est veuve depuis cinq ans. Je lui disais souvent qu'il aurait fait un bon jésuite ! (Elle rit). Mais ça n'est pas à cause de cela que nous avons eu tant d'enfants. C'est autre chose.

Elle cherche comment m'expliquer ce qu'elle pense.

— Yves en aurait eu assez avec trois ou quatre, dit-elle. Puis :

— Tu sais, quand on a été déraciné… Je dis toujours que nous sommes des arbres. Nous avons perdu notre mère. Nous avons été de jeunes arbres aux racines endommagées. Et quand on a vécu un pareil abandon, que fait-on ? On replante des arbres, dit Louise.

Ce serait donc la mort de Mathilde, l'écho dévastateur dans la vie de sa fille et la réparation nécessaire qui auraient déterminé la vie de Louise.

— On refait sa vie avec ses enfants, dit-elle.

Elle veut dire que les enfants consolent en nous l'enfant, restaurent en lui ce qui fut altéré, donnent et reçoivent ce qui a manqué. Non seulement notre manière d'être parent vient des liens de nos premières années mais nous attendons de notre progéniture qu'elle nous apporte ce que nous n'avons pas reçu, attente qui fait presque de nous les enfants de nos enfants. Poussée par cette demande d'être régénérée, Louise avait planté six arbres et aujourd'hui, à l'âge de quatre-vingt-six ans, elle a conscience de ce qu'elle réparait par la procréation : la perte, la tendresse disparue, toute la vie.

— Si maman n'était pas morte, nous aurions tous été très différents, dit Louise.

Elle réfléchit et semble choisir l'exemple le plus évident, celui qui la scandalise, et c'est de Claude qu'elle parle.

— Claude qui n'a pas le bac ! s'exclame-t-elle.

Elle se rappelle le petit garçon.

— Grand-mère lui faisait faire des divisions à deux chiffres. Il pleurait : Jamais je n'y arriverai ! Je l'entends encore… Il a été bloqué dans ses apprentissages, arrêté dans sa croissance.

La psychologie moderne nourrit cette vision, les mots mêmes n'existaient pas à la mort de Mathilde. Je suis émue que Louise ait cet accès à l'invisible blessure. En apparence Claude grandissait comme les autres.

8 JUILLET 1955

Et comme les autres Joseph se maria, le 8 juillet 1955. Claude a fêté la veille ses vingt et un ans et sa toute neuve majorité. Il arrive d'Allemagne où il fait son service militaire depuis septembre 1954. Sans difficulté il a obtenu six jours de permission.

— Qu'est-ce que tu penses de la mariée ? lui demande Guy en lui tapant sur le ventre.

Claude fait la moue, la fille du bâtonnier n'est pas très jolie mais il ne le dira pas.

— Si elle plaît à Joseph c'est parfait. Il paraît qu'elle est très intelligente, répond-il, instinctivement disposé à admirer.

Son caractère est en place : généreux, heureux du bonheur des autres, tolérant, modeste, facilement impressionné. Physiquement il est le fils de sa mère : tout entier du côté de Mathilde. Cela veut dire : les cheveux noirs, les yeux bleus, le teint mat, le nez fort et busqué. Bel homme. *You left many broken hearts, mine suffered most damages*, lui a écrit Mme Bradley qui venait l'embrasser le soir dans sa chambre sans qu'il comprît rien à cette affection féminine. Claude ne s'est pas encore aperçu qu'il plaît aux femmes, il va bientôt le découvrir. À l'examen du conseil de révision, le médecin l'a déclaré *bon pour le service armé*. Il pèse soixante-neuf kilos pour un mètre quatre-vingt-trois. C'est un grand sec, tonique et nerveux sans être maladif, ce qu'on appelle aujourd'hui un actif. L'énergie en lui ne tarit pas, ça circule et ça tourbillonne, et ça ne s'arrête jamais, et ça durera. Claude est un éternel ouragan. L'avenir le montrera. Au commencement d'un troisième millénaire, ses petits-enfants le regardent disputer à quatre-vingts ans un match de tennis ou soulever des haltères à la salle de musculation. Le sport sera l'exutoire et la passion de sa vie. Pour le moment son allure naturelle, c'est la fougue. Le pas est rapide et ample le compas. Son ton spontané, c'est la véhémence, que ses mains accompagnent en faisant de grands gestes. L'enthousiasme est explosif, l'expression emportée, la parole emballée. Quand il parle, sa voix puissante couvre et décourage toutes les autres. Il se met facilement à crier. On dit de lui : C'est un Bourgeois. Car dans la fratrie nombreuse où il a fallu se faire entendre, les enfants ont musclé leurs cordes vocales, les filles ne sont pas en reste, Louise et Marie ont une grosse voix. C'est vrai, Claude sait se faire entendre et même écouter. On le trouve sympathique. Il a de l'éducation sans pour autant être bêcheur. Voilà une chose qui arrête l'attention. C'est un fils de famille qui se mélange, pas aristo pour deux sous. Sa distinction ne crée pas de distance parce qu'il la méconnaît. Encore empêtré de lui-même, il manque du recul suffisant pour se voir tel qu'il est. Grâce à cela il présente bien mais sans intimider. S'il fait impression c'est justement d'être si chaleureux alors qu'il paraît si bon chic bon genre. À l'armée, pendant qu'il fait ses classes, il découvre des gens qu'il n'a jamais

326

côtoyés. Des ouvriers, des paysans, qui ne savent pas lire, n'ont jamais pris une douche de leur vie, ne distinguent pas leur droite de leur gauche. Lorsqu'il s'agit de les faire marcher au pas, on ne leur commande pas droite, gauche, droite, gauche, mais plutôt paille, foin, paille, foin (on a mis la paille dans le godillot droit et le foin dans le gauche). Des gens donc comme le fils d'Henri n'en a encore jamais vu.

— L'armée a été la chance de ma vie, dit-il, se rappelant ces années d'initiation.

Ses yeux s'ouvrent à la diversité, dirait-on aujourd'hui. La mixité sociale se présente au jeune Bourgeois. Il s'intéresse. Son régiment est à Fritzlar en Allemagne. Le bon niveau d'anglais acquis à Londonderry lui vaut de nouer des liens dans le camp américain où il pratique le tir au canon et au bazooka. Il est ravi de voir du pays. En vivant ailleurs, il apprend d'où il vient. Il apprend sinon la lutte des classes du moins les classes, et les privilèges. Il comprend la cuillère en argent que dès sa naissance il a eue dans la bouche. Il sait qu'il n'en est pas responsable. Il le dit à ceux qui voudraient lui en faire un procès : je n'y suis pour rien, c'est comme ça ! Est-ce qu'on choisit sa famille et le milieu d'où l'on vient ? Il convainc. Il ne devient pas un bourgeois anti-bourgeois (comme l'a été Nicolas au même âge) et personne ne lui en veut d'être un fils de riche. Car Claude s'avère capable de parler avec n'importe qui. C'est naturel chez lui. Il a manqué d'amour, sans le savoir il en cherche, poussé par son énergie et habitué par son éducation il en donne des masses, il aime les autres, il leur parle, il leur parle même beaucoup. Sa timidité le rend volubile et sa parole fabrique des liens. Il se livre, parfois trop. C'est aussi qu'il n'est pas sûr de lui. L'image qu'il a de lui-même est loin d'être brillante. Des dix enfants d'Henri et Mathilde, il est le seul garçon à ne pas avoir le bac. Il y pense souvent. Il a détesté l'école, s'est fait détester de ses maîtres : mis à la porte, épinglé, collé chaque fin de semaine, interdit de rentrer chez lui.

— J'étais collé sans arrêt ! dit-il à ses petits-fils. C'était horrible. Je pleurais !

Sa jeunesse est cette cicatrice ineffacée. Il sent bien que les éducateurs n'ont pas toujours été à la hauteur mais se met sur le dos la responsabilité de cette mauvaise rencontre avec le savoir et ses institutions. Je pense que nul n'a pris soin de l'aider et bien sûr c'est à Henri et Gabrielle que je songe.

— Quatorze enfants dont dix ne sont pas à elle. Le septième qui ne veut rien foutre à l'école. Que voulais-tu qu'elle fasse ? dit Claude pour défendre sa belle-mère. J'étais une tête de lard ! Et papa travaillait !

Cancre donc, et pas fier de l'être, et malheureux de l'avoir été, il méconnaît ce qu'il sait ou apprécie : par cœur des centaines de vers de Victor Hugo ou de Racine, des romans, des épisodes historiques. Il est bon lecteur, touché par la poésie, doué pour le dessin. Et puis, il a de grands modèles. L'admiration de sa vie c'est Jules, le frère aîné qui a tout réussi alors que lui-même n'a causé que des soucis. Prouver qu'il n'est pas un bon à rien est sûrement ce qui anime tant Claude. Il bout d'embrasser l'existence et de réparer par un motif de fierté les désagréments qu'il a causés à Henri. Henri Bourgeois est une autre admiration de Claude : le fameux *papa*. Ce mot d'enfance, prononcé avec tellement de sentiment et de respect, révèle une puissante figure paternelle. Dignité, autorité, probité, Henri est un père qui tient son monde. Une hauteur d'un autre temps.

Ce père attend-il quelque chose de Claude ? Rien n'est moins sûr. Henri a tant de fils pour être satisfait ! Jules et Jean représentent la famille et le pays sur terre et sur mer. Nicolas est un héros. André a trouvé sa voie. Jérôme, remis de son accident, avance dans le cursus de médecine. Guy vient d'obtenir son deuxième bachot avec mention et prépare Saint-Cyr à Ginette. Lui aussi a Jules pour modèle mais il marche vraiment dans ses pas. Décidément Claude a tout pour se sentir le vilain canard. Il ignore qu'il va à la fois réussir dans la vie et réussir sa vie. (Il sera un homme heureux. Je peux l'écrire aujourd'hui sans douter. Il en connaîtra l'émerveillement. Mais Henri n'en verra que le commencement.) Impossible pour Henri, en 1955, d'être fier de ce grand échalas qu'il a envoyé à l'étranger et qui est devenu un adulte. Son père le regarde-t-il ? Pas vraiment. Ces temps-ci, c'est le numéro cinq qui flatte Henri : Joseph vient d'être nommé premier secrétaire de la Conférence ! Et le jeune orateur épouse la fille du bâtonnier. L'avenir est prometteur.

— Joseph était marrant, se remémore Claude, c'était un sacré baratineur mais on rigolait bien tous les deux. Papa était très fier de lui.

Claude n'est pas jaloux, ça n'est pas dans son caractère. Son allant fait sa joie. Il sait déjà jouir de l'existence.

Pour être heureux, il faut vouloir l'être, dira-t-il quand lui viendra l'expérience. Il sait déjà être heureux. S'il est sensible – capable aussi bien de s'avouer malheureux que d'être touché par l'infortune d'autrui –, il n'est pas torturé. C'est l'avantage d'être un homme d'action plutôt qu'un intellectuel. À peine revenu d'Irlande, après un mois de vacances en famille à Saint-Martin, il a été heureux de partir pour l'Allemagne. Il vient d'avoir vingt ans, c'est le mois de septembre de l'année 1954 (Mendès France vient de signer au nom de la France les accords de Genève). Très vite Claude est nommé sous-officier chargé des sports, très vite il trouve une *bonne amie* allemande qu'il ramène dans la chambre où il a la chance de loger seul. C'est la belle vie. Ses qualités commencent d'être reconnues : athlétique, fair-play, adroit, intelligent, séduisant. Son commandant lui propose de faire les EOR et de rester dans l'armée. Jules le pousse à accepter. Au nom de l'idéal qu'il n'a pas, Claude ne se sent pas d'accepter. On ne devient pas militaire parce qu'on ne sait pas quoi faire. Des officiers vaseux, il en a vu, pour rien au monde il ne voudrait en être un ! Puisqu'il n'a pas le feu sacré, la réponse est négative. Mais il est fiévreux, aux aguets, il s'affaire. S'il pouvait avaler le monde en un coup, il ouvrirait grande la bouche. Il entend voguer sur l'océan des aventures. La plus grande à ses yeux pour l'instant, c'est la guerre (une vieille affaire de famille). Ses frères l'ont faite. Campagne de France. Indochine. Et maintenant celle qu'on lui présente sur un plateau : l'Algérie. On ne dit pas *guerre*, on parle des *événements* et de la pacification. Pacifier est une bonne action et voir du pays est une chance. L'occasion fait donc le larron : Claude Bourgeois est volontaire pour partir en Afrique du Nord.

OCTOBRE 1955

Claude embarqua sur l'*Athos 2*, un navire troupier de quinze mille tonnes, et laissa derrière lui les rivages de la métropole. L'attrait de l'action militaire et celui du voyage lui faisaient traverser la Méditerranée. C'était la première fois. Il débarqua à Alger, grouillante de gens et de voitures, européanisée mais parsemée d'indigènes habillés à la façon musulmane. D'abord ce fut l'extase. La ville splendide agrippée aux collines qui surplombaient la baie, sa blancheur aveuglante face aux scintillements de la mer, la puissance subtile des odeurs nouvelles, puis le pays de rocailles sous le soleil brûlant, les nuits glacées traversées de cris d'animaux, les perspectives immenses et le mince lacet des routes désertes, jamais il n'avait vu plus belle terre. Après l'ivresse du dépaysement, vint l'embrigadement. Il entendait que cette terre était la France, les hommes politiques le martelaient. Mitterrand, alors ministre de l'Intérieur, venait dans quelques douars choisis porter cette bonne parole, assortie de menaces explicites. Claude crut ce qu'il entendait. L'Algérie, c'est la France. Il le croyait d'autant mieux que parmi les appelés il y aurait bientôt de jeunes Algériens. Les combattants musulmans – spahis, harkis, moghaznis – étaient bien plus nombreux aux côtés de la France que les trente mille rebelles qui la défiaient. En somme la France se battait

contre les nationalistes algériens au nom des musulmans !
Les solutions tunisienne ou marocaine n'avaient ici aucun
sens. Claude le croyait parce qu'il était jeune et naïf et
parce qu'une majorité le croyait. À ce jeune homme de
vingt et un ans, la décolonisation n'apparaissait pas inéluctable, démocratique, et souhaitable avant qu'elle ne
causât des morts pour rien. Son éducation ne lui permettait d'envisager ni le sens de l'Histoire, ni l'inutilité ou
l'illégitimité du maintien de l'ordre. Son esprit forgé dans
un monde traditionnel n'était pas à l'heure de l'indépendance. Pour l'instant, dans ces derniers mois de 1955,
un an à peine après la Toussaint rouge qui avait ouvert la
révolte, il n'était pas seul à estimer que la paix et le déve-
loppement étaient les cadeaux de la France à l'Algérie et
que le terrorisme devait être réprimé. Les opérations de
contrôle de la population semblaient nécessaires et suffi-
santes (puisque l'élan indépendantiste était sous-estimé).
L'Afrique du Nord n'était pas comme l'Indochine un territoire lointain dont la métropole se moquait. L'opinion
était favorable à la répression. Pacifier les djebels où des
bandes de rebelles plus ou moins organisés foutaient le
bordel, quoi de plus indispensable ?

Alors dans les deux camps des hommes commençaient
de mourir pour l'Algérie. Une centaine d'Européens et de
musulmans fidèles à la France venaient d'être massacrés
par le FLN à Philippeville. La propagande faisait feu de
ce bois-là : la France combattait des terroristes sangui-
naires. La diabolisation de l'ennemi ne laissait aucune
place à la légitimité de sa revendication. Claude vécut
cette situation du dedans. Il en fut la proie de toutes les

manières possibles. Sa sensibilité s'orienta vers le sort du million de Français d'Algérie (et plus tard vers celui des harkis) et d'abord vers celui des morts que fit autour de lui l'affrontement. Car le baptême fut immédiat.

Il passait sa première nuit algérienne dans la montagne, logé dans l'école désaffectée d'un village de Kabylie dont il n'a jamais oublié le nom.

— Teniet el Kremis.

L'expérience de la mort en armes le frappa dans ce premier sommeil sur une terre étrangère. Quand il y a des fusils, il y a des morts. Claude l'apprit en une seconde. Il dormait, les tours de garde étaient en place, tout à coup un coup de feu et un cri le réveillèrent en sursaut. À l'heure de la relève, une sentinelle craintive avait tué d'une balle le camarade venu la remplacer. Qui va là ? La réponse n'était pas venue assez vite.

— Ce sont des accidents qui arrivent, expliqua aux soldats le commandant du régiment qui s'était déplacé pour l'affaire.

Après ces mots qui ne consolaient de rien, rasé de près, raide, l'officier fit appeler Claude dont le patronyme lui était familier.

— De quel Bourgeois êtes-vous le fils ?

— Je suis le huitième enfant d'Henri, répondit Claude.

Le commandant de Fontelle était le cousin germain de Gabrielle.

— Jeune homme, montrez-vous digne de votre famille !

Ce bref entretien laissa au jeune appelé un souvenir désagréable. Le commandant repartit. On enterra le jeune soldat défunt – un appelé. Une lettre fut envoyée à ses parents. Ses effets personnels suivaient. L'imagination des tristesses ne manqua pas à Claude. Il fut frappé par la soudaineté de la mort et l'ampleur de ses suites. Il découvrait la contingence, la malchance et l'irrémédiable. Un écho de deuils s'installa en lui. Il avait fait la connaissance du défunt sur le bateau et cette complicité naissante ajoutait à ses sentiments. Ce n'était qu'un commencement, d'autres camarades mourraient.

1956

Atavisme ou tempérament, Claude ne manquait pas une opération. Il cherchait à savoir s'il était trouillard ou non. Bon Dieu, il fallait qu'il le sût ! Le test fut excellent et Claude jugea qu'il n'était pas plus peureux que les autres. Sa modestie naturelle l'empêchait de dire qu'il était courageux. Il l'était. Et sensible aussi. Voilà pourquoi l'épisode algérien le frappa durablement.

En novembre de l'année 1955, une petite embuscade valut une mauvaise blessure à un brigadier de sa section. Il fallut lui couper la jambe.

— Au civil, le type était professeur de gymnastique. Il pleurait. Il suppliait le médecin ! Tu ne peux pas savoir comme il pleurait ! se rappelle Claude.

Ces larmes d'un homme adulte s'inscrivirent à jamais dans la mémoire de Claude, peut-être avivée par l'effroi malheureux qu'avait laissé l'amputation de Nicolas. Claude compatissait. Chaque drame le choquait. *En*

Algérie c'est idiot de dire qu'on fait la guerre, ici on fait la paix. La propagande travaillait à rassurer les familles des appelés. Mais la leçon du réel avait plus de portée : on pouvait mourir en Algérie. Et si l'on y risque sa vie, la plus petite guerre est une guerre. La rumeur qui colportait d'atroces histoires sur le *sourire kabyle* achèverait d'en convaincre Claude. Le massacre de Palestro tel que la presse le rapporta en décembre l'horrifia.

La peur des embuscades le trouvait droit. L'ennemi était mobile et frappait n'importe où, n'importe quand. Il fallait savoir "gicler" à toute vitesse. Son impétuosité, encadrée par l'instruction militaire, devenait appropriée. La perspective de se retrouver éviscéré, le ventre rempli de pierres, égorgé, émasculé, le sexe dans la bouche, vous mettait du feu sous les pieds. Cette réalité amplifiée l'habitait. Mais il voulait puiser en lui le courage et la force. Il faisait son boulot avec le plus grand sérieux. Il espérait le contact, déçu chaque fois qu'il n'avait rien vu, lorsque les accrochages qui permettaient d'abattre ou de capturer des fellaghas se déroulaient dans un secteur où manœuvraient d'autres pelotons que le sien. L'atavisme encore : impossible de se dérober. Il ne serait pas un tire-au-flanc ! Je suis heureux de tenir le coup physiquement, écrivait-il à son père. Les opérations de contrôle et les ratissages l'emportaient dans d'interminables crapahuts. Son tempérament sportif s'accommoda de ces longues sorties. Il buvait l'air limpide de la montagne quand la pluie a fait retomber la poussière. Sa sueur et sa peur dormaient sur les pierres glacées. Il se lavait – son corps sec et ses vêtements raides – au milieu de ses compagnons dans l'eau des oueds, puis se remettait en route avec eux. Que ces marches fussent des errances, aussi peu sages que l'engagement dans une impasse, qu'il partît en guerre contre des fantômes, qu'il fût armé jusqu'aux dents quand rien ne se passait finalement, que les civils devinssent tous suspects et les rebelles invisibles, eh bien il n'y pensait pas ! Rien de tout cela ne pesait face à la mort des camarades et des sympathisants. Claude était certain de combattre le terrorisme extrême. Il suffisait de voir les choses ! Les populations musulmanes étaient rançonnées, menacées, massacrées. Les sociétés de transport payaient pour passer sur les routes. Par sécurité les permissions en ville avaient été supprimées. Les embuscades régulières et meurtrières rappelaient pourquoi on se battait. Les rebelles étaient des criminels. Arrêter, fouiller, interroger, relâcher, quoi de plus naturel quand on a vu des nez coupés et des gorges tranchées ? Il fallait bien savoir où se cachaient les armes et les rebelles ! L'action l'emportait sur l'analyse.

Et l'humanité sur l'action.

— On avait arrêté un jeune gars soupçonné d'aider les fellaghas, me raconte Claude. Il était tranquille, on avait partagé le café avec lui en attendant de savoir ce que le commandant avait décidé. Et puis j'ai été chargé de le conduire au PC du régiment. Nous sommes partis à pied tous les deux. Il ne rigolait plus, son visage était blanc comme un linge. Quand on est arrivés à cinq cents mètres du camp, il s'est mis à trembler en entendant qu'on embarquait les prisonniers dans des camions. Il y avait un bois pas loin, je lui ai dit : Sauve-toi, va-t'en ! C'était affreux : il ne voulait pas, il croyait que j'allais lui tirer dans le dos ! Il a fini par me faire confiance…

Malgré l'action et le danger, la compassion habitait Claude. En mars, une ouverture de voie tourna mal : les rails étaient coupés, savonnés sur deux cents mètres avant le sabotage ce qui empêchait le half-track de s'arrêter. Les hommes avaient sauté et s'étaient réfugiés dans un tunnel. Pas de blessés, pas de prisonniers. Claude avait fait son rapport. Bien sûr il avait eu très peur. Peu après cet incident qui aurait pu se terminer plus mal, il avait revu son commandant dans des conditions défavorables. Sa section assurait la protection d'une ferme isolée. Les appelés étaient en survêtement, pas rasés, en train de jouer au football quand la jeep de l'officier supérieur s'était pointée.

— Qu'est-ce que c'est que ce bazar ? Vous n'êtes pas en vacances ! Un peu de tenue messieurs ! Vous représentez l'armée française.

Claude s'était pris un savon et un cours de maintien militaire.

— En campagne, je me rase au sabre, lui disait le commandant de Fontelle avec hauteur.

— C'était vrai, se remémore Claude. On faisait des marches interminables, on dormait dans la montagne, on était dégueulasses, il était toujours impeccable ! Mais c'était un con. Ça je l'ai compris beaucoup plus tard, après l'embuscade de Béni Lalem.

Un informateur était arrivé au mess en grande hâte pour révéler ce qu'il avait appris : deux cent cinquante soldats de la katiba du colonel Amirouche se trouveraient le lendemain dans le marché de Béni Lalem. Personne n'ignorait que le redoutable Amirouche se présentait dans les villages en fin de mois, pour prélever des vivres et son impôt révolutionnaire au moment où arrivaient les mandats envoyés par les émigrés à leurs familles. Amirouche et ses djounouds. Quelle prise ce serait ! Les officiers et sous-officiers présents écoutaient, certains excités, d'autres troublés (les exactions du chef FLN avaient de quoi faire crever de peur ses ennemis et même ses amis), d'autres dubitatifs devant l'information. Fallait-il la prendre au sérieux et qu'allait-on en faire ? L'intelligence et l'esprit rusé du colonel rebelle faisaient craindre une entourloupe, mais laquelle ?

— Amirouche, je ne crois pas qu'il ait jamais laissé la vie sauve à un seul prisonnier, disait à voix basse un sergent. C'est lui qui aime faire griller les gens sur un brasero. Tu sais ? L'hélicoptère ! Il te tourne à la broche comme un poulet. Et si à la fin tu n'es pas mort, il t'égorge comme un cochon. T'as le choix de l'animal.

— Une section pourra se rendre sur place, pensait tout haut le fameux commandant de Fontelle – parent de Gabrielle.

— C'est une connerie ! souffla Claude à son camarade Vigneron. Le marché est à sept heures du matin, Béni Lalem se trouve à quinze kilomètres d'ici, ça veut dire qu'il faudra partir à quatre heures, il neige, les hommes sont crevés. Si on n'y croit pas, on n'y va pas. Et si on y croit, on y va vraiment. En force. À trois ou quatre sections.

La demi-mesure à la guerre est-elle une bêtise ? Une erreur fréquente ? On dirait bien que Claude vécut la même aventure que son frère Jules en Indochine. Le commandant envoya deux sections à Béni Lalem.

À quatre heures du matin – comme l'a prévu Claude –, les lieutenants Denis et François se mettent en route avec leurs hommes. À sept heures, ils se trouvent à l'entrée du village, en surplomb de la route qui entame alors une descente. Les habitations sont construites dans la pente. À la jumelle : rien. Aucune agitation n'est perceptible. Le froid et le silence figent les lieux. On convient de se séparer : le lieutenant Denis restera posté à l'entrée avec sa section tandis que celle du lieutenant François fouillera le marché. En cas d'accrochage, le contact radio permettra à François d'appeler Denis en renfort. Les deux officiers font comme ils ont dit. Le lieutenant François donne les consignes. Pas un mot. Interdiction d'allumer une cigarette. Armes approvisionnées et prêtes à tirer. Gardez vos distances. On ne sait pas ce qu'on va trouver en bas. Et les hommes commencent à descendre.

Au bout d'une heure François contacte Denis.

— Tout est calme. Il n'y a rien. On rentre.

— On rentre, répète le lieutenant Denis à ses hommes.

Sa section décroche sans attendre. L'entrée de Béni Lalem perd sa surveillance. Elle la perd totalement. Car le lieutenant Denis fait le geste fatal, celui qui toute sa vie harcèlera sa mémoire : il coupe la radio.

Plus de contact.

Pendant ce temps, le lieutenant François rassemble ses soldats pour quitter le village. La tranquillité alentour ne lui paraît pas anormale : la cruauté d'Amirouche est notoire en Kabylie et, bien qu'il soit un enfant du pays, les villageois qu'il rançonne sont épouvantés. Rien d'étonnant à ce qu'ils restent chez eux quand la rumeur annonce le passage du colonel. Les trente hommes de François remontent la route. Le froid de la nuit s'est adouci et la lumière qui s'intensifie commence à faire briller les choses.

— Gardez vos distances, répète le lieutenant.

À l'approche du plat que fait la route à l'entrée du village, sa main se lève pour faire signe aux hommes de s'arrêter. Il découvre que la section de Denis s'est envolée. Le lieutenant François regarde dans ses jumelles : rien que du sable et des pierres sous une couche de neige, pas une âme qui vive. On n'attrape pas Amirouche comme ça, la désinformation, il s'y connaît, pense-t-il. Les militaires français le savent : en Indochine déjà, Amirouche était un fou qui ne faisait confiance à personne et voyait des espions partout. La main du lieutenant se baisse et la marche reprend en silence. C'est pas le moment de baguenauder, pense le brigadier Vigneron. À l'instant où cette pensée prend forme en lui, les fellaghas déboulent, les premiers coups de fusil ricochent sur le silence.

— Tout le monde à couvert !

Les hommes ont giclé dans toutes les directions en quelques secondes. Deux corps restent couchés sur la route : les premiers tués de l'embuscade de Béni Lalem.

Et le combat s'engage. Trois soldats français paniqués tirent en l'air derrière un rocher. Ils n'ont encore jamais vu un fellagha, jamais tiré un coup de fusil ! Voilà leur baptême du feu.

— Établissez le contact radio ! ordonne le lieutenant François à son opérateur.

Le sous-officier asticote le poste.

— Pas de réponse, mon lieutenant.

— Contactez le PC.

— Oui, mon lieutenant.

— On économise les munitions. Pas de tir inutile, fait passer l'officier à ses hommes.

Pendant ce temps le lieutenant Denis est sur la route, inatteignable et ignorant de ce qui se passe sur les lieux qu'il vient de quitter. Le PC sait. Une section part pour dégager l'embuscade. Claude en est.

Le combat dure depuis deux heures et demie lorsque le lieutenant François appelle ses sergents pour faire le point.

— Mon lieutenant, les hommes n'ont plus de munitions, dit Vigneron.

— On décroche par petits groupes, annonce François.

Quatre essaims portant leurs armes vides s'égaillent chacun dans une direction.

— Trois groupes sont passés, se rappelle aujourd'hui Claude. Le quatrième a été massacré. On a ramassé les morts et on est rentrés. Parmi les huit tués se trouvait un de mes meilleurs copains.

Le brigadier Vigneron du 29ᵉ régiment de dragons ne reverra jamais sa famille. Bien après l'indépendance, malheureux du drame dont l'inutilité s'est révélée, Claude rendra visite à ses parents.

— Ils habitaient dans les Ardennes, à quelques kilomètres de Givet où j'allais souvent visiter l'usine métallurgique.

1ᵉʳ MAI 2016

— Ces gens n'avaient qu'un fils et il était mort à la guerre d'Algérie ! C'était affreusement triste, dit Claude.

Nous sommes assis côte à côte et il reprend ces souvenirs. Le premier tué, le professeur de gymnastique, Henri Vigneron, les parents de ces soldats morts, sa voix tremble en les évoquant. La peau de ses joues se grêle sous l'émotion intacte qui a resurgi brusquement. Sa passion pour "les événements" ne s'est jamais tarie. Chaque camarade mort en Algérie reste intensément présent dans sa mémoire. La mémoire de Claude est celle d'un témoin : parcellaire, subjective, émotionnelle. Il se rappelle non pas la guerre mais la guerre qu'il a faite, la guerre *telle* qu'il l'a faite. L'amitié, le courage physique, la mort, la violence FLN. Quand on lui parle par exemple de la torture en Algérie, il explose. Puisqu'il n'a ni torturé, ni vu ni soupçonné qu'on pût le faire, il ne peut croire que d'autres l'ont fait.

— Aucun appelé n'a été conduit à torturer ! Non ! L'armée n'a pas embrigadé la jeunesse là-dedans. Personne n'a été obligé à cela contre sa conscience. Ceux qui l'ont fait l'ont bien voulu, dit-il.

Parcellaire et subjective elle aussi, la mémoire des appelés confrontés à ce drame moral heurte la sienne. Claude les soupçonnerait pour un peu de vouloir faire parler d'eux, d'exagérer *ex post*, d'en rajouter. Et la bataille d'Alger, qu'est-ce qu'il en pense ? Je lui pose la question.

— C'était un mal nécessaire. C'était le mal contre le mal, la violence répondant à la violence.

La torture a répondu aux attentats en ville. Il se remémore les bombes dans les cafés, les théâtres, les magasins. Il a vu ce qu'était ce terrorisme.

— J'étais au Milk Bar le 30 septembre 1956, dit-il. J'y étais avec Jean une heure avant l'explosion. Jean était officier en second de l'escorteur *Touareg* qui faisait de la surveillance maritime en Méditerranée. Il est resté en Algérie de mars 1955 à novembre 1956 et j'avais obtenu une permission pour aller le voir à Alger.

Claude n'a pas ressenti le complexe du survivant mais il n'a pas oublié l'horreur de ces épisodes. Et jamais il n'acceptera l'analogie entre les rebelles du FLN et les résistants.

— Les résistants ne tuaient pas des civils ! Les résistants n'étaient pas des terroristes, objecte-t-il toujours à cette comparaison fallacieuse.

Avant d'ajouter généralement :

— Et Hitler n'apportait pas à la France ce que la France a apporté en Algérie.

Aujourd'hui, il reste silencieux puis il s'écrie :

— Il n'y avait rien dans ce pays ! Tout ce qui poussait là était français. Les pieds-noirs avaient bossé ! Alors quoi, il aurait fallu les laisser se faire égorger ?

Claude était et demeure du côté de l'armée, comme tous ses frères, comme Jules, comme Jean, et comme le plus jeune qui alors s'apprêtait à entrer dans la fraternité des armes.

SEPTEMBRE 1957

Guy – mon petit minet chéri –, si gâté qu'il pouvait briser trois raquettes de tennis sans provoquer la colère de son père, devint un jeune homme qui rejetait fermement le monde matérialiste en plein essor et enthousiasmé de consommer. Au commerce, à ses mégotages et mauvais tours, à toutes ses tracasseries qu'il jugeait indignes et vaines, Guy préféra l'idéal noble du service de l'État. L'armée, l'idée qu'il se faisait de l'honneur, celui de défendre et de protéger, l'attiraient bien plus que les affaires, la vente ou la production, le négoce ou le droit. Donne-t-on sa vie au profit et à l'argent ! Le jeune lecteur de Saint-Exupéry, frère admiratif de Jules et de Jean, rechercha l'amitié d'action et la fraternité des armes. Il crut au lien sacré du sang versé. À son tour il fit une année de corniche à Ginette, présenta le concours de l'École spéciale et fut reçu du premier coup. Dix-sept ans après celui de son frère aîné, trente ans après celui de son oncle, le nom de Guy Bourgeois apparaissait au *Journal officiel* parmi les deux cent quatre-vingt-onze candidats admis à Saint-Cyr cette année-là.

La promotion 1957 de l'École spéciale porta le nom de Terre d'Afrique et sa formation la façonna pour l'avenir immédiat qui l'attendait : prendre part aux événements d'Algérie. La pacification et le maintien de l'ordre sur les trois départements français attaqués par le FLN sollicitaient les officiers entrés par la grande porte. Dès septembre, les nouvelles recrues rejoignirent le camp d'entraînement de Coëtquidan. Guy déplora jusqu'à la fin de sa vie le peu de souci prêté alors par l'École à la culture générale. L'ouverture d'esprit, la connaissance du monde, l'imagination étaient sacrifiées à un entraînement physique intensif. Impossible même de lire ! se souvient aujourd'hui l'officier en retraite. La fatigue chaque soir emportait toute volonté d'étude. Les objectifs étaient à très court terme. Les élèves officiers seraient bientôt chefs de section, responsables d'une trentaine d'hommes qui combattraient la guérilla. Il s'agissait de bien les former ! La discipline était de tous les instants.

À la fin de ces deux années décevantes pour l'âme studieuse qu'il était, Guy choisit l'infanterie. Il partit à Saint-Maixent où se trouvait l'école d'application. Rien ne romprait jamais l'amitié qu'il noua là-bas avec les camarades qui avaient embrassé la même arme, le même métier, la même vie. À sa sortie, comme s'il rendait hommage à Nicolas, il intégra le régiment du Belvédère qui pendant la campagne d'Italie s'était couvert de gloire autour du mont Cassino. Le 4e régiment de tirailleurs algériens stationnait dans le Sud algérois, en tant que réserve de zone. Après Claude revenu depuis peu en France, Guy partait découvrir l'âpre splendeur du djebel.

Finalement, Claude avait gueulé la quille, comme disaient les appelés. Lui qui avait voulu partir voulait maintenant rentrer. Être là sans plus savoir pourquoi, subir la vasouille, sentir l'incertitude, faire la guerre mais ne pas être officiellement en état de guerre, ça allait bien comme ça. Est-ce qu'on tenait, est-ce qu'on lâchait ? Et si on pensait à négocier, pourquoi envoyait-on des types mourir ? Que faisait-on dans ce pays si on estimait qu'il était un boulet à notre pied ? L'expérience indochinoise n'avait donc servi à rien ! Faire une guerre sans se donner les moyens fabriquait un désastre. On prend les mêmes et on recommence, c'était ça ? Claude se posait ces questions et commençait d'être écœuré. La date de sa libération approchait, l'attente le rendait fébrile, il ne tenait plus en place. Une inquiétude sourdait en lui : les copains moins chanceux, Vigneron et les autres qui avaient laissé leur peau, l'avaient-ils au moins fait pour quelque chose ? C'était trop dur d'en douter. À son père, il écrivait : Il est probable que fin 1957 nous allons négocier. Dieu veuille que ces négociations se fassent dans les meilleures conditions. Ce serait trop dommage de tout perdre ici.

Onze mois d'Afrique du Nord l'auraient-ils aigri ? Il se le demandait. C'était bien possible. Les journaux le fâchaient. La Croix-Rouge l'avait abonné au *Figaro* qu'il lisait avec un jour de retard. Il était déçu du peu d'importance accordé aux événements. Les Français n'étaient pas informés ! La presse et la radio ne leur disaient rien ! Personne ne leur expliquait ce qui se passait de l'autre côté de la Méditerranée. Il ne s'étonnait plus que les appelés fraîchement débarqués de métropole fussent révoltés de donner une année à un pays que la France devrait lâcher. Eh bien Claude aussi jetait l'éponge. Il avait laissé assez de sa sueur dans la montagne.

Après vingt-neuf mois d'armée dont douze en Allemagne et dix-sept en Algérie, Claude tourna la page militaire. Jamais il ne reprit contact avec ses deux bons amis, Jean – directeur d'école, originaire du Pas-de-Calais, qui avait appris à lire à tous ceux du régiment qui ne savaient pas – et Jean-Jacques – international de basket. Claude avait aimé sa vie de soldat, assez pour envisager de rester dans l'armée, mais au moment où il aurait dû se décider, une grande envie de rentrer à la maison l'avait saisi. Une fois retrouvés Paris et la famille, il oublia cette idée. Il revint naturellement à la vie civile. Est-ce ainsi que se font les choix, par un tropisme profond qui révèle l'être véritable ? L'affection pour les siens était le socle de Claude.

Son service militaire deviendrait dans sa mémoire une expérience unique, extrêmement instructive. Il avait découvert la vie, la mort, les autres et lui-même. Une frustration y restait pourtant attachée, Claude rentrait sans citation. C'était pour lui une énigme et une humiliation. En dix-sept mois de terrain, il s'était trouvé dans tous les mauvais coups. Il les avait cherchés. Il n'avait manqué aucune opération. Alors quoi ? N'avait-il rien fait qui méritât ? Il n'y croyait pas. Le commandant de Fontelle avait-il barré toutes les propositions pour éviter d'avoir l'air de citer un garçon qui appartenait à sa famille ? C'était une hypothèse, hélas invérifiable. À Jules seul, Claude confia cette déception. Le commandant de cavalerie avait de quoi comprendre le sentiment de son jeune frère. Mais Claude n'aurait jamais la clé de ce mystère qui lui valait de n'avoir été ni remarqué ni cité.

Il revenait donc meurtri par ce qu'il avait vu – non pas un combat glorieux mais une guerre cruelle – et par les honneurs qu'il n'avait pas gagnés. Voilà où en était Claude au début de l'année 1957 : huitième enfant d'Henri, se voyant seul à n'avoir ni le bac ni une citation pour sa valeur militaire. Et il fallait avec ou malgré cela se fabriquer une existence. Il aurait bientôt vingt-trois ans, ses études étaient finies, il chercha du travail.

PRINTEMPS 1957

Mais d'abord, à peine rentré, Claude s'inscrivit au stade Jean-Bouin. Ce fut même la première chose à laquelle il pensa en arrivant à Paris : devenir membre d'un club sportif. En Irlande et en Écosse, il avait passé ses journées sur les courts de tennis et dans les club-houses, il avait aimé cette manière de vivre qui n'avait rien à voir avec celle de sa famille. Le sport n'était pas encore une pratique répandue chez les Bourgeois. On n'appréciait pas tout ce qui allait avec : les tenues décontractées, la sueur, les vestiaires collectifs et la promiscuité. La préférence était donnée aux rites sacrés ou anciens, comme la messe, le déjeuner dominical (autrefois chez Valentine) et les parties de campagne à Saint-Martin. On y restait entre soi, dans une société choisie et connue, alors que ces associations sportives mêlaient des populations hétérogènes. En un mot, le sport c'était populaire. C'était le Tour de France. C'était plouc ! C'était rustre. Cette opinion effarouchée s'était évidemment formée en vase clos et à distance et tel n'était pas le sentiment de Claude. Le sport c'était fantastique et la seule chose qui le passionnât. Quant à la compétition, son exigence produisait un exhaussement du jeu qui faisait rêver Claude de victoires et de perfection. À treize ans, il piaffait déjà pour quitter la table et rejoindre les pelouses où se disputaient des matchs de football en face de Bagatelle. Là se nouaient des amitiés joyeuses. Claude y rencontra le fils de Jacques Becker et le cinéaste lui proposa un rôle dans son film *Le Trou*. C'était le rôle du traître. Claude refusa tout net, montrant qu'il savait dire non, était soucieux de son image et naïf sur le métier de comédien. Le football ne lui ouvrirait pas une carrière d'acteur mais une vie de sportif. Il avait la passion du ballon, connaissait par cœur le nom des joueurs et la composition des équipes, bien mieux que celui des rois de France ou des départements. Le monde du sport était un autre monde et Claude en ferait le sien. Toute sa vie il saurait se sentir bien dans n'importe quel milieu mais davantage encore avec les sportifs. Il avait bel et bien aménagé ses origines et mis au panier l'aspiration aristocratique qu'entretenait son père.

Avec ce jeu fougueux et impulsif, définitivement à l'image de son caractère, il était devenu un bon joueur de tennis. Un attaquant pure race. Sur le court, Claude

Bourgeois servait et se ruait au filet. Service-volée, il n'avait pas d'autre tactique.

— Quand l'autre est à quinze mètres de la balle ça ne se discute pas, disait-il en attaquant irraisonné.

Il était grand et explosif aussi connut-il de belles réussites. Mais si l'adversaire était retors, par exemple maniait avec malice l'amortie et le lob, quelle importance – on ne change pas une nature –, le fougueux volleyeur s'épuisait et perdait.

— À jeu égal, le défenseur bat l'attaquant, disait Claude.

La phrase deviendrait une sentence-clé. Claude était de ceux qui jouent comme des vainqueurs mais perdent plus souvent qu'à leur tour. Le plaisir de claquer une volée valait à ses yeux toutes les défaites. Bien jouer était plus important que gagner. Avoir de beaux coups plus enviables que crapoter. Il s'était inscrit dans une collection de tournois où il se rendait en Vespa, à la sortie des bureaux ou entre midi et deux heures. Car il venait de trouver du travail.

MARS 1957

Quel job pourrait-il bien décrocher ? Claude n'avait pas d'idée précise. Ni grand diplôme, ni vocation, ni talent particulier. Et quelle ambition pouvait-il nourrir quand il avait une piètre image de lui-même ? Il se voyait comme un garçon qui avait raté tant de choses ! Son propre père, inquiet sans doute, lui répétait : Tu ne seras jamais cadre !

Ce n'était pas l'affreuse question *Que va-t-on faire de toi ?*, mais quelle antienne tout de même ! Et Claude l'écoutait – justement parce qu'il ne connaissait rien à la vie, à l'entreprise, au travail. Il écoutait, tête basse, comme si le verdict avait une signification autant qu'une vérité. Comme s'il était pour toujours le bon à rien de cette famille. Comme si *être cadre* pouvait représenter pour lui une ambition alors qu'il avait déjà exulté de voyager, de rencontrer des gens, de participer à l'action. Comment aurait-il pu rester dans un bureau quand il n'aspirait qu'au mouvement, à se démener et se rendre utile ? Pour l'instant il fallait contacter des patrons. Demander un emploi ! L'horreur de quémander et de savoir se vendre, Claude s'y plia.

Il fut d'abord reçu par un ami de Nicolas, qui vendait des machines-outils. Il arriva en avance au rendez-vous, très intimidé. Cravaté, dans un costume bleu marine ordinaire, mince et hâlé, il avait pourtant belle allure. Il attendit assis sur une chaise à quelques mètres de la secrétaire qui lui souriait sans arrêt. Qu'elle le trouvât séduisant ou qu'elle perçût sa peur, en tout cas elle le rassura :

— Vous verrez, tout va bien se passer !

Il devait avoir l'air jeune et perdu, et il l'était sûrement, à peine revenu d'une guerre qui n'avouait pas son nom et qui malgré cela lui avait fait voir des horreurs.

— Vous êtes gentille ! répondit Claude, commençant d'user cette phrase qu'il prononcerait toute sa vie, non pas mécaniquement (parce qu'elle aurait quelque utilité), mais parce qu'une sensibilité particulière lui ferait rendre grâce de toute sollicitude.

— Allez-y, M. Darsac vous attend, dit la secrétaire après avoir raccroché son téléphone.

Ajoutant le geste à la parole, elle se leva et ouvrit une porte.

— Par ici.

Voilà qu'il s'avançait et s'asseyait comme on le lui suggérait d'un geste de la main (la paume ouverte vers le ciel désignait le fauteuil).

— Bonjour monsieur, dit Claude bien qu'il n'eût rien entendu. Ni bonjour, ni bienvenue, comme si tout avait été contenu dans l'invitation gestuelle à prendre place.

Les amis de mon frère sont-ils mes amis ? Claude n'eut pas le temps de se le demander que déjà il lui fallait répondre à une question bien plus fantaisiste.

— Peut-on épouser la sœur de sa veuve ?

Claude ouvrit de grands yeux. À quelle sauce s'était-il attendu à être mangé ? Sûrement pas à celle-ci. Et qu'est-ce que c'était que cette question ? On peut bien épouser qui on veut ! Il paniqua. La sœur de sa veuve ? Pourquoi pas ? pensa-t-il, troublé, incapable de réfléchir.

Il répondit :

— Oui.

Un rire derrière le bureau accrut le trouble du candidat désarçonné. Il y eut d'autres questions mais l'entretien sembla raccourci par la réponse décevante, comme si la décision était déjà jouée et que la politesse seule commandait une fin de conversation. Quel âge avait

Claude ? Qu'avait-il envie de faire dans la vie ? Vendre des machines est-ce que ça l'intéressait ? Claude bredouilla quelques mots.

— Votre frère m'a dit que vous aviez étudié à Sup de Co Paris, qu'avez-vous appris dans cette école ?

Claude expliqua qu'il n'avait fait là qu'une année et oublia de répondre à la question.

— Je vous remercie jeune homme, ma secrétaire vous rappellera.

Une fois dans la rue, Claude respira et réfléchit : eh bien non la sœur de sa veuve on ne risquait pas de l'épouser et lui n'avait aucune chance d'être embauché. Il se sentit bête à faire pleurer un âne.

— Il a dû me prendre pour un con, ça n'a pas marché, se souvient Claude.

L'échec fait partie de son personnage, il le constitue au même titre que toutes ces phrases : Je ne savais rien faire. Je n'avais pas fait d'études. Je ne sortais pas d'une grande école.

Le septième fils d'Henri Bourgeois rencontra ensuite un patron de Bull. Le job ne tenta pas Claude et Claude ne chercha pas à être apprécié. Il ne le fut pas. Apprendre à déplaire est une étape de la vie lorsqu'on sort de sa famille. On peut dire que Claude eut l'occasion d'apprendre. Henri – Monsieur *Tu ne seras pas cadre* – commençait peut-être à s'inquiéter et intercéda pour ce fils qui avait besoin d'un coup de pouce. Claude entra chez Gedalge, une petite maison alors dirigée par un ami d'Henri. Ce passage dans l'édition l'assura qu'il voulait du mouvement. L'édition n'était pas un métier pour un impétueux qui aimait l'action. Il s'ennuya pendant deux ans et donna sa démission. C'était l'automne 1959. Claude suivait l'évolution de la situation en Algérie. L'opération *Jumelles* menée par le général Challe était un succès mais le général de Gaulle avec sa *paix des braves* semblait marcher dans une autre direction. Pendant quinze jours, Claude profita de quelques vacances. Il passait ses journées à jouer au tennis et parcourait les petites annonces assis au bar du club. C'est là qu'un samedi matin, il lut celle qui changea sa vie : *Président de société, aveugle, cherche secrétaire particulier, de préférence célibataire, aimant voyager.* Claude rêvait justement de parcourir le monde. Il répondit aussitôt, mit la lettre à la boîte et rentra déjeuner chez lui. Les levées étaient à l'époque plus fréquentes qu'elles ne le sont aujourd'hui. À midi, le téléphone sonnait boulevard Émile-Augier : M. Gugenheim recevrait Claude à dix-sept heures. En 1959, un jeune homme sans qualification trouvait du travail en une journée.

OCTOBRE 1959

Pas de question piège cette fois ! La poignée de main était chaleureuse et ferme.

— Je vous en prie, asseyez-vous.

Claude était fasciné. On s'amuse parfois de voir sans être vu. Au pied de la lettre, il faisait cette expérience : il avait tout loisir de regarder un homme qui ne le voyait pas. Mais l'amusement peut surgir lorsque l'autre ignore qu'il est observé. Ça n'était pas le cas. M. Gugenheim ne voyait plus le monde mais il était intensément présent dans la rencontre. Une aura se dégageait du président de la Compagnie minière et métallurgique. Claude l'attribua à son infirmité, elle pouvait tout aussi bien naître de la volonté et du courage, d'une distinction profonde de l'être. Jean-Émile Gugenheim avait un grand front bombé accru par sa calvitie, des lunettes rondes en écaille aux verres teintés, des lèvres charnues et un sourire tourné vers l'intérieur. À quoi souriait-il ? On aurait dit que c'était à la vie, à toutes les choses, à lui-même plongé dans ce maelstrom. Il acquiesçait à ce qui est, ne l'évitait pas, s'y confrontait et triomphait. Le visage ovale et les yeux mi-clos – comme à demi morts – détenaient une connaissance. Atteint de cécité totale en 1941, Jean-Émile Gugenheim avait poursuivi sa vie et ses activités, allant jusqu'à faire de l'escalade ou du bateau – avec un guide. Il travaillait soixante heures par semaine et vivait seul, il voyageait pour visiter les mines et les usines qui étaient sous son contrôle. Il se débrouillait avec les objets et les lieux. C'était impressionnant. Inimaginable, se souvient Claude.

— Connaissez-vous la société ? demanda le président Gugenheim.

— Pas très bien monsieur, répondit Claude. À vrai dire pas du tout.

Il faut imaginer que n'existait pas encore Internet et cette possibilité d'y assouvir sa curiosité, de googliser son interlocuteur avant de le rencontrer. Jean-Émile Gugenheim retraça donc l'histoire de son entreprise. La Compagnie minière et métallurgique avait été créée en 1930 par les deux frères Jean et Jean-Émile. Elle était implantée en Afrique du Nord. Maroc, Tunisie, Algérie. À l'activité minière, s'ajoutaient la transformation et la récupération des métaux.

— Nous achetons et nous vendons de la ferraille. Les déchets sont pesés, payés, stockés, mis dans des fûts ou chargés en vrac. Nous avons trois chantiers, Alger, Oran et Bône. Connaissez-vous l'Algérie ?

— J'en reviens monsieur, dit Claude.

— Je crains que ce qui se prépare dans ce pays ne soit violent, dit M. Gugenheim. Beaucoup de pauvres gens vont souffrir.

À ces mots il s'était tu et son expression, bien qu'elle fût sans regard, marquait qu'il savait se représenter la souffrance.

— Parlons de ce que j'attends de vous, dit-il. Vous serez mon secrétaire particulier. À ce titre vous m'accompagnerez partout. Vous voyagerez avec moi. Je me déplace fréquemment. Dans ce métier, vous le constaterez, il faut parler aux gens. Voyager ne vous pose pas de difficultés ?

— Aucune difficulté, monsieur, bien au contraire.

— Êtes-vous marié ?

— Je suis célibataire et j'habite chez mes parents.

— Quel âge avez-vous ?

— J'aurai vingt-cinq ans en juillet prochain.

— Avez-vous des questions à me poser ?

Claude n'osa pas demander quel serait le salaire pour ce poste et M. Gugenheim en vint à une requête particulière.

— Vous serez mes yeux. Vous allez ouvrir mon courrier, écrire mes lettres, lire tous les rapports qui m'intéressent. Vous connaîtrez tout de mes affaires et de ma vie. J'ai besoin de savoir quelle a été votre éducation et à quel milieu vous appartenez : je voudrais rencontrer votre père.

Claude rentra chez lui content. Il comprenait fort bien que la confiance du président réclamât d'être fondée. Il alla trouver Henri dont il connaissait les animosités.

— Papa, je crois que j'ai trouvé un job qui me plaît. Avant de m'engager, mon futur patron souhaiterait te rencontrer. Je te préviens : il est juif et franc-maçon. Et il est aveugle.

Claude ignorait que Jean-Émile Gugenheim était aussi officier de la Légion d'honneur à titre militaire, Croix de guerre avec palme et médaille de la Résistance. Ces distinctions disposèrent favorablement Henri Bourgeois qui n'avait pas eu de mal à prendre quelques renseignements.

— J'ai commencé à travailler dans un milieu qui représentait tout ce que détestait papa, remarque aujourd'hui Claude.

Personne n'assista à l'entretien qui eut lieu entre l'éditeur catholique et l'industriel juif. Bien des faits les rapprochaient et bien d'autres les séparaient. Ils auraient pu parler toute la nuit, complices et sans se mettre d'accord. Ils étaient nés la même année, 1895, ce qui signifiait avoir eu dix-neuf ans en 1914. L'un et l'autre s'étaient engagés, Henri dans l'artillerie, Jean-Émile dans le service de santé. Ils étaient tous deux présidents de société, ils appartenaient à ce cercle prisé des patrons.

Mais Jean-Émile Gugenheim n'avait que trois enfants et pendant l'Occupation, il avait pris une part active à la Résistance. Ayant traversé les mêmes périodes tragiques, leurs mémoires et leurs interprétations divergeaient sans doute mais l'estime était possible.

— Je souhaite engager votre fils pour un poste de confiance, pourriez-vous me parler de Claude ?

Jean-Émile Gugenheim ne voyait pas le visage sévère d'Henri Bourgeois mais il écouta. Une manière de parler, c'est tout un monde. Vocabulaire, syntaxe, accentuation, comparaisons, références, et le fond du propos, tout chez Henri trahissait la grande bourgeoisie catholique de Paris. Austérité, exigence et sévérité, un orgueil démesuré aussi se révélaient dans le portrait que le père fit du fils, sans complaisance ni indulgence paternelles.

— Claude est un gentil garçon qui n'a pas fait d'études. Pour l'instant il ne sait rien faire. Il n'a jamais travaillé de sa vie. Voulez-vous vraiment engager un bon à rien ?! (Acquiescement silencieux de l'interlocuteur.) Il parle convenablement l'anglais je crois, dit Henri. Je vous le confie. Ne le payez pas, il est logé, nourri, blanchi.

L'affaire fut conclue. Avec la bénédiction de son père (Vas-y, tu vas beaucoup apprendre, avait-il dit), Claude entra, en tant que secrétaire particulier du patron, à la Compagnie minière et métallurgique. Il revenait d'Afrique du Nord, il y retourna.

— Et c'est ainsi que je suis tombé amoureux des tas de ferraille, s'amuse Claude.

Le devina-t-il ? Chercha-t-il à le faire ? Jean-Émile Gugenheim façonna à jamais la vie de Claude. Il fut LA rencontre de son existence. D'abord il l'amena devant un tas de ferraille. Sa perspicacité apprécia-t-elle le coup de foudre ? Il venait de révéler à Claude une passion qui résisterait à tout, à la répétition, à l'habitude, à la difficulté, au changement et au temps (à quatre-vingts ans, Claude ferait toujours de la récupération). En somme il lui donna le bonheur professionnel. Ensuite, il fut un exemple à admirer et à imiter. Il travaillait soixante heures par semaine et demanda à son secrétaire de faire la même chose. Le prétendu bon à rien se passionna. Travailler toute la journée à côté d'un homme intelligent, le suivre dans chacun de ses déplacements, lire son courrier, écouter ses commentaires, le voir réagir et décider, vous apprend non seulement le métier mais la vie. Claude accompagnait le président partout. Il était ses yeux. Il lui décrivait tout ce qu'il voyait – ce qui est aussi une manière d'accroître sa propre attention.

— Dites-m'en un peu plus sur ces déchets, demandait le président.

Et Claude décrivait les déchets ! Au fond et sans le savoir, il pratiquait le difficile exercice qu'on appelle en grec *ekphrasis*. Quoi de plus formateur pour apprendre à regarder, à connaître et à exprimer ? Claude trouva en lui quelque chose qu'il ignorait : le talent.

Chez le président, il trouva l'expérience. Un jour, dans l'avion pour Casablanca, Claude lui lisait le journal.

Quels sont les titres aujourd'hui ? demandait Jean-Émile Gugenheim. Puis informé de tout : Lisez-moi tel et tel article. Un entrefilet ce jour-là racontait comment un fonctionnaire soudoyé pour l'obtention d'un contrat avait rendu l'argent. Le journaliste vantait l'honnêteté et se réjouissait de sa persistance. Claude fit de même. Jean-Émile Gugenheim s'amusa de ces naïvetés.

— Pourquoi riez-vous ? demanda Claude.

— Il n'y avait pas assez dans l'enveloppe !

Le président connaissait la nature humaine. Il n'en concevait ni désolation, ni épouvante, mais composait, et parfois il se divertissait de ce qu'elle fût si immuable et prévisible. Voilà ce qui va se passer, disait-il à Claude, et voilà ce que nous allons faire. Et tout se passait comme il avait dit. Il devinait les gens, les émotions et les motifs. Vous voyez, Claude, ce type a peur, alors nous allons le rassurer. Ainsi Claude apprit-il à se mettre à la place de l'autre. Celui-là veut absolument négocier. Négocions !

— Les gens étaient bluffés, se souvient Claude. Un jour nous étions sur un chantier où on chargeait de la ferraille dans un camion. Le père Gugenheim était à côté de moi. Elle est pas bien belle votre ferraille ! lança-t-il au responsable. Et il était aveugle ! Le type n'en revenait pas.

Jean-Émile travaillait-il à l'oreille, avait-il une idée réelle de ce qu'il ne voyait pas, ou bien s'amusait-il un peu ? Impossible de le savoir. Car le président tenait à être celui qui sait tout. Il était dans la maîtrise. Il voulait être au courant du moindre fait ou problème et que le personnel se donnât le même mal que lui, évidemment c'était impossible.

— Il piquait d'épouvantables colères ! dit Claude.

Les colères formaient peut-être le jeune homme à son métier, le terrain lui apportait ce que sa forme de curiosité n'avait pas trouvé à l'école et le temps assurément sédimentait ce qu'il apprenait des choses, des lieux et des hommes.

16 MARS 1960

Le temps n'a ni mains ni cheveux : on ne le retient pas ! Le temps courait et nul n'échappait à son baptême. Aujourd'hui Marie avait vingt ans. Vingt ans comme la mort de Mathilde. Comme l'alliance d'Henri et de Gabrielle. Parents et enfants avaient vécu ces deux décennies et la tristesse du deuil était devenue une blessure invisible. Les dix orphelins étaient allés dans l'existence. Dans quelques jours, Jules aurait quarante ans, comme le mariage d'Henri et de Mathilde. Jules avait maintenant six enfants. La vie s'était transformée sans se lasser. La société entrait dans une prospérité jamais connue. Depuis cinq ans, Henri roulait en DS. Il venait de quitter la présidence des éditions et s'occupait de ses récoltes de pommes dans sa nouvelle propriété de Touraine. Avec ses premiers salaires, Claude s'était acheté une Vespa pour se faufiler sans perdre de temps du bureau au club de tennis et vice versa. Jérôme était en stage hospitalier. Allié à deux associés, Joseph avait monté son propre cabinet d'avocats. André naviguait sur des pétroliers immenses. Louise attendait son quatrième enfant. Dans trois semaines il naîtrait, garçon, on le baptiserait Laurent. Guy était fiancé.

Le moment de se féliciter était venu ! Les parents avaient fini leur travail. Tous leurs enfants étaient adultes et jamais ces adultes ne seraient aussi jeunes et nombreux. C'était l'instant glorieux d'un accomplissement. Les Bourgeois ! Ils étaient dans l'armée et la marine, dans les affaires, à la maison, à l'hôpital, au tribunal. Ils étaient sur terre et sur mer, en France et ailleurs, autant dire partout dans la vastitude du monde. Ils s'étaient déployés. Leur tempérament avait surmonté leur éducation – ses empêchements excessifs. Ils ne se montraient ni raides ni guindés, ni étroits ou mesquins : ils étaient impétueux. L'énergie, le mouvement et l'appétit heureux emportaient la réserve. Ils se donnaient aux choses avec fougue.

Marie était un météore persistant : lumineuse, rieuse, rapide. Toujours à se lever pour rendre service. Si drôle, si mélangée d'elle-même et des principes qui lui avaient été inculqués. On n'est pas sur terre pour rigoler ! disait-elle le matin. C'était ce qu'on lui avait appris. Bon ! qu'est-ce qu'on fait ce soir ? demandait-elle avant le dîner. C'était ce qu'elle ressentait, un élan joyeux. La dernière fille de Mathilde vivait toutes forces dehors. Aujourd'hui on dirait d'elle : la résilience même. Marie avait la pêche ! Rien ni personne n'arrêtait cette tornade, pas même Henri et son souci des bonnes manières féminines. Là n'était pas la question, Marie était bien élevée, mais pour l'instant elle n'allait pas se contenter du rôle dévolu aux jeunes filles de bonne famille. Attendre un mari. Apprendre des bêtises. Se soucier de robes – d'étoffes et de façon. Non ! Ça n'était pas le style de Marie. Si timide ! Elle rougissait pour un rien. Mais cette timidité était une sensibilité, une délicatesse, pas une entrave ou une inhibition. Marie était capable de vouloir et de s'engager. Elle avait passé son premier bachot avec l'idée de devenir infirmière. Et bien sûr elle fut infirmière, car elle n'avait rien de velléitaire. La dernière fille de Mathilde entra sur le marché du travail ! Plus encore qu'une évolution tangible dans la société conventionnelle, c'était un événement familial. Reçut-il l'écho qu'il méritait ?

— Alors qu'as-tu fait ? demanda Jérôme à sa sœur, le premier soir où Marie rentra de son nouvel emploi à l'hôpital.

C'était le médecin qui parlait. Les membres présents de la famille Bourgeois étaient assis autour de la table. Peu de monde en vérité puisque Jules était en Algérie, Jean en Méditerranée, André en mer, Joseph, Nicolas et Louise dans leurs foyers respectifs, et Guy à Saint-Maixent. Seuls Claude et Jérôme regardaient leur petite sœur qui s'apprêtait à raconter sa première journée d'infirmière.

— Je me suis occupée d'un vieux monsieur, dit Marie. Je lui ai fait sa toilette et je lui ai donné son déjeuner.

Henri demeurait silencieux, il se faisait à l'idée que sa fille avait vu la nudité d'un vieil homme. Et Claude se partageait entre l'admiration (en lui le sentiment le plus fréquent) et la stupéfaction qu'il imaginait chez son père.

— Marie était une formidable infirmière. J'avais plus confiance en son diagnostic qu'en celui de Jérôme !

13 AVRIL 2016

— Il n'y a pas de miracles à Lourdes, il y a Marie ! s'exclame Louise.

La phrase ne se comprend pas sur-le-champ, elle comporte sa part d'ironie pour signifier que Marie est un miracle. Privée de mère à la naissance, elle connut les bras d'une gouvernante et ceux d'une grand-mère de soixante et onze ans préoccupée par la guerre. Pendant les deux premiers mois de sa vie, Marie vécut le deuil, la débâcle et l'exode. Sa minuscule présence fut transbahutée dans une atmosphère de panique, de stupéfaction et de pénurie.

— La tendresse manquait, dit Louise. Et le lait. Il n'y avait pas de lait pour Marie et je me souviens qu'elle pleurait sans cesse.

J'évoque l'arrivée de Gabrielle au secours d'Henri, Louise à nouveau s'exclame :

— Marie n'était pas sa fille.

Les souvenirs reviennent.

— Toute son enfance, Marie a pleuré parce que personne ne venait l'embrasser dans son lit.

Je me demande pourquoi Louise ne le fit pas elle-même. Mais la réponse est immédiate : elle aussi pleurait dans sa chambre, elle à qui Mathilde avait manqué du jour au lendemain, donnant tout puis disparaissant pour toujours. Et je vois bien aussi cette réserve

364

distinguée qu'avaient les Bourgeois, cette cordialité toujours retenue, une expression du cœur qui ne peut pas suffire aux enfants.

Mais il en reste le résultat qui est une réussite : la vitalité intacte et la façon dont, frappés par la mort, les dix enfants ont embrassé la vie. Tous l'ont fait.

10 OCTOBRE 1962

Grâce à la rencontre de son patron et de son père, Claude était assurément mal payé. Or depuis qu'il s'était marié, il n'était plus logé, nourri, blanchi comme Henri l'avait dit, une petite fille était née, et son ménage tirait le diable par la queue. Le jeune père de famille gagnait huit cents francs par mois. Des nouveaux francs bien sûr. Il n'économisait pourtant ni sa peine ni son courage. Il avait accepté de partir en Algérie quand tous les directeurs français demandaient à rentrer en métropole. Il avait franchi la Méditerranée à un contre un million ! Il avait travaillé là-bas quand tous les autres s'en allaient. L'été de 1962, il était arrivé à Oran juste après les journées de massacre dont les Européens étaient victimes. La terre tant aimée faisait commettre l'irréparable. À peine installé dans ses fonctions, Claude avait compris que le précédent directeur était passé dans la presse à métaux. Dans le Frigidaire d'un des bureaux traînait encore un sac rempli d'oreilles. Les musulmans rigolaient. Plaisir de la vengeance ? Amusement de semer la terreur ? Bonheur de la souveraineté ? Claude se demandait ce qu'ils avaient dans la tête ou ce qu'ils mijotaient. Il l'ignorait.

Allaient-ils l'occire comme son prédécesseur ? Claude était resté malgré cette éventualité – toujours la peur de la peur sans doute, ou bien le cran des Bourgeois. Deux mille ouvriers musulmans lui avaient obéi. Certains crevaient de faim. À la joie furieuse de l'indépendance avait succédé une immédiate pagaille et ceux qui avaient cru que tout était arrivé commençaient d'être déçus. Claude fit marcher les trois dépôts de ferraille : Oran, Alger, Bône. Une fierté légitime et sans démonstration couronna cette réussite. Dans l'Algérie désorganisée les réseaux téléphonique et postal fonctionnaient mal, les réserves d'essence du port d'Oran avaient été incendiées, Claude n'avait pu rejoindre ou joindre personne à Alger ou à Paris, il avait pris seul toutes les décisions. Maintenant il sentait qu'il était capable d'occuper ce poste et l'idée lui suffisait. Directeur ! Si on le lui avait proposé, il ne l'aurait pas accepté. L'Algérie n'était pas vivable. Il revint à Paris début octobre. Certes sa femme se plaignait de ses longues absences mais pour la première fois le président Gugenheim fit montre d'un grand contentement. Fort de ces succès, Claude se décida à demander une augmentation.

Il avait imaginé une somme dont il s'ouvrit à la secrétaire avec qui ses relations étaient amicales. Sa modestie qui ne prenait personne de haut et son talent de parler avec tout le monde s'avéreraient souvent très utiles. Il en fit pour la première fois l'expérience.

— Attendez deux jours, je vous dirai ce qu'il faut demander, lui conseilla la dame.

Dès le lendemain, elle dit à Claude :

— Demandez trois mille cinq.

— Vous croyez vraiment, ça n'est pas excessif ?

— J'en suis sûre.

Claude ravala ses scrupules et suivit le conseil, s'apprêtant ainsi, tout timide qu'il était, à réclamer plus de quatre fois son salaire actuel. Jean-Émile Gugenheim le reçut tout de suite et sans cérémonie.

— Vous vouliez me voir, je vous écoute.

— Monsieur le président, je voudrais une augmentation.

— Avez-vous une idée ?

— Je voudrais trois mille cinq cents francs.

— C'est entendu, dit Jean-Émile Gugenheim.

— Je vous remercie, monsieur le président, dit Claude soudain empli d'étonnement.

Et comme son employé ne bougeait pas, le président s'étonna à son tour.

— Avez-vous autre chose à me demander ?

En vérité Claude était stupéfait : alors comme ça depuis des mois il avait travaillé pour quatre fois moins que le salaire qu'on lui accordait maintenant sans même le discuter ?

— Oui, dit Claude. Pardonnez-moi, mais ne croyez-vous pas que j'ai de quoi penser que vous vous êtes moqué de moi ? dit Claude en rougissant. Pourquoi ne m'avez-vous jamais donné d'augmentation ?

— Vous ne m'avez rien demandé, répondit le président. Je pensais que vous étiez content avec ce salaire.

Cet épisode fut pour Claude une grande leçon : les choses se conquièrent. On ne vous les propose pas, il faut les réclamer. Il n'éprouva aucune rancune envers son patron et ne manqua pas de noter combien il est précieux de bien s'entendre avec les secrétaires.

— Alors ? demanda celle qui l'avait judicieusement conseillé, quand Claude sortit du bureau du président.

— Vous aviez raison. Merci. Sans vous je n'aurais jamais eu l'idée d'une somme pareille !

Claude pénétrait le vaste univers – des personnes différentes, des savoirs spécifiques, des pays inconnus. Les chantiers et les ouvriers, les métaux et les déchets, les contrats et les transporteurs, les réclamations et les négociations, il apprit tout dans ces années-là. Il avait eu la chance de partir de chez lui à vingt ans et d'aller chez des gens qui lui avaient dit : tu n'es pas plus bête que les autres ! Et puis il avait rencontré le père Gugenheim.

— Les juifs et les femmes ! Voilà ceux qui m'ont donné confiance en moi, résume aujourd'hui Claude.

Un éclat de rire le traverse.

22 AVRIL 1961

Une noria d'un million et demi de jeunes Français passait par l'Algérie. Les fils de Pierre, d'Henri, de Gabrielle comptaient parmi eux. Le chassé-croisé des frères Bourgeois en était une manifestation. À l'automne 1956, Jean était rentré le premier, puis Claude au début de l'hiver suivant. Jules avait débarqué à Alger presque en même temps que le général de Gaulle venu pour son premier discours, le fameux *Je vous ai compris*. Le 2ᵉ régiment étranger de cavalerie était basé à Médéa dans le Sud algérois. En appui de l'infanterie, il nomadisait et déplorait la pauvreté des douars les plus inaccessibles, dans les montagnes où grésillaient les postes radio des compagnies larguées par les Sikorsky. Déjà marqué par son séjour en Indochine, le commandant Jules Bourgeois avait découvert les vastes opérations coordonnées à l'échelon régimentaire, la méthode – bouclage, ratissage, quadrillage – et le mélange d'action et de pacification. Les soldats missionnaires et les légionnaires étaient côte à côte pour rallier et convaincre avant qu'un massacre de populations notoirement amies de la France ne semât la terreur. Un combat sans honneur et sans gloire. Puis Guy, fraîchement gradé, posa le pied en Algérie à l'automne 1960. Le jeune saint-cyrien entra dans le jeu quand les militaires français gagnaient sur le terrain mais que les diplomates perdaient leur partie. Claude voyageait alors au Maroc. Casablanca, Rabat, Marrakech. Il avait accompagné son patron à Kettara où la Compagnie possédait une mine et une usine de transformation. Il jugea l'ambiance détestable. En mars, les Marocains avaient fêté les cinq ans de l'indépendance mais personne ne semblait optimiste quant à l'avenir du pays ! Alors ? pensait Claude pragmatique, pourquoi la réclamer si elle ne profite à personne ? Dommage que les Algériens n'en prennent pas de la graine, pensait-il. L'Algérie algérienne que sera-t-elle ? De Gaulle le sait-il lui-même ?

— Croyez-moi il s'en moque, il veut se débarrasser du boulet, disait le président.

— J'ai deux frères en Algérie, pourquoi se battent-ils si l'abandon est planifié ? s'exclamait Claude.

Comme beaucoup d'autres, il ne comprenait pas le gouvernement qui d'un côté négociait avec les rebelles et de l'autre demandait aux militaires de convaincre la population indigène que la présence française était solide, et généreuse. Claude ne voyait que les réussites de l'engagement armé. La France gagnait cette guerre ! Les maquis avaient été démantelés les uns après les autres. De grands territoires étaient à présent pacifiés. Alors quoi, on allait livrer ces gens aux égorgeurs ?

— La ligne Morice, les regroupements de villages, la zone interdite, les opérations de nettoyage, on n'a pas fait tout ça pour rien quand même ? Pourquoi abandonner l'Algérie puisque l'armée a gagné sur le terrain ?

— Parce que le FLN a gagné la bataille diplomatique, disait Jean-Émile Gugenheim. La poignée de main de Khrouchtchev a retourné l'opinion du monde.

Cette conversation avait lieu au bar d'un hôtel à Casablanca quelques jours avant le putsch des généraux. Le 22 avril, l'armée prit le pouvoir à Alger *pour lutter contre l'entreprise d'abandon de l'Algérie et du Sahara*. Devant la foule prête à rejouer un 13 mai, Salan, Jouhaud, Zeller et Challe firent le serment de garder l'Algérie dans la souveraineté française. À ceux qui les ovationnaient ils promirent : la France n'abandonnera jamais les pieds-noirs. Mais Jean-Émile Gugenheim avait raison, l'idée de l'indépendance avait fait son chemin dans les esprits. L'unanimité condamna le coup de force. Lassée de ce conflit où l'on envoyait ses enfants, la métropole décréta la grève générale. Le gouvernement se fit alarmiste. Les parachutistes – ceux qui avaient torturé pendant la bataille d'Alger – allaient sauter sur Paris ! La rumeur courait. Michel Debré appelait les Parisiens à les bloquer. Le canon d'un char traçait vers le ciel un trait oblique devant la façade de l'Assemblée nationale. Le quarteron était diabolisé. Personne ne dirait que le putsch au contraire fut trop pacifiquement mené pour réussir.

En Algérie, les commandants de zone ne se rallièrent pas. Jules fut de ces officiers supérieurs qui se refusèrent à désobéir au pouvoir légitime. Le 3ᵉ REC resta dans la légitimité. Le fils aîné d'Henri n'aurait pas entraîné ses hommes dans une révolte contre le gouvernement. Sa conscience se défendait. L'honneur était de servir et s'il y avait dans ce conflit un déshonneur, il était du côté des politiques. Quant à Guy, il n'eut pas le temps de le faire savoir et passa – en tant qu'officier à surveiller – quatre jours et quatre nuits prisonnier. Deux appelés armés étaient entrés dans sa chambre. Les transistors et la voix éraillée du général de Gaulle avaient rallié le contingent qui veillait à la loyauté de ses chefs.

— Pas un geste, mon lieutenant ! Au nom du gouvernement français vous êtes aux arrêts.

Guy se serait bien esclaffé. Des gosses le tenaient au bout d'un fusil ! Il aurait pu leur dire : Faites attention, regardez ce que vous faites. Le ridicule avait l'ampleur du drame.

Le 25 avril, Challe capitula. L'action et l'échec s'étaient enchaînés à grande vitesse. Le commandant de Saint-Marc s'était rendu et son régiment avait été dissous à Sidi Bel-Abbès. Ces officiers de valeur étaient sous les verrous de la République. Guy avait vingt-quatre ans, il sortait à peine de sa formation à Saint-Cyr, comment aurait-il pu ne pas être stupéfié par ces destins ? Il l'était. À la fois attristé et frappé. Cette guerre avait de quoi rendre fous les militaires. Le gouvernement leur faisait porter la responsabilité des sales boulots qu'il ordonnait, détournant les yeux, diligentant des inspecteurs, flattant l'opinion publique en discréditant l'armée, tenant un double langage. Guy pressentit que trop de promesses avaient été faites. Des milliers de vies étaient compromises. Le devoir de gagner la guerre s'imposait et avec lui la servitude des armes. Certains quittaient l'armée, Guy venait d'y entrer, il resta. Au moment tragique où l'OAS choisissait de persévérer dans l'entreprise de garder l'Algérie française, il persévéra dans la vie qu'il avait choisie.

3 MARS 1961

Depuis sa libération du contingent, Claude suivait de près ce qui se passait en Algérie. Guy lui avait raconté de quelle manière deux appelés l'avaient foutu au trou. L'Afrique du Nord, c'était le bordel ! pensait Claude. Il comprenait la position des putschistes. S'il s'était encore trouvé en Algérie, il aurait été de leur côté ! Et en prison maintenant. Au lieu de cela, loin de la vie militaire, son existence était agréable. Il travaillait et jouait au tennis. Je passe toutes mes soirées à Jean-Bouin, écrivait-il à Guy, c'est un endroit de rêve. Pardonne-moi de te parler de la belle vie que je mène à Paris, ce n'est pas très gentil !

Entre la porte d'Auteuil et celle de Saint-Cloud, derrière les imposants bâtiments du lycée Claude-Bernard, le CASG était un espace arboré que fréquentaient les meilleurs sportifs : joueurs de tennis, de hockey sur gazon, de football, de rugby. L'équipe féminine de hockey avait été championne de France en battant le Racing, son ennemi numéro un pour le titre. C'est là, sur le gazon des terrains, pendant une partie interclubs, que Claude aperçut pour la première fois les cuisses musclées d'une brunette qui possédait un joli coup de crosse. Outre une agilité à la fois vigoureuse et gracieuse, une paire de jambes qui compensait quelques lacunes techniques, Solange avait, disait-on, un foutu caractère. Elle était coriace, on ne l'abordait pas facilement. Ravissante – des cheveux noirs épais comme ceux d'une Japonaise, des yeux bruns et bridés, un petit nez retroussé, une belle peau –, la demoiselle ne manquait pas de soupirants. Elle n'était pas intéressée. Attendez-moi par ici, disait-elle à l'un, et elle partait par là. Les autres rigolaient. La coquine était déjà dans la rue. La bande l'avait surnommée *le bloc de glace*. Il n'en fallut pas plus pour attraper Claude : cette fille ravissante était inaccessible, qu'à cela ne tienne il trouverait le moyen de la séduire. Il relèverait le défi. Elle le remarquerait, comme l'avaient déjà fait d'autres joueuses plus intéressées par les jeux de l'amour. Claude Bourgeois était attirant parce qu'il était beau et souriant. Fini le petit garçon malheureux aux cheveux noirs emmêlés et aux lunettes rondes, qui pleurait le soir dans le dortoir de la pension. Les lunettes avaient disparu, les cheveux étaient coupés, les larmes taries. Il restait le besoin d'amour, qui le portait vers les grandes dispensatrices de tendresse : les femmes.

Les choses du sexe et celles du cœur intéressaient beaucoup Claude. Qu'y avait-il de plus fantastique dans l'existence ? Pas grand-chose. Rien ne faisait pétiller les jours comme une affaire amoureuse. Il n'était pas resté longtemps le grand nigaud qu'il était à dix-huit ans. C'était aussi qu'il plaisait beaucoup. Claude avait un sourire des yeux, une façon de baisser la tête et d'observer par en dessous qui se passait des mots. Les femmes se savaient regardées, la chorégraphie galante était lancée. Il était alors aussi chanceux qu'embarrassé. Rien de ce qu'il avait fait – sortir de l'enfance, laisser derrière soi l'adolescence, plaire à des filles sans l'avoir cherché (et ne s'en apercevoir qu'après), voir la guerre de près, trouver un emploi, réussir – n'était venu à bout d'une timidité qui l'escorterait jusqu'au grand âge. Qu'est-ce que c'était que cet embarras ? Un manque de hardiesse ou d'aisance en face de la vie, des choix, des autres. Claude se retenait parce qu'il pensait. Il se pensait. Par exemple il se pensait inapte, incapable, insuffisant, et de la sorte il n'était pas rassemblé pour agir ou parler. Ou bien il se pensait l'objet de tous les regards et s'inhibait de cette imagination exagérée. La conscience de soi ne le lâchait pas et faisait comme une petite ouverture par où se perdait une puissance d'être. Au lieu de foncer dans l'expression et dans l'action, le timide se surveille, Claude était victime de ce léger trouble. C'était une part de son charme. Les femmes aiment cet embarras, elles se font consolantes et maternelles, baissent la garde. Or s'il ne savait pas attaquer, Claude savait conclure. Il était capable de vaincre sa retenue, dans un grand élan aussi soudain qu'incontrôlé, comme une vague passe la digue.

Mais il gardait une attention exacerbée à l'alentour. Pas question de se faire remarquer ! Il avait opté pour une élégance invisible, le neutre et le discret des couleurs et des coupes, il n'en espérait pas moins d'une femme lorsqu'il sortait avec elle. S'il donnait un rendez-vous dans la rue, il se cachait pour observer de loin comment la compagne était habillée. La pauvrette attendait sans savoir l'examen dont elle faisait l'objet. S'il lui était venu l'idée malencontreuse d'une jupe courte, de bottes extravagantes, d'un manteau voyant, d'un chapeau ridicule, la voilà congédiée sans en être avertie. Posté derrière un kiosque, une colonne Morris, dissimulé sous un porche, Claude tournait les talons. Combien de lapins posa-t-il pour coquetterie ratée ? Il ne sait plus et s'en amuse. Les aventures sentimentales sont des souvenirs même quand elles n'ont pas commencé. Comme ce soir où il invita au restaurant une jolie femme qui choisit ce qu'il y avait de plus cher à la carte. Du homard ! Quelle indélicatesse, pensa Claude. Il venait d'obtenir une situation, gagnait trois cents francs par mois, du homard c'était bien embêtant et surtout très mal élevé. Excuse-moi, je vais aux lavabos, dit-il à son invitée. Il se leva et ne revint jamais.

Solange était parfaite. Difficile à charmer (exigeante comme elle l'était avec elle-même), piquante sans être rouée, elle avait sûrement perçu à quel genre de garçon elle avait affaire. La timidité, l'envie de disparaître, Solange connaissait. À l'examen final du Conservatoire de Paris, le public lui avait fait perdre ses moyens. Ce n'était pas la première fois. Elle ne serait donc jamais concertiste et s'était reconvertie dans les arts décoratifs.

On peut imaginer qu'elle avait du goût et ne pas s'étonner qu'elle passât avec succès le cap du premier rendez-vous avec Claude : il apprécia les petits pieds dans les ballerines et le style simple de cette fille qui par ailleurs n'avait pas d'argent, ne pensait qu'à la musique, dessinait et jouait au hockey. Très vite il estima être tombé sur la perle rare ! Sa cour fut assidue. Et ardue. La fille avait une mère terrible, une quantité de chevaliers servants et un caractère solitaire. Claude se montra obstiné. Quand on s'est souvent amouraché, on reconnaît un amour authentique. Il avait la chance de croiser Solange sans rendez-vous sur les terrains du stade Jean-Bouin. Il la regardait courir derrière la balle sur la grande pelouse, elle le voyait servir et se ruer à la volée sur la terre battue. Claude était célèbre pour son beau jeu, sa fougue, et sa malchance depuis qu'il avait perdu 8/6 au dernier set en finale du Championnat de France troisième série. Le tennis occupait une place immense. Rien d'étonnant à ce que la demande en mariage se fît contre le grillage d'un court : la légende raconte que Claude coinça Solange jusqu'à obtenir une réponse. C'était oui.

21 JUIN 2015

C'est au stade Jean-Bouin que Claude devint un familier de Jacques Chaban-Delmas. L'homme politique partageait la même passion du tennis et une distinction particulière sur le court. Servir pour le set, claquer la dernière volée pour la victoire et serrer la main de l'adversaire par-dessus le filet ! C'était là et nulle part ailleurs que

Chaban – comme on l'appelait au club – sentait battre son cœur. Au début d'un tournoi il avait le plaisir de trembler – frémir devant l'autre, le jeu qui commence, soi-même, l'adresse qu'on aura ou pas. Il recherchait cette peur et cette école qu'est le match, cette expérience du combat physique et technique, ce moment extatique où l'on fait un avec le geste : une manière d'éprouver que l'union du corps et de l'esprit advient dans une sorte d'auto-hypnose.

Une flopée de courtisans entouraient Chaban-Delmas, accoutumé à être sollicité et sans doute heureux de l'être, la gloire et la réussite venant souvent à ceux qui les ont cherchées et aiment à en user.

— J'apprécie beaucoup Claude Bourgeois, avait dit un jour Chaban-Delmas, il est le seul qui ne m'ait jamais rien demandé.

Le gaulliste libéral était assis sur un tabouret de bar. L'assemblée avait beaucoup ri, chacun sachant ce qu'il avait obtenu grâce au coup de pouce politique. Claude avait rougi. Dans une famille où l'on tenait que *se connaître soi-même est la démangeaison des imbéciles*, nul n'écoutait parler de lui-même sans éprouver de la gêne. Mais Claude entendit la remarque et de surcroît sans se laisser emprisonner dans le compliment. Peu de temps après, il alla trouver Chaban. Il n'avait rien à demander pour lui-même mais il avait songé tout à coup à Nicolas. Nicolas Bourgeois, infirme de guerre, avait été oublié par la République qui récompense. Sa discrétion ne s'en était jamais plainte. Claude se soucia de corriger cet oubli.

— Mon frère a perdu une jambe aux côtés des Alliés pendant la campagne d'Italie, dit Claude, je voudrais qu'il ait la Légion d'honneur.

Il était facile de se renseigner. La demande était plus que légitime.

— Quinze jours plus tard, c'était fait. Chaban était intervenu tout de suite, raconte aujourd'hui Claude.

Il a conservé une admiration pour l'ancien ministre et se rappelle à son sujet toutes sortes de détails. Son élégance, son goût des femmes, aussi bien que son histoire avec les impôts.

— C'était un type très sympa, dit Claude avec enthousiasme. Il était coquet si tu savais ! Un jour il m'avait dit : mon cher Bourgeois, je ne sors jamais de table sans avoir faim. Il faisait évidemment la cour à Solange ! Ah ! Ah ! En tout cas, il a fait avoir la Légion d'honneur à Nicolas.

— Je crois que ça a fait très plaisir à Nicolas, dit aussi Claude.

Des larmes sont dans ses yeux.

— Pauvre Nicolas ! dit-il chagriné.

Nous reparlons de cet épisode à l'occasion d'une remise de décoration à laquelle Claude est invité au mois de juin. Un de ses amis, patron d'entreprise, sera fait officier de la Légion d'honneur.

— Officier ! s'exclame Claude parce qu'il mesure l'honneur.

Il est content pour le récipiendaire dont il connaît les mérites – et même le dévouement –, mais je sais qu'il désapprouve comment l'État galvaude les récompenses militaires. Lui qui aime tant le tennis refuse par exemple de voir décorés les champions.

— La médaille du Mérite d'accord, mais pas la Légion d'honneur, dit-il.

Je prends la mesure des évolutions. Il fallait autrefois perdre une jambe à la guerre, ou la vie, il suffit aujourd'hui de gagner beaucoup d'argent pour devenir un homme décoré par le pays.

26 MARS 1962

Claude savait ce que l'on peut perdre à la guerre. On pouvait perdre sa jambe comme Nicolas, ou son insouciance comme Jules, on pouvait aussi perdre son honneur et c'est ce que la France demanda à ses officiers en Algérie. Certains s'y refusèrent et furent mis en prison. D'autres en firent les frais, avec leur âme innocente et leur serment tout neuf. Ils baissèrent les yeux, ils eurent honte de leurs actes, ils cessèrent d'être ceux qui protègent pour devenir ceux qui abandonnent, ils perdirent l'estime d'eux-mêmes. Sans droit de réponse, ils furent salis par ce qu'on leur demanda de faire et par ce que l'on disait d'eux. Ce fut le cas de Guy.

Détaché pour une mission de maintien de l'ordre, il se trouvait à Alger pendant le premier printemps de l'indépendance. Les accords d'Évian venaient d'être signés. Sept ans d'une guerre jamais nommée s'achevaient sous ses yeux mais l'Algérie connaissait sa deuxième guerre civile. Après les attentats FLN, les destructions et les crimes de l'OAS plongeaient la cité blanche dans le chaos. *Le cessez-le-feu livre à l'ennemi des terres françaises !* martelaient à la radio les voix qui refusaient *la route de la civilisation*. Guy avait vécu le désengagement français sans vraiment y réfléchir, sentant bien que quelque chose s'était mal amorcé, mais laissant sa réflexion s'éteindre dans la jeunesse et la fatigue. Il ne doutait pas que l'armée devait stopper cette dissidence française ivre de colère. Depuis le 18 mars, des hélicoptères sillonnaient le ciel au-dessus de la baie et des collines d'Alger. Pas une voiture dans les rues désertes que parcouraient quelques automitrailleuses. Les rares passants couraient d'un coin de rue à un autre, craignant les tirs perdus. Partout les murs portaient l'expression des déchirures. Vive le FLN. Vive l'OAS. Retranchée dans le quartier de Bal el-Oued, l'Organisation de l'armée secrète appela les populations européennes à la révolte. Une partie, accrochée à ce qu'elle avait construit et aveuglée par le désespoir de le perdre, se montrait solidaire de l'organisation criminelle.

— Jusqu'à la mort, jusqu'à la mort ! hurlait une femme prise au piège du combat perdu.

Il fallait maintenant délivrer Bab el-Oued encerclé par l'armée et la foule s'était lancée dans les rues d'Alger.

Dès le matin, la compagnie de Guy reçoit l'ordre de préparer ses sacs et son armement pour une intervention qui n'est pas précisée. Sur le plateau des Glières, il croise son camarade Fabrice qui a compris quelle sera leur tâche.

— Ce soir je dirai à Goubard de ne plus compter sur moi pour ce genre de mission, dit Fabrice.

Il ignore que ce soir le mal sera fait.

Le 4e régiment de tirailleurs algériens est chargé du maintien de l'ordre. Le jeune lieutenant Bourgeois est posté rue d'Isly avec ses hommes. Le lieutenant Ouchène Daoud garde le barrage. Ses consignes sont strictes, l'émeute doit être contenue. Et si les manifestants insistent ? a-t-il demandé. La réponse a été radicale. Ouvrez le feu. Un ordre délirant que l'exaspération et l'envie d'en finir peuvent à peine expliquer. Trois jours plus tôt les commandos Delta ont attaqué un camion militaire français, sept soldats – tous appelés du contingent – ont été tués, onze autres blessés. La flambée de l'affrontement a pris. C'est maintenant l'épreuve de force. Le langage des armes est le dernier, tirer devient possible. Les civils ont-ils conscience qu'ils sont pris entre deux feux. Ils semblent tellement pacifiques ! Ils sont les grands perdants de toute l'affaire et quelque chose en eux le sait déjà. En vérité ils pleurent plus qu'ils ne combattent, et c'est ainsi, malheureux et perdus, qu'ils ont été jetés dans la rue. Qu'ils se sont précipités entre ciel et bitume.

L'air est doux, le ciel est blanc, et chaud l'asphalte sur lequel courent les milliers de pieds. Des poussières volettent. La foule se meut comme un corps multiforme dans cette atmosphère électrisée. Elle avance à la manière de l'eau, afflue, reflue, s'agglutine, se dilue, s'insinue, déferle. Ce n'est pas un déferlement furieux mais une coulée lente. La nuée est à la fois récalcitrante et égarée, irrésolue et soumise, sans violence, mue par les chimères qu'agitent encore quelques irréductibles. Des voix l'ont envenimée et entraînée. Elle agite des drapeaux français, elle ne fait pas tant de raffut, mais elle avance, inexorablement poussée par le nombre. C'est une cohorte immolée qui glisse vers le drame. Il est 14h45 lorsque le barrage du 4ᵉ RTA est débordé. Ouchène Daoud n'a pas fait tirer. La masse suit le mouvement vers l'avant, chaque personne emportée dans le flot.

Soudain la rafale d'un pistolet-mitrailleur frappe tous les tympans. Un nuage de fumée grandit devant une façade d'immeuble. Quelqu'un a fait cavalier seul et ouvert le feu. L'enquête ne déterminera jamais qui fut cet agent provocateur. Barbouze ? OAS ? FLN ? Il n'y aura pas d'enquête. Mais le tir déclenche les tirs. Dans la tension extrême de la surveillance et de l'attente, sans en recevoir l'ordre, les tirailleurs ouvrent le feu. Ils ne sont pas formés, ils ripostent. Le colonel Goubard l'avait écrit : ces paysans qui sont de bons soldats pourraient bien perdre la tête dans la fournaise d'Alger. Le maintien de l'ordre en ville n'est pas le combat qu'ils connaissent ! Le colonel a vu juste. Voilà, c'est advenu, les bons soldats ont perdu le contrôle d'eux-mêmes. Il n'y a rien pourtant qu'une foule de civils dispersés qui se sauvent, fuient en désordre devant les armes, serrés dans le lacet de la rue. L'imposant hôtel de la poste, symbole immaculé des bénéfices de la colonisation, domine la scène. Les officiers hurlent : Ne tirez pas ! Halte au feu ! Arrêtez de tirer ! Le feu ne cesse pas, la panique l'emporte.

— Mon lieutenant, un peu d'énergie bon Dieu ! supplie un soldat.

— Au nom de la France, ne tirez pas ! Halte au feu ! hurle Guy Bourgeois d'une voix déchirante.

— Mon lieutenant, criez je vous en supplie.

— Halte au feu !

— Halte au feu !

La sirène d'une ambulance se fait entendre. Un homme blessé au ventre marche soutenu par deux civils. D'autres restent couchés par terre. Sous les corps le pavé saigne.

La scène a duré dix minutes mais elle écrit la tragédie du feu et de l'innocence. Pour Guy, c'est l'écroulement d'une idée. Quarante-six personnes sont mortes sous des balles françaises. Cent cinquante ont été blessées. L'armée a tiré sur des civils ! L'héroïsme et la pureté, balivernes ? Un fusil-mitrailleur français a balayé des jeunes filles de vingt ans et des fillettes de dix ans. Cette aberration foudroie Guy. Il a vingt-quatre ans, il a choisi de servir le pays et le peuple, au lieu de quoi il se trouve mêlé à un massacre. Au nom de la France, ne tirez pas ! Ces mots hurlés n'ont pas arrêté le feu. Les corps sont tombés les uns sur les autres au milieu de la rue. La débandade mortelle se joue et se rejoue dans l'esprit de Guy. Où sont Jules et Jean ? Quels mots trouveraient ses deux grands frères ? Le dernier fils d'Henri voit détruit ce que ses aînés avaient édifié sous ses yeux. Les tirs ont tué ce qu'ils incarnaient : l'honneur, le courage, l'autorité juste, la maîtrise de soi. Il comprend pourquoi l'Algérie a transformé les militaires. La France s'est mal conduite dans ce pays et l'armée en recueille l'opprobre public. Une douleur l'étreint : la foule d'Alger a failli le lyncher et ses hommes avec lui ! Il y pense dans un ébahissement malheureux. Il voudrait ne pas y penser. Dès le lendemain son chef de corps l'envoie en permission. Un mois avec Sophie et Caroline écartera la mélancolie algérienne. Mais c'est rêver, les jours à venir seront sombres.

AVRIL 1962

Aucun des discours aux Français du Général n'évoqua jamais le massacre. Pas un mot ne fut dit par le président de la République pour les morts de la rue d'Isly. Ce silence avait une signification. Les populations européennes d'Algérie comprirent que leur sort était indifférent et que la France les abandonnait. Elles firent leurs valises. Elles n'étaient pas les seules à être abandonnées, elles n'étaient pas les plus menacées. En avril, après cette tragédie de la Poste, le glorieux régiment du Belvédère fut dissous. Les paysans qui s'étaient faits soldats n'avaient plus qu'à rentrer chez eux. Ils étaient les plus compromis de l'histoire. À la question *Qui demain sera le chef ?* ils avaient mal répondu. C'était un pari, ils avaient misé : ils étaient ceux qui avaient choisi le camp de la France et combattu leurs frères du FLN. L'armée française les avait embarqués dans sa lutte. Encouragée par les gouvernements, l'armée avait été le ferment des fraternisations et des ralliements. Les musulmans avaient suivi son idéal. Et tout à coup il s'agissait d'abandonner ces combattants ! Un an plus tôt des officiers avaient refusé ce déshonneur, ils étaient en prison. Le 1er REP avait été dissous lui aussi. Peut-on dissoudre la gloire ? s'était demandé Guy. Oui, à coups de déshonneur.

À Djelfa, le silence était si tendu que c'était folie de le briser. Les officiers avaient reçu l'ordre de ne pas aider les supplétifs à quitter l'Algérie. Celui qui ne peut rien faire ne peut rien dire, pensait Guy en regardant ses hommes. Ils seraient les derniers martyrs d'un drame collectif et ne l'ignoraient pas. Ils voyaient venir la vengeance fratricide.

— Mon lieutenant, disait un tirailleur, chez moi il y a les fellaghas.

Guy a très bien entendu et jamais il n'oubliera cette phrase. Elle dit pudiquement une chose qu'il ne peut pas supporter : un frère d'armes, un de ceux qui seraient morts pour lui, mourra à cause de lui. Comment briser le lien sacré du sang versé ? Guy baisse la tête et regarde ses pieds. Personne ne lui a enseigné l'art de commettre cette infamie. Il ne s'y est pas préparé. Sa mémoire fraîche le travaille. Depuis deux ans, le djebel a bu sa sueur et réclamé sa force. Il regrette l'une et l'autre. À marche forcée avec ses hommes, il s'est porté au contact. Il a donné des ordres, il a envoyé des types à la mort. Il a été obéi. Et c'est lui maintenant qui trahit l'alliance. La honte l'accable. Est-il devenu officier pour vivre ce moment ? S'est-il battu pour ça ? Aucun de ses repères classiques n'est efficient. Le bon sens même s'abat sur lui. Il baisse la tête et n'a rien à dire. Le silence est sa réponse. Pas un mot à cet homme qui risque le supplice. Le désastre est complet. Le silence y ajoute une dernière ciselure, un invisible trait de sang. Guy en portera toujours la blessure : au commencement de sa vie militaire, sur ordre, il a trahi la confiance et la parole donnée. Il est le parjure innocent. La politique l'a contraint à cet acte que son honneur réprouve. L'ignominie le révulse. À l'avenir, le lieutenant Guy Bourgeois détestera la politique et se souciera des hommes. Sur ses états de service – pas tellement brillants, dit-il –, une note fera sa fierté d'officier : *Très soucieux du facteur humain*. Mais jamais il ne connaîtra quel fut le sort de celui chez qui attendaient les fellaghas.

JUILLET 1962 – MARS 2016

Hier soir les habitants du 16e arrondissement ont insulté le préfet de Paris. La réunion qui les rassemblait autour du projet de création d'un centre d'hébergement dans le bois de Boulogne a dû être évacuée. Des personnes qui mènent une vie agréable dans un cadre tranquille ont eu peur. *Bois de Boulogne = Calais* peut-on lire sur les tracts contre le projet. Je suis frappée par les répétitions de l'Histoire. *Ceux qui ont tout* craignent *ceux qui ont tout perdu*, comme si rien ne se créait et que tout se volait. Il y a plus de cinquante ans, un million de Français d'Algérie ont débarqué en métropole avec une valise, ayant abandonné leur terre, leurs maisons et leurs morts. La chose est oubliée – le préjudice est atténué, ils furent courageux et industrieux –, mais on ne peut pas dire qu'ils furent bien accueillis. Non seulement ils furent de trop mais une propagande diffusa d'eux une image détestable : tous de gros exploiteurs, riches et racistes. Les harkis quant à eux ne connurent pas meilleure réception : réfugiés politiques à la fois fabriqués et rejetés par la France.

Deux mois après la fusillade de la Grande Poste, Guy avait été muté au camp de Bourg-Lastic, dans le Puy-de-Dôme. Au cœur de ses nuits revenaient les coups de feu de ses tirailleurs ou la dissolution de son régiment, chaque jour son silence était honteux, lorsque les plus chanceux des supplétifs commencèrent à batailler pour s'installer en France. L'armée pourrait-elle faire quelque chose ? La mission impossible continuait. Sur les huit cents hectares du camp d'entraînement militaire, au milieu des forêts de sapins et des landes de genêts, cinquante hectares avaient été réservés. L'armée y monta six cents tentes ! Entre le 24 juin et le 3 juillet, cinq mille personnes arrivèrent par convois successifs et rapprochés. Ces gens avaient traversé la Méditerranée, débarqué dans l'enclave militaire du port de Marseille – une ville dont le maire ne se gênait pas pour dire qu'il ne voulait pas d'eux –, des camions les avaient transportés vers les terres inconnues du Massif central. Bientôt ces rapatriements seraient interdits et les harkis livrés à l'ennemi. Pour le moment, Guy installait les réfugiés. C'était l'été, mais en altitude les nuits sont froides et vingt-six enfants moururent en trois mois.

Il fallait recaser ces familles *qui avaient tout perdu* comme on le dit sans prendre garde ou s'attarder à la réalité au-delà des mots. Il fallait les établir dans une France où le contrôle civil et social posait trois conditions à leur déplacement. Pour quitter le camp, un contrat de travail était réclamé, un logement assuré, et l'autorisation du préfet de département où était prévue l'installation. Jeu de dupes : la majorité des préfets, soumis à leurs électeurs, refusaient l'autorisation. La générosité n'était pas de mise. Ces personnes blessées, trahies, abandonnées, se trouvaient prisonnières. En octobre 1962, le lieutenant Bourgeois avait poursuivi cette tâche désespérante au camp de Rivesaltes et lorsqu'il était parti, au mois de novembre, huit mille personnes attendaient, accueillies et reléguées.

— Je me sentis honteux une nouvelle fois, se souvient Guy.

18 AOÛT 1963

Ses rêveries forcément étaient sombres depuis son retour d'Algérie. Des images avaient le pouvoir de détruire. Les harkis déminant les plages. Les harkis ébouillantés. Les harkis dans des cages. Ils étaient les milliers de morts de l'indépendance, qu'il avait abandonnés à l'ennemi devenu le nouveau maître. Des visages le visitaient. Où était maintenant Kamel ? Et Boualem ? Des hommes étaient morts pour rien. Son camarade Morel : mort pour que le gouvernement finalement livrât ses supplétifs ! Depuis qu'il avait réintégré le corps de troupe du 27ᵉ bataillon de chasseurs alpins, celui-là même avec qui Morel s'était fait tuer en opération dans le djebel, Guy pensait souvent à ce jeune officier.

Le bonheur de Sophie à Annecy, sa fille Caroline qui était née au mois d'avril, voilà ce qui avait le pouvoir de l'éclairer. Et voilà ce qu'il perdit ce jour d'août sur la route de Bourg-en-Bresse, revenant du mariage d'un camarade saint-cyrien dont il était le témoin. Guy n'avait pas senti qu'il s'endormait sur le volant au fur et à mesure que les émanations mortifères du chauffage emplissaient l'habitacle. L'accident avait tué sa femme et sa fille.

25 AOÛT 1963

La foudre de cette nouvelle tomba sur Claude alors qu'il était en vacances avec sa femme, sa fille et ses beaux-parents, commençant de mener cette vie familiale et bourgeoise qui peut vous enfermer au milieu des vôtres et de laquelle le travail, seul, finit par vous tirer.

— Que faites-vous là ?! s'étonna une amie de sa belle-mère. Vous n'êtes pas au courant ? Il est arrivé un accident à votre frère.

— Lequel ? demanda Claude ému.

— Le Carnet du jour parlait de Guy Bourgeois.

C'est au téléphone que Claude apprit la mort de Sophie, celle de Caroline, et la convalescence de Guy installé depuis quelques jours en Touraine où Henri s'occupait à la récolte des pommes. Un déchirement altérait la voix d'Henri. Les obsèques de la petite fille et de sa mère avaient été quelque chose d'affreusement triste. Les parents de Sophie s'étaient montrés dignes et généreux. Mais Guy ! pensait Claude. Comment se remettre de deux chocs coup sur coup, la fusillade d'Isly et maintenant le deuil le plus intime ? Guy risquait de se sentir responsable de toutes ces morts alors même qu'il n'y était pour rien ! Et il faudrait repartir à l'armée ? En même temps que Claude raccrochait au mur le combiné, les larmes vinrent contrarier son éducation au refoulement. Guy devrait reprendre seul la marche de sa vie. Claude, à qui sa femme et son enfant apportaient sérénité et envie d'entreprendre, jugea la tâche insurmontable. Il était effaré comme on l'est devant le malheur d'un autre : celui d'un autre mais aussi le malheur potentiel.

En septembre, Guy était rentré à Annecy. Claude passa une soirée avec son frère avant de repartir pour Alger. Tous les sujets pouvaient blesser Guy, pensait Claude. De quoi parler ? Il avait parlé de tennis.

— Le CASG m'a fait revenir d'Alger pour jouer en interclubs sur un week-end. Voyage payé. J'étais vaseux et des crampes m'ont obligé à abandonner au troisième set. Je me suis senti cloche.

À peine prononcés, ces mots semblaient dérisoires. Pauvre Guy ! Que pouvait-il penser de ces bêtises après les catastrophes qu'il avait vécues ? Claude fit l'éloge de son patron. Le père Gugenheim était un personnage.

— Il est aveugle, dit Claude.

Ce handicap était assez sérieux à ses yeux pour qu'il en parlât à Guy.

— Il te plairait. Il n'est pas facile mais ce qu'il exige des autres n'est rien à côté de ce qu'il se demande à lui-même. Tu serais bluffé. Il se fait décrire en détail ce qu'il ne peut pas voir et mémorise tout. Il a l'âge de papa mais il est très actif. Son handicap l'a comme dopé. Je l'admire beaucoup.

— Il a perdu la vue à quarante-six ans, j'ignore de quelle manière. Et il a voulu ne rien changer à sa vie. Il pratique encore les sports qu'il aimait. Il nage, fait du bateau et même de l'escalade ! Avec un guide bien sûr.

— Avant de m'embaucher il a demandé à voir papa ! dit Claude.

— Tu as eu vent de l'entretien ? Tu n'étais pas convié ?

— Penses-tu ! Mais j'aurais bien voulu être mouche pour entendre ce qu'ils se disaient. J'ai prévenu papa que mon futur patron était juif et franc-maçon !

Guy riait à cette idée et Claude riait parce que Guy riait. Ils se foutaient tous les deux des vieilles idées inadmissibles de leur père.

— Tu retournes en Algérie ? J'en serais incapable.

— C'est un affreux foutoir là-bas.

— Ils vont bientôt voter pour la constitution et élire un président de la République.

— Il n'y aura qu'un seul candidat.

— Tout ça me semble tragique, dit Guy. Ils n'ont plus rien à manger…

Son visage exprimait un désarroi profond qui contrastait avec la jeunesse de ses traits. Le tragique historique s'ajoutait à la tragédie personnelle. Guy était perdu. Ses objectifs, la direction qu'il avait donnée à sa vie, le centre que représentent un amour et un enfant, toute sa cathédrale personnelle s'était écroulée dans les minutes de deux accidents.

C'est injuste et c'est affreux, pensait Claude.

— Comment va Solange ? demanda Guy.

— Elle te transmet son affection, dit Claude. Elle se plaint que je sois trop souvent en voyage.

C'était une plainte banale qui ce jour-là parut inconvenante à Claude. Il ne faut pas se plaindre quand on est heureux, il faut être heureux. Il le dirait à Solange, il le saurait pour toujours.

— J'ai passé quelques moments avec Jérôme, Clarisse et leur petite Brigitte pendant que j'étais à Niré. Clarisse devrait accoucher prochainement, dit Guy avec un regard absorbé par le passé.

— J'avais oublié.

Claude avait de quoi être gêné par cette coïncidence : en deux ans les trois jeunes frères s'étaient mariés, chacun d'eux avait eu une fille, et maintenant Guy avait perdu la femme et l'enfant tandis que Jérôme et Claude étaient heureux avec leurs épouses.

— On s'est tellement engueulés à propos de l'Algérie ! expliqua Claude.

L'affaire algérienne le rapprochait de Guy alors qu'elle le séparait de Jérôme. Depuis la fusillade d'Isly, il était très facile à Claude de se mettre à la place de Guy alors que Jérôme vivait dans un autre monde.

5 SEPTEMBRE 1960

Causalité inattendue : parce qu'il avait un jour pissé par la fenêtre, Jérôme avait échappé au service militaire et à l'Algérie. Sourd de l'oreille droite, il aurait fait un appelé vulnérable et dangereux. Il fut déclaré inapte.

Un coup de tampon et hop c'était fait. Pendant que Claude devenait sous-officier en Allemagne, Jérôme à Paris prépara son PCB. Physique, chimie, biologie, ce tiercé de disciplines n'était pas son point fort. Il avait toujours préféré le latin. Sa vocation médicale était humaniste plus que scientifique. Pour être un jour en mesure de soigner les gens, le littéraire se contraignit. Il avait déjà vingt-deux ans et s'était accoutumé à s'y prendre à deux fois avec les examens. Échec en 1954, reçu en septembre 1955. Pourquoi se presser quand on a la vie devant soi, des parents aisés, un grand appartement qui ne demande qu'à rester plein ? Jérôme ne s'en faisait pas. Depuis qu'il avait failli mourir, la famille lui pardonnait beaucoup de choses. Il prenait son temps. Les échecs mettent en lumière les réussites : chacun se réjouissait du succès dont il avait douté. Jérôme fut félicité. Il était en route dans le long cursus. Étudiant en médecine, c'est une situation.

Les quasi-jumeaux connaissaient donc des sorts différents : Claude crapahutait dans le djebel et Jérôme rigolait sur les bancs de la faculté. Jeune soldat et carabin. La Méditerranée les séparait moins que leurs états d'esprit, l'un qui était en guerre et l'autre qui était en fête. Jérôme était resté distrait, hurluberlu sympathique et agité dont les élucubrations ne manquaient pas d'amuser. Claude avait gardé sa timidité, obéissait aux ordres, découvrait la guérilla et l'horreur des embuscades. Les deux fils d'Henri Bourgeois côtoyaient la mort, mais pas du même point de vue. Jérôme disséqua des cadavres froids, Claude vit des hommes tomber. Jérôme blaguait avec les autres, Claude pleurait les morts. On était en 1956.

Et puis Claude, démobilisé, s'en revint boulevard Émile-Augier et commença à travailler. Jérôme approchait de l'externat. Il s'arrêterait là, ne ferait pas de spécialité. Médecin généraliste, voilà un métier de contact qui lui convenait. Alors que Claude s'ennuyait dans l'édition et n'attendait que l'heure du tennis, Jérôme était insouciant et joyeux. Tout le monde l'aimait, il était invité partout et sortait tous les soirs. Il emmenait les filles au cinéma, leur faisait des avances plus ou moins bien accueillies, peu importait, il tentait sa chance en acceptant d'avance les camouflets. Aucun orgueil, beaucoup de simplicité. Travaillé par les opinions communistes, lassé par la guerre, réticent à partir en Afrique du Nord, le milieu des étudiants était de plus en plus favorable à l'indépendance algérienne. Jérôme rapportait des tracts qui faisaient hurler son frère.

— Jette-moi ça à la poubelle ! ordonnait Claude.

— N'écoute pas ces âneries !

— Je refuse que mon frère se laisse bourrer le crâne par des petits crétins !

Jérôme rigolait. De temps en temps il posait une question sérieuse :

— La gégène, tu as vu faire ?

Claude se foutait dans des rognes épouvantables. Il refusait d'évoquer le pire.

— Arrête tes conneries, bon Dieu !

Mais Jérôme écoutait les communistes.

— Où vas-tu ? lui demandait Claude quand ils sortaient chacun de leur côté.

Le lien s'était ravivé.

— Accompagne-moi, dit un soir Jérôme à son frère, je vais à une réunion politique qui devrait t'intéresser.

Dans une salle enfumée, une cohue d'imbéciles goguenards (estima Claude) écoutaient quelques meneurs qui l'un après l'autre prenaient la parole pour brosser le tableau algérien – les injustices du colonialisme, l'avidité des colons, neuf millions de musulmans privés de droits, les exactions de l'armée, la torture, cette guerre inutile et illégitime – et conclure au devoir de déserter. Le matin même s'était ouvert à Paris le procès du réseau Jeanson.

— Nous devons poursuivre la lutte ! criait un garçon chevelu en s'agitant comme un diable.

Des photographies de cadavres et de visages tuméfiés circulaient.

— Voilà ce que les militaires font aux bicots ! hurlait un autre, barbu celui-là.

Claude écouta bouche bée ce tas d'insanités ou d'approximations (pensa-t-il) dont la vérité lui échappait. Il aurait voulu dire : Vous n'y comprenez rien ! Vous n'avez rien vu de ce qui se passe en Algérie. Les fellaghas sont des terroristes fanatisés. La France éduque, soigne, protège, le FLN torture, égorge, mutile. La France gagne la guerre et pose ses fusils, le FLN ne laisse jamais ses couteaux au vestiaire ! Je vous prédis l'avenir de ce pays livré à ces bandits : la tyrannie et la violence.

Sa timidité l'empêchait d'intervenir. Il se tourna vers son voisin et, réfrénant sa colère, il dit :

— Les Algériens regretteront les pieds-noirs. Le FLN agit contre l'intérêt de son peuple.

Il en était convaincu. Claude regardait l'auditoire, tout le monde applaudissait ces discours idiots. Ces planqués n'avaient jamais été pris dans une embuscade et les ventres qu'ils ouvraient n'étaient pas ceux de leurs copains !

— Tu es fou de m'emmener dans une réunion comme celle-là ! dit-il à Jérôme.

— Tu ne veux pas essayer de comprendre les différences de point de vue ?

— Tes copains ne savent pas de quoi ils parlent !

— Ce ne sont pas mes copains.

Une étudiante que Jérôme trouva jolie fille se faufilait pour collecter les dons dans un drapeau du FLN. En voyant sa coiffure (un ananas sur la tête) Claude pensa : encore une qui imite Brigitte Bardot (mais BB était inimitable). Jérôme déjà émoustillé souriait béatement en la regardant s'approcher.

— Bonjour, mademoiselle, dit-il.

— Bonjour ! Voulez-vous donner quelque chose pour les combattants du FLN ? dit-elle.

Jérôme continuait de sourire. Mettrait-il la main à la poche ? Il n'eut pas le temps d'esquisser un geste que son frère lui avait déjà empoigné le bras.

— Tu es fou ! Si tu donnes un centime, je te casse la figure !

Il avait envie de la casser à tous ces blancs-becs.

— Avez-vous entendu parler du sourire kabyle, mademoiselle ? Vous faites la quête pour les types qui coupent les couilles de vos amis et les leur fourrent dans la bouche ! dit Claude à la jeune militante.

Et à Jérôme il dit :

— Ce fric sert à payer les fusils qui tirent sur Jules, sur Guy, et sur tous les jeunes garçons qui n'ont pas comme toi la chance de poursuivre leurs études.

— Désolé, mademoiselle ! rigola Jérôme, vous voyez que je suis pris entre deux feux !

— Arrête de faire l'imbécile, dit Claude.

C'était extraordinaire ce don qu'avait Jérôme d'être énervant. Il était complètement inconscient ! Il était vraiment resté zinzin, pensait souvent Claude. Aussitôt compassion et bienveillance l'envahissaient. Au fond de son cœur il était bouleversé par son frère, Jérôme qui avait failli mourir à quinze ans.

Claude se tourna vers la demoiselle :

— Il ne faut pas confondre résistance et terrorisme. À Alger, des jolies filles arabes portent des bombes dans des sacs de plage qu'elles déposent aux terrasses des cafés. Voilà les méthodes pour lesquelles vous militez.

La demoiselle se tourna vers Jérôme.

— Ton copain veut me faire la leçon ? Dis-lui que j'approuve l'action directe quand elle est la seule arme contre la force.

— Alors acceptez qu'on applique la seule parade efficace à cette arme ignoble ! répliqua Claude.

— Tu approuves la torture ? s'écria Jérôme.

— Je ne l'approuve pas, je la tolère. Et je ne suis pas plus sadique ou immoral que toi.

— Nazi ! lança la fille en s'en allant.

Quelques jeunes gens se retournèrent pour voir à qui s'adressait l'insulte. Il ne manquait plus que ça ! Être le point de mire et se faire insulter gravement ! pensa Claude furieux. Aucune riposte ne lui venait.

— Rentrons, dit-il à Jérôme.

— La prochaine fois abstiens-toi de m'emmener dans tes réunions à la con, conclut Claude quand ils furent dans la rue.

30 MAI 2016

Ils entrent donc dans les années soixante accaparés par les événements d'Algérie. Une famille qui compte des militaires se trouve forcément plus concernée. Jules, Jean, Claude, Guy, le fils aîné de l'oncle Pierre, Jacques (le dernier de Gabrielle), tous ont vu les choses sur place. L'armée combat la guérilla depuis 1955. Le Service d'action psychologique diffuse la paix de la civilisation : l'éducation, l'hygiène et la médecine. Depuis 1958 de Gaulle martèle de ses ouvertures politiques l'opinion du pays. Les Algéries française et algérienne s'affrontent, l'une qui ne veut pas mourir l'autre qui voudrait naître. Comme l'opinion, et plus informés que l'opinion, les Bourgeois rebondissent d'une date à l'autre jusqu'au règlement de l'affaire. Ils encaisseront l'abandon qu'ils avaient vu venir depuis le début sans en parler. Septembre 1959 : Les Algériens décideront de leur destin. Janvier 1960 : Barricades à Alger. Septembre 1960 : L'Algérie algérienne est en marche. Octobre 1960 : Procès du réseau

Jeanson. Décembre 1960 : Référendum d'autodétermination. Avril 1961 : Putsch des généraux. Août 1961 : Attentats OAS à Paris. Septembre 1961 : Manifestation algérienne à Paris. Février 1962 : Manifestation contre l'OAS à Paris. Mars 1962 : Accords d'Évian. Le 26 : Fusillade rue d'Isly. 5 juillet 1962 : Massacres des Européens à Oran. L'armée est encasernée, empêchée d'intervenir. Août 1962 : Attentat du Petit-Clamart. Décembre 1962 : Le pays approuve l'élection du président de la République au suffrage universel. Mars 1963 : Jean-Marie Bastien-Thiry est fusillé. Juin 1964 : Les derniers soldats français quittent l'Algérie.

Et puis le reste les enveloppe, le grand mouvement du temps, l'époque qui est un foisonnement, un foisonnement habituel : le nouveau franc entre en vigueur le 1er janvier 1960. Franc lourd, il vaut cent anciens francs. La première bombe atomique française explose dans le Sahara. Le Cameroun, le Mali, la Mauritanie, le Congo belge accèdent à l'indépendance. Les avions se promènent – espions parfois. Des fusées décollent. Khrouchtchev est en colère et Kennedy est élu. Eichmann est arrêté par les services secrets israéliens, jugé à Jérusalem, condamné à mort par pendaison. Le mur de Berlin est érigé en une nuit. La famine est de retour en Chine. Cuba rejoint le camp soviétique. Le Marché commun accélère sa construction. Albert Camus est mort. *À bout de souffle* et *Rhinocéros* étonnent les spectateurs qui découvrent aussi *West Side Story* et *L'Année dernière à Marienbad*. Sophia Loren bouleverse. Jacques Brel apparaît. Céline meurt dans l'été après Blaise Cendrars disparu dans l'hiver.

Bernard Buffet présente ses dix-huit *Annabel*. La télévision entre dans les maisons. La réclame ponctue le fil des émissions radiophoniques. La société gagne son nom : société de consommation. Coco Chanel libère la mode féminine. BB incarne la liberté sensuelle et le scandale. La sexualité est encore un sujet tabou. Les jeunes filles sont toujours guettées par la fameuse honte : connaître le loup, prendre rendez-vous avec la faiseuse d'anges.

Le monde changeait mais les Bourgeois pas tellement. La religion était une force immense pour les tenir loin des révolutions et des révoltes. Elle était leur opium et leur feu. En elle, ils trouvaient secours pour vivre. *Mater et magistra*, l'encyclique sociale dont le titre rappelait que l'Église est mère et éducatrice des peuples, remporta leurs suffrages. La doctrine pontificale les captivait plus que les injonctions à se libérer du carcan. Quel carcan ? auraient-ils objecté. Ils ne lisaient ni Bourdieu, ni Barthes, ni Lacan, ni Foucault, ni Baudrillard, ni Reich ou Ilitch. Ils détestaient Sartre et Beauvoir. Bientôt Louise interdirait à ses deux aînées de feuilleter le jeune magazine *Elle* ! On ne se refait pas autant qu'on voudrait. On n'efface jamais complètement la loi du père et l'exemple de la mère. Henri régnait sur tous et Jean XXIII sur Henri. Dans sa maison, comme dans celles de Jules ou Jean – depuis longtemps pères –, les filles ne couchaient pas avant le mariage. Elles se mariaient jeunes, en blanc et à l'église, pour le bonheur de leurs parents qui invitaient toute la famille.

Ainsi fit Marie. À la bonne heure ! pensait sans doute Henri. Car il incombait maintenant à sa dernière fille – vingt-cinq ans depuis mars – de marcher vers l'autel au bras de son père. Marie avait rencontré Frédéric à l'hôpital Foch. Au milieu d'un groupe de farceurs, le jeune homme semait la pagaille en salle de garde. Marie était en blouse, la barrette bien mise tenait ses cheveux plaqués, l'infirmière faisait ce qu'elle avait à faire. Au service des grands brûlés, on ne pense pas que les malades peuvent attendre. Leurs souffrances – un spectacle parfois insoutenable – marquaient de sérieux et de compassion la jeunesse de Marie. Elle se rendait utile et ne s'économisait pas. Mlle Bourgeois était adorée des patients dont elle s'occupait. Soumise dans la maison de son père, aux ordres du chef de service et des médecins à l'hôpital, la demoiselle vive et débrouillarde régnait à l'échelon des soins quotidiens. Elle accomplissait de bonne grâce les tâches les plus rebutantes. De la compétence acquise elle ne faisait pas état mais usage. Sa personnalité devenait toute en contraste. Elle était à la fois brusque et douce, sérieuse et drôle, déterminée et timide. Elle avait une grosse voix et un adorable rire. Il était étonnant de l'entendre parler si fort alors que s'empourprait son visage dans l'effroi de dire quelque chose. Ses yeux d'un bleu presque phosphorescent s'écarquillaient d'une manière amusante. Marie, ce miracle que mesurait Louise : fillette privée de sa mère, quasiment seule au milieu d'une tribu de frères adultes et adolescents. Le courage Bourgeois avait grandi en elle comme un chêne, la féminité au contraire s'était effacée.

Tapie au-dedans, elle jaillirait dans l'expérience maternelle. Frédéric devina-t-il la loyauté, la force de caractère, l'intelligence de la vie qui appartinrent son existence durant à la benjamine des Bourgeois ? Sut-il que Marie serait un mât dans toutes les tempêtes ? Et que cette solidité avait la modestie de la grandeur d'âme ? On pourrait le croire puisqu'il surmonta les obstacles de la grosse voix, de la brusquerie et de la timidité réciproque. Frédéric était un doux, pacifique et indulgent, un de ceux qui ne jettent jamais la pierre, pas plus la dernière que la première. Marie aima en lui ce chrétien concret.

Renseignements pris sur la famille du prétendant, Henri accorda la main de Marie. Le patriarche franchissait une étape. Vingt-deux ans après le mariage de son fils aîné Jules, sa dernière fille s'apprêtait à quitter le boulevard Émile-Augier. Le nid était vide. La vie de famille, cette cohabitation des parents et des enfants, ce côtoiement extrême, s'achevait après quarante-cinq années. Tout ce temps était passé ! Henri et Gabrielle – soixante-dix et soixante-douze ans – se retrouvaient non pas seuls au monde mais seuls chez eux, à la manière de deux jeunes mariés, ceux qu'ensemble ils n'avaient jamais été. Le temps filait comme l'eau du monde, la vie avançait comme les fleuves vers leur estuaire. À la retraite depuis six ans, Henri avait tout le loisir d'y réfléchir. Il ne pensait pas à la déchéance physique, il se souciait de son âme, réclamait à sa foi la force intérieure, acceptait la mort qui est connaissance de Dieu. Sa vie avait-elle été digne du Seigneur ? De cela il n'était pas juge. Du moins n'avait-il pas démérité à ses propres yeux. La part de réalité qui était son œuvre d'homme le satisfaisait. Sa famille marchait droit, la bonne éducation tenait ses promesses, chacun des enfants se révélait apte à mener sa vie, personne ne ruait dans les brancards. De génération en génération, l'exigence morale et spirituelle se perpétuait. Au moment où Marie se mariait, la première petite-fille d'Henri et Gabrielle se fiança. Jules donnait en mariage sa fille aînée. Élise épousait un officier de marine, catholique croyant, qui avait été un élève de son père. Rien de plus conservateur et immobile que le mariage en France.

Cela fit des fêtes qui rassemblèrent les frères, les sœurs et les familles. Les deux aînés étaient en nombre : Jules, Clotilde et leurs six enfants. Jean, Françoise et cinq enfants. Quinze personnes débarquaient ! Nicolas, célibataire. André, Lilianne et leurs trois filles. Joseph, Paule et leurs deux enfants dont l'aînée était la demoiselle d'honneur de Marie. Louise, Yves et leurs cinq enfants. Jérôme, Clarisse et leurs trois filles dont la dernière n'avait que quelques mois. Claude, Solange et leur fille. Guy, veuf encore solitaire. Le 4 septembre, ils étaient ensemble en Touraine autour de Marie et Frédéric. Personne n'avait jamais vu un mariage pareil : la mariée avait neuf frères et sœurs, le futur mari en avait seize.

— J'ai voulu chacun de mes enfants, disait sa mère, une petite femme fluette qui fit forte impression à ceux qui venaient lui parler des dix-sept enfants qu'elle avait mis au monde.

Cela faisait en tout cas bien du monde et l'on plaisanta à qui mieux mieux sur l'alliance de deux familles aussi vastes.

— N'essayez pas de battre les records, recommanda Joseph dans son discours aux mariés.

Brillant, le jeune avocat remporta un vif succès dans cet exercice difficile.

La dernière propriété acquise par Henri pour accueillir ses enfants recevait les invités de la noce. Aux environs de Loudun, entouré de trente hectares de champs et de forêts, ce petit château tarabiscoté surplombait un coteau en pente, planté de pommiers, qui descendait doucement jusqu'à une rivière. Une ligne de saules l'en séparait, quelques cultures s'étendaient plus loin, puis l'ombre des noisetiers en boqueteau dispensait sa fraîcheur. On ne profita ni du parc ni de la terrasse, il pleuvait. *Mariage pluvieux mariage heureux*, répétaient ceux qui aiment les dictons ou ceux qui ne savaient pas quoi dire. Après le déjeuner dans l'immense salle à manger Henri II, les membres masculins des deux fratries s'affrontèrent à la corde : de part et d'autre d'une ligne tracée au sol, chaque équipe tire pour entraîner l'autre dans son camp. Jules, Jean, Nicolas (malgré sa jambe manquante), André, Joseph, Jérôme, Claude, Guy. Les frères du marié étaient bien plus nombreux, ils furent vainqueurs. Lâchez ! Lâchez ! hurla Claude à ses frères aussitôt constaté la défaite, mais les autres obéirent les premiers et les Bourgeois se retrouvèrent le cul dans la boue. Imbéciles ! répétait Claude, vous êtes pourtant allés chez les scouts ! Ils perdirent avec le sourire, tout le monde rigolait.

Trois semaines plus tard, à vingt et un ans, Élise épousa le fiancé parfait, l'officier de marine, fils unique d'un instituteur, cultivé, droit, pieux. Le soleil éclairait la noce. La seconde génération avait fini de *s'installer* et la troisième commençait.

1943-1976

À peine mariées, Marie et Élise furent enceintes. La tante et sa nièce prenaient place dans le cercle des mères. Les petits-enfants d'Henri et de Mathilde naissaient sans désemparer. Et par Élise, les arrière-petits-enfants faisaient une apparition précoce. Mathilde était morte depuis 1940, il n'y a pas besoin d'être vivant pour être continué. La nature généreuse, dangereuse et aléatoire, distribuait. La grande taille ou le grand front, le teint bistre ou les cheveux noirs, le nez busqué, les yeux verts ou la bouche fine. La forme ovale du visage et la tête à chapeau. Les traits de l'ancêtre – et d'autres, plus anciens, qu'on avait oubliés – étaient donnés à l'un ou l'autre. L'incarnation est un héritage.

La ramure se déploie pendant trente-trois ans. L'arbre sera immense.

Jules et Clotilde ouvrent la descendance avec deux filles.

1943 : *Élise*.

1946 : *Mathilde*.

1948 : *Noëlle* est la première fille de Jean.

1949 : *Madeleine*. Jules a désormais trois filles.

1950 : *Henri*. Jean a un fils avant Jules.

1951 : *Christine*. Jean a trois enfants comme Jules.

1953 : *Paul*. Le premier fils de Jules est un dieu.

1954 : *Chantal.* André entre à son tour dans la paternité.

Marielle. Et Louise découvre la maternité.

1955 : *Béatrice.* Jean égalise avec Jules : quatre enfants chacun.

Marguerite. Louise qui a passé son enfance entourée de frères donne une sœur à sa fille aînée.

1956 : *François.* Un deuxième fils naît chez Jules.

Jeanne. Elle est la fille aînée de Joseph qui prend sa place dans l'engendrement.

1957 : *Philippe.* À peine quatre ans de mariage et déjà trois enfants, Louise met les pieds dans les pas de sa mère.

1958 : *Élisabeth.* Elle naît en janvier chez Jules et Clotilde. Personne ne le sait encore, pas même les intéressés : Jules et Clotilde ont fini d'enfanter.

Marie-Frédérique. Voilà à Marseille en juillet une deuxième fille chez André et Lilianne.

1959 : *Anne.* André et Lilianne ont trois filles. Ils n'auront plus d'enfant.

En 1959, l'année où il prend sa retraite, à l'âge de soixante-cinq ans, Henri a dix-sept petits-enfants. De plus en plus gêné par son asthme, il vend l'ancienne maison trop humide de Valentine à Saint-Martin et acquiert la propriété de Touraine dont la vaste demeure lui permettra de recevoir cette famille en expansion. Et les apparitions se poursuivent.

1960 : *Laurent.* Louise a cette famille symétrique – deux filles deux garçons – dans laquelle chaque enfant a au moins un frère et une sœur.

Lucien. Joseph et Paule ont le choix du roi. Ils s'en tiendront là.

1961 : *Brigitte.* Avec ce premier enfant de Jérôme, on peut dire que les "petits" entrent dans la danse.

Cécile. Claude suit de peu son jumeau.

1962 : *Alix* naît chez Jean et Françoise qui n'ont pas dit leur dernier mot.

1963 : *Caroline.* Le dernier fils d'Henri est père à son tour.

Catherine. Elle naît le jour où meurt *Caroline.* Avec cinq enfants, Louise comprend qu'elle a renoncé au chant.

Agnès. Jérôme vit avec trois femmes.

L'édification fait une pause et même un recul. Pas de naissance en 1964 dans le temps où Guy pleure encore Sophie et Caroline. Henri a vingt-quatre petits-enfants. Gabrielle met un point d'honneur à offrir à chacun un cadeau de Noël. Les cousins se retrouvent dans le salon de leurs grands-parents tous les 25 décembre. Ils sont trop nombreux pour bien se connaître et pourtant ils ne sont pas encore au complet. Les plus jeunes enfants d'Henri ont à peine commencé leur œuvre de parents.

1965 : *Marie-Jeanne.* Elle est la troisième fille de Jérôme et Clarisse.

1966 : *Nicolas.* Il est le premier enfant de Marie. La petite fille qui avait perdu sa mère devient mère.

1967 : *Anne-Charlotte.* Elle est la cinquième fille de Jean et son dernier enfant.

Guillaume. Louise a maintenant trois fils et trois filles. Sa carrière de mère est finie.

Bertrand. Jérôme a enfin un fils.

Sophie. Elle est la deuxième et dernière fille de Claude.

Jérôme. Marie ressemble à sa mère : elle engendre au masculin.

Les six aînés de la fratrie ont eu vingt-trois enfants en vingt-quatre ans. Les quatre "petits" commencent leur cycle de fécondité au moment où meurt leur père.

1968 : *Matthieu.* Il est le premier des descendants qui ne rencontrera jamais son grand-père. Henri vient de mourir. Jérôme aura bientôt autant d'enfants que ses aînés.

Stéphane. Guy s'est remarié et renoue avec la vie.

1969 : *Thomas.* Marie a eu trois garçons en trois ans.

1970 : *Nicole.* Jérôme a six enfants. Le chiffre six paraît décisif : Jules, Jean, Louise, Jérôme, tous s'y arrêteront.

Olivier. Marie a quatre garçons. On les surnomme les Dalton.

Trente-sept petits-enfants perpétuent certains traits d'Henri et de Mathilde. Marie poursuit seule dans la voie de la maternité multiple.

1973 : *Mathilde.* À sa première fille Marie donne le prénom de sa mère, trente ans après la première fille de Jules.

1975 : *Delphine.*

1976 : *Virginie.* Elle est la quarantième et dernière des cousins. Marie a sept enfants.

Henri et Mathilde ont eu quarante petits-enfants. Leurs dix enfants étaient nés en vingt ans, de 1920 à 1940, leurs petits-enfants naissent pendant trente-trois ans, de 1943 à 1976. Les générations se chevauchent. La fille aînée de Jules a trois ans de moins que sa tante Marie et mourra avant elle. Les aînés du cousinage – Élise, Mathilde, Madeleine et Noëlle – sont pour les autres comme des tantes : leurs enfants ont l'âge de leurs jeunes cousins. Ceux d'Élise sont contemporains de ceux de Claude, de Jérôme et de Marie.

La vie proliférante a fabriqué ce micmac, énormité et emmêlement, un goût d'éternité heureuse.

C'était le temps du bonheur de créer.

19 DÉCEMBRE 1967

La troisième génération naissait à tour de bras. Couches, biberons, bouillies, purées, poussettes emplissaient les maisons des fils et filles Bourgeois. La nuit, le jour, à chaque heure, la vie tournait autour des enfants – une vie contre une vie, toujours. Les pleurs, les cris, les commandements, les berceuses arrangeaient le fond sonore. Chaque nichée de marmots progressait sur le chemin immémorial et partagé. Et l'un faisait une dent, un cauchemar, un caprice. Et l'autre prononçait un mot, puis deux. Et l'un gloussait. Et ça marchait. Et ça courait. Et ça tombait. Et ça pleurait. Événements, extases et accidents de la petite enfance accaparaient l'attention. Penchés sur cette progéniture, les parents – surtout les mères – donnaient la main, embrassaient, réprimandaient, expliquaient, ordonnaient. Parfois les petites meutes s'agglutinaient dans de brèves bagarres et les cris perçants déchiraient les rires. Pas moyen d'être tranquille. Enfer et paradis des familles nombreuses. De plus en plus, les Bourgeois étaient à contretemps, qui faisaient des enfants comme si la chose allait de soi. Autour d'eux les mœurs changeaient. Les concepts de *qualité de vie*, de *famille heureuse*, d'*harmonie de couple*, plaisaient, pénétraient et attiraient vers un nombre limité d'enfants. La fin des grossesses non désirées était maintenant un rêve à portée de main. Les femmes de tous les milieux se sentaient concernées par la contraception. La pilule circulait déjà sous le manteau – mais justement c'était inéquitable, réservé aux riches. Sa légalisation avait été évoquée par le candidat François Mitterrand lors de la dernière campagne présidentielle. Elle était devenue un sujet de la gauche. Les considérations morales et religieuses ne manquaient pas d'occuper – de gêner – les discussions. Chez les Bourgeois, on ne discutait pas la ligne de l'Église. Les familles nombreuses étaient une bonne chose. Quatre ou cinq enfants, quoi de plus normal ? Vouloir contrôler les conceptions n'était pas un péché mais alors il fallait s'y prendre par les moyens naturels. La chasteté demeurait le meilleur. Un petit rire idiot suivait cette remarque rétrograde. Parce qu'on ne parlait pas facilement et sans trouble de ce que l'on appelait alors – pour ne pas en parler – *la bagatelle*.

Le général de Gaulle réclamait un débat en conscience. Il savait ce qu'il pensait en son for intérieur (qui n'était pas si différent de la conviction d'Henri) mais s'interdisait d'ignorer que le monde pensait autrement. Il reçut son ministre afin de se faire une idée du bien-fondé de cette avancée médicale mise au service de la famille. Dites donc, Neuwirth, il faudra que vous veniez vous entretenir avec moi, avait dit le général. Et Lucien Neuwirth était allé dans le bureau présidentiel raconter le scénario du petit bonhomme qui est désiré et de celui qui ne l'est pas. Est-ce que l'enfant désiré et choisi n'est pas mieux accueilli que celui qui est un accident, une catastrophe ? À cette question, Henri Bourgeois aurait objecté qu'un enfant n'est jamais une catastrophe, le Général n'avait rien objecté. N'est-ce pas respecter la naissance que de la désirer au lieu de la subir ? demandait le ministre. Un impénétrable silence avait suivi cet exposé de cinquante minutes. Charles de Gaulle réfléchissait. C'est vrai. Transmettre la vie, c'est important. Il faut que ce soit un acte lucide, avait-il conclu tout à coup. Et cela voulait dire : j'ai compris, je vous suivrai.

La loi Neuwirth était en marche. Être un vieux dinosaure est une chose qui ne regarde que soi, lutter contre la marée en est une autre, aussi stupide qu'inefficace. Au lieu de se braquer contre le mouvement du temps, le Général accompagnerait d'une politique nataliste ce choix gouvernemental d'un contrôle individuel libre des naissances. Les données démographiques avaient sa priorité. Les allocations familiales, le coefficient familial qui fâchait les services des Finances, le logement, auraient pour mission de contrecarrer la baisse attendue de la natalité devenue volontaire. Le général de Gaulle ne se départait pas de l'idée que la France avait besoin d'enfants français. Sa génération, née avant le siècle, croyait que la natalité d'un pays était une question de pouvoir national et international – semblable en cela aux économistes mercantilistes soucieux du stock d'or de la nation. Henri Bourgeois ne pensait pas autrement. En somme il aurait fallu faire des enfants parce que Dieu nous le commande et que le pays en a besoin. Neuwirth bémolisait cette obligation.

L'émotion de l'opinion face à la révolution des mœurs trouva ses canaux habituels. La sécurité : On n'est pas certain de son innocuité, assuraient les détracteurs de la pilule. La morale : C'est la porte ouverte à la pornographie généralisée. Le sexisme : Messieurs, voulez-vous des femmes aussi libres que les hommes ? Traditionalistes et progressistes rompaient des lances pour leur cause. Deux forteresses se faisaient face. Comme souvent, les principes remplaçaient les questions. Quand l'Église de France se disait opposée à la contraception qui dévalorise la vie, Henri, Jules, Jean, approuvaient aveuglément.

Ce tapage n'impressionnait pas le Général. Son sang-froid était connu – l'Histoire l'ayant largement prouvé –, le grabuge s'en trouvait naturellement diminué. L'homme de 1940 et de 1958, celui qu'on appelle aujourd'hui l'homme providentiel, avait donné le droit de vote aux femmes, il amena un gouvernement d'hommes à leur donner la liberté de conception. Savait-il à quel point ce pouvoir était gigantesque ? Et quel tremplin ce serait vers l'autonomie ? Le président de la République était cohérent avec sa vision traditionnelle du rôle des mères : s'il leur incombait d'élever et d'éduquer les enfants, il leur revenait de planifier leurs naissances. Je me dis que le sens de la charge et de la responsabilité présidait à cette liberté accordée.

La loi Neuwirth – loi ordinaire relative à la régulation des naissances – fut adoptée par l'Assemblée nationale le 19 décembre 1967. Elle abrogeait les articles L. 648 et L. 649 du Code de la santé publique. Elle abrogeait le monde d'Henri et de Mathilde – celui de l'entre-deux-guerres, celui du maréchal Pétain. Le pays ne demandait plus aux femmes, comme il l'avait fait en 1920, de faire à tout prix des enfants. Mais les décrets d'application tarderaient à suivre la promulgation. La prescription libre était une pomme de discorde, le remboursement par la Sécurité sociale une impossibilité. 1967, en décembre, devenait une année cruciale, l'instant libérateur de cette moitié de l'humanité qui porte les enfants. Tous pouvaient le pressentir, elle rompait le lien entre sexe et procréation, elle le déposait dans les mains féminines. Nul ne savait encore qu'elle précédait le printemps fougueux des travailleurs et de la jeunesse et qu'elle était ainsi l'ultime moment avant l'attaque contre la société bourgeoise et paternaliste, patriarcale et puritaine. Il est significatif de constater que 1967 fut l'apogée du nombre des naissances chez les Bourgeois – cinq petits-enfants naquirent. Ils n'abandonnaient pas leur idéal. Elle fut aussi la dernière année de la vie d'Henri. La nature œuvre chaque jour. Après le temps des apparitions, venait celui des disparitions. Car Henri et Gabrielle ne rajeunissaient pas.

L'année qui scellerait la libération des mœurs et des esprits – une année dont personne n'a oublié le printemps – commençait par une tempête de neige. L'hiver enveloppait de givre les arbres du bois de Boulogne, les pas des promeneurs empreignaient la blancheur des allées du Ranelagh où Henri marchait malgré le vent glacial. Le 9, le thermomètre enregistra des températures plus de deux dizaines en dessous de zéro. Vous sortez ? s'étonna Gabrielle. Je vais au 56, répondit Henri. Il allait prendre l'air avant de déjeuner, trace d'une habitude de partir le matin au bureau. Et pour continuer d'être utile, il passait au 56, rue de Passy – comme il le faisait depuis la guerre – par le local de l'Association des familles nombreuses du 16e arrondissement dont il était le fondateur et président. Il continuait de vivre. À soixante-treize ans, Henri se faisait trois piqûres d'insuline par jour, souffrait de cet asthme qui l'avait contraint à vendre la maison de ses souvenirs, mais ne se plaignait de rien. Il parcourait le chemin de l'homme et personne ne lui avait jamais fait croire que c'était un agrément. Au contraire ! L'essentiel était effort. Il avait eu sa part de joie et de facilité. Comme avant lui tant d'autres modèles – les saints, les rois, sa mère Valentine –, Henri avançait dignement dans le temps et l'âge. Le médecin lui avait conseillé de ne pas sortir par ces grands froids qui sont capables de venir à bout du cœur en le glaçant au sens propre – le battement vital s'alentit jusqu'à caler. Henri ne voulait rien entendre d'un prosaïsme pareil. La vie en nous était-elle semblable au pauvre moteur d'un véhicule ? Il y avait des choses plus subtiles à penser. Puisqu'il croyait que Dieu choisit le jour et l'heure, Henri n'écoutait pas toujours le médecin.

On était dimanche, le 21 janvier – date anniversaire de la mort de Louis XVI –, Henri et Gabrielle se rendirent à la messe. Henri s'était levé le matin avec une douleur à l'épaule mais se garda bien d'en parler. Il fermait sur son cœur le silence aussi bien que les boutons de son gilet. Il était pâle, un relâchement marquait son visage blême, et la fatigue qu'il ignorait n'échappa pas à la vieille domestique qui travaillait le jour du Seigneur parce qu'elle n'avait pas de vie ailleurs que dans cette famille. À treize heures une soupe fut servie pour réchauffer monsieur et madame. Après ce déjeuner, Henri se mit à sa tapisserie. Il rassembla dans sa main une gerbe de laines afin de choisir la couleur qui convenait au pistil d'une fleur. Il était à comparer deux teintes de jaune, lorsqu'une ample douleur embrasa sa poitrine et le coucha sur le métier. Il ne bougeait pas et respirait faiblement mais la conscience et la volonté tenaient. Au bout de quelques minutes l'élancement brûlait moins violent. Henri eut la force de se lever pour aller s'allonger. Déjà le coup au-dedans recommençait, la souffrance cardiaque fabriquait à nouveau l'atroce coup de poignard qui se diffusait et lui fit perdre connaissance.

Il revint à lui dans son lit. Il entendait son prénom murmuré plusieurs fois par la voix de sa femme. Un peu plus tard le médecin marmonnait quelque chose. L'homme de science était là, mais que pouvait-il quand le moment était là lui aussi, pensa Henri. Il n'oubliait jamais que la science n'avait pas sauvé Mathilde. La religion était le seul vrai secours. Henri n'était pas le seul à le croire. Jules priait maintenant au chevet de son père. Un à un les frères avaient été prévenus. Ceux qui étaient parisiens pourraient voir Henri : Nicolas et Joseph, Louise et Marie, Claude. Jean était à Brest, Jérôme à Chartres et Guy à Soissons. À seize heures, Claude arriva. Il était accompagné d'un jeune professeur en médecine avec qui il jouait au tennis lorsqu'une employée du club avait prévenu : votre famille a appelé, votre père n'est pas bien. Marie les fit entrer dans la chambre du malade. Elle avait toute connaissance du processus mortel que son père avait entamé et le jeune professeur confirma. Oui c'est fini, je suis désolé, dit-il à Claude en lui attrapant gentiment le bras. Ainsi Claude puis tous les autres surent-ils que leur père allait mourir. Gabrielle attendait le prêtre. Le matin même, elle avait écouté son sermon sans se douter qu'il donnerait le soir les derniers sacrements à son mari. Nous marchons sur la terre sans voir où nous allons. Gabrielle jugeait que c'était préférable. Aucune révolte, aucune plainte, seulement l'acceptation de ce qui est.

La nuit vint, la dernière nuit dans un lit au milieu des siens. Henri Bourgeois n'était pas mort sous le tonnerre de Verdun, ni quand la mort de sa femme et dix orphelins l'avaient écrasé de chagrin, ni plus tard quand la pleurésie avait enveloppé de pus ses poumons. Combien de fois dans notre vie avons-nous vraiment risqué de mourir ? Mathilde avait-elle risqué dix fois

sa vie en accouchant, elle qui était morte en couches ?
Le dirions-nous ? Il était fou de penser qu'Henri aurait
pu mourir jeune, à la guerre, ayant connu le feu mais
pas l'amour – comme ses deux frères aînés. Il avait survécu à la guerre, au deuil et à la maladie. Sa jeunesse
l'avait protégé et bien sûr son utilité sur la terre. La vie
alors le réclamait, la vie devait gagner, car ses enfants
et sa mère avaient besoin de lui. Maintenant Henri ne
se battait plus. Il avait accompli sa tâche d'homme, il
rejoignait une autre scène. Le gué était devant lui. Il
ne doutait pas qu'une autre maison l'attendait au ciel
et qu'il y retrouverait ceux qu'il chérissait. Cette foi ne
le quitta pas avant le passage suprême vers l'inconnu.
Il pouvait fermer les yeux et rendre grâce. Il fermait
les yeux, ses enfants ne verraient pas la mort subtili-
ser le regard de leur père. Il rendait grâce parce que le
Seigneur lui avait beaucoup donné. Les longues maladies, les agonies interminables, la vie diminuée, ces
calamités lui avaient été épargnées. Quelle surprise et
quelle chance de ne pas savoir, de ne pas décider, d'être
emporté tout d'un coup dans le silence et dans l'oubli.
Et de rejoindre celui qui sera juge de nos actes. Peut-
être la mort arrive-t-elle à l'instant même où nous finis-
sons d'en avoir peur, parce que nous avons fait un pas
de côté, regardant la vie et la mort du dehors comme si
nous n'étions déjà plus ? Henri pouvait abandonner le
monde, étreindre le destin, cesser de respirer. Un demi-
siècle avant son fils Jérôme, trente ans avant son premier-né Jules, Henri mourait par le cœur.

Il manquait de peu l'ouverture des Jeux olympiques de Grenoble et les trois médailles du Français Jean-Claude Killy rediffusées pour la première fois en couleurs et dans le monde entier. Henri Bourgeois, qui avait vu tellement de nouveautés en même temps que le pire du siècle, manquait le nouvel avenir. Le pied de l'homme sur la Lune et l'industrie aéronautique, les progrès de la médecine et de la pharmacologie, la fécondation *in vitro* et la légalisation de l'avortement, la chute du mur de Berlin et l'écroulement du monde communiste, le tourisme de masse et la montée de l'Asie, les catastrophes nucléaires et le réchauffement climatique, l'avènement de l'Anthropocène et l'extinction accélérée des espèces, les musiques pop, disco, techno, les ordinateurs portables et les jeux vidéo, les tablettes, les téléphones sans fil et les portables, les drones pour la guerre sans contact et le terrorisme pour la guerre dans la cité, le chômage, le RMI, l'Europe des douze et des vingt-sept… Et plus proche, presque advenu : un mois de mai mémorable. Henri manquait un avenir qu'il aurait abominé. Il ne verrait pas l'ordre bourgeois qu'il affectionnait contesté par des gamins à cheveux longs. Il ne verrait pas le règne de Dieu peu à peu s'effacer devant celui de l'homme savant et technicien. Il était né en 1895 et mourait à l'instant d'une vaste mutation sociétale. Le monde sévère auquel il avait participé n'avait plus la cote et celui qui lui succédait pointait son nez comme une fleur sous le pavé du boulevard Saint-Michel. D'une certaine façon on peut dire qu'Henri emportait au tombeau son univers

– son *travail-famille-patrie*, ses principes, ses rigueurs. Des codes et des hiérarchies mouraient avec lui. Bientôt personne pour bâiller ne mettrait plus sa main devant la bouche. Bientôt la réussite serait aussi estimée que la rectitude, la fantaisie mieux aimée que l'esprit de sérieux, le lâcher-prise plus recherché que l'autorité, le matérialisme mieux partagé que la spiritualité, et la liberté au-dessus de tout. Déjà l'injonction à jouir habitait le présent, le plaisir prévalait sur le devoir. Comment Henri aurait-il pu s'ajuster au subit éclatement du cadre, lui qui était rigide, autoritaire et dirigiste ? Aurait-il su, sinon être moderne, du moins tolérer la modernité ? La mort lui évita de répondre. Ce monde libéré, hypertechnologique et connecté, mondialisé, qui plaçait son espoir dans le progrès scientifique bien plus qu'en Dieu – soixante-douze pour cent des Français déclarent en 2015 n'avoir aucune relation à la religion –, ce monde athée par endroits et chamboulé d'extrémismes, matérialiste et se réclamant humaniste, Henri Bourgeois le laissait à ses dix enfants. Jules, Jean, Nicolas, André, Joseph, Louise, Jérôme, Claude, Guy et Marie, debout dans l'ombre de l'église, à côté de leur belle-mère Gabrielle, recevaient les condoléances de la famille, des amis et des gens de l'édition restés fidèles à Henri. Ils retrouvaient le cimetière Montmartre et les dates, 1897-1940, ils regardaient le cercueil de leur père se ranger contre celui de Mathilde. Leurs oncles Adrien et Pierre les serraient tour à tour dans leurs bras. Mieux que personne les fils vivants de Valentine voyaient ce qui survivait à Henri : une petite foule, une cohorte de têtes à toutes les hauteurs, les trente-trois petits-enfants d'Henri déjà nés quand il mourut.

Vingt-cinq d'entre eux avaient l'âge de connaître et ne pas oublier ce grand-père d'un monde fini. Henri Bourgeois, 1895-1968.

11 MAI 1968

S'il avait vécu ce printemps, le grand-père aurait pu prononcer le mot de Mauriac au mois d'avril : *L'important c'est d'être vertueux. Rien n'est plus important pour la jeunesse que d'être vertueuse.* Henri aurait été un vieux tyran. Parfois l'enfant revêt l'habit et prend le rôle du parent disparu : c'était maintenant Jules qui parlait de vertu et faisait le tyran. Portant haut le flambeau de la vie chrétienne (et sans accepter les évolutions bientôt entérinées par Vatican II), il enseignait à ses enfants cette manière d'habiter le monde selon le message de Jésus. La mort d'Henri accentua chez son fils aîné le mouvement religieux entamé au retour d'Indochine. Dieu est grand. Dieu nous regarde. Il faut vivre pour Dieu. Prières, actions de grâce, examens de conscience, sous l'autorité du colonel Bourgeois. La libération des mœurs n'entrait pas dans ce programme. Toute licence anodine s'y trouvait interdite. Ni Jules ni Clotilde n'avaient connu la liberté ou ce qu'ils appelaient le laisser-aller, ils ne les toléreraient jamais chez leurs enfants. Non seulement ils étaient d'accord sur tout mais Clotilde était soumise à son mari. Le père de famille régnait. Quoi faire, quoi s'interdire, quoi penser : Jules définissait et imposait. Depuis qu'il avait été instructeur à l'École d'état-major son autoritarisme avait grandi. L'éducateur s'affirmait.

Les enfants écoutaient les semonces de ce père qui savait tout. Personne ne se rebiffait une fois devant la grande silhouette de Jules. Ni Mathilde ni Madeleine, pourtant en âge de le faire (l'une avait vingt-deux ans et l'autre bientôt dix-neuf), ne goûtèrent les délices du désordre. La crainte du père triompha de l'envie.

— Allons voir les manifs, papa n'en saura rien, disait Mathilde à sa jeune sœur.

— Tu n'y penses pas, répondait l'autre.

Aller aux manifs, elles n'en eurent ni l'audace ni l'occasion. Elles n'en virent que les effets à domicile : Jules tonitruait.

— *Être libre sans permission*, qu'est-ce qu'il ne faut pas entendre ! s'exclamait-il sidéré par les slogans.

À la lecture de la presse, il parlait tout seul.

— Je me demande ce que font les parents de ces olibrius qui empêchent les autres de travailler ! Il n'y a qu'à enfermer tous ces gamins dans leur chambre !

— Quant à la police, qu'elle leur foute un peu la trouille. À quoi servent les matraques et les grenades lacrymogènes ?

Les filles riaient sous cape. Clotilde leur faisait les gros yeux.

— Qui vous a permis de rire ? grondait Jules.

À quarante-huit ans, avec la vie qu'il avait menée et la manière dont il voyait le monde, fort d'une autorité incontestée, le colonel Bourgeois n'avait pas pris la mesure de l'agitation sociale et estudiantine.

Trois mille CRS stationnaient au Quartier latin. Dans la rue Soufflot, les cars étaient rangés en épi, culs vers le Panthéon. Les gogos suivent les enragés, pestait le général de Gaulle avant de demander à son ministre : *Mais enfin, ce Cohn-Bendit, qu'est-ce qu'il a pour lui ?* Ni Jules ni aucun des frères Bourgeois ne découvrirait le talent de cet anarchiste rigolard. Question de chronologie. Le soulèvement étudiant passait entre deux générations : d'un côté les enfants d'Henri déjà installés dans le monde adulte, de l'autre ses petits-enfants, la plupart à peine lycéens. Les rares aînés en âge de se mêler aux manifestations étaient tenus par leurs parents. Depuis mars, Jean naviguait dans le Pacifique sur le croiseur *De Grasse*. En mai, il était à Papeete et se réjouissait de savoir ses enfants à Brest plutôt que dans le chaudron parisien. Il faisait confiance à leur mère pour rester ferme et *veiller au grain*. Depuis l'étranger, les événements semblaient plus extraordinaires qu'ils ne l'étaient quand on résidait comme les Bourgeois dans le 16e arrondissement de la capitale. Aux alentours du bois de Boulogne, Claude, Joseph, Nicolas, Marie vivaient au calme, très loin des barricades. Les pavés étaient à leur place et les enfants sages à Notre-Dame-des-Oiseaux. Claude s'en amusa lorsque les parents de la jeune fille au pair qui travaillait chez lui appelèrent d'Autriche : si c'était la révolution, ils préféraient qu'Angela rentre immédiatement. Claude les rassura : le Quartier latin et le quartier d'Auteuil n'étaient pas à la même température ! Il aurait pu aussi bien dire *ne vivaient pas la même époque*.

En somme, il y avait bel et bien plusieurs mondes. Et il y en aurait deux chez les Bourgeois. Question de géographie ! Rue Dante, dans l'œil du cyclone, le vent de la liberté souffla chez Louise et Yves. Leurs trois aînés furent entraînés dans la griserie de la révolte. La grève touchait le lycée Montaigne, Marielle, Marguerite et Philippe crièrent les slogans de la gauche, ils huèrent le système et les bourgeois, oubliant même qu'ils en étaient ou résolus à ne plus en être. Ces jeunes arbres qu'avait plantés Louise (comme elle le dit) poussèrent dans une direction imprévue. Ils entamèrent une nouvelle vie. Ils seraient pour toujours les rebelles de la famille : les seuls à interrompre leurs études pour partir garder des chèvres dans le Larzac, les seuls à concubiner, les premiers à rompre des amours éphémères et légères. Yves s'amusait de tout. Louise subissait les commentaires de Jules, nouveau gardien de la morale. La fratrie entière avait atteint la maturité. Jules avait presque cinquante ans et Marie trente, ils étaient tous adultes et parents, mais les hiérarchies de l'enfance dans les familles ont la vie dure.

15 JUIN 2016

Quelle est la meilleure place au sein d'une fratrie ? Cette question anime beaucoup les enfants lorsqu'ils sont jeunes et pas d'accord sur la réponse. Chacun préfère la place des autres.

— L'aîné ouvre toutes les routes, il se bat contre l'autorité restrictive, tandis que les suivants trouvent les portes enfoncées. La meilleure place, c'est celle de cadet, assurent les aînés.

— Le cadet supporte les quolibets et le dirigisme de son aîné, rétorquent les suivants, il a trois parents ! La meilleure place, c'est celle de dernier.

À quoi le benjamin répond :

— Le petit dernier regarde partir les aînés et reste seul avec ses parents, merci !

Chacune de ces remarques est juste. De même, il est juste de remarquer que le dernier enfant a moins long-temps ses parents : il les perd plus jeune. Ainsi Marie avait vingt-huit ans à la mort d'Henri, quand Claude en avait trente-quatre et Jules quarante-huit. À toutes les échelles – planète, nation, famille – la démographie s'avère une donnée déterminante. La fratrie était un grand corps dont les membres à la fois rassemblés et auto-nomes vivaient des situations différenciées dès la nais-sance. De la sorte s'expliquaient les souvenirs différents.

— Papa était insupportable ! dit volontiers Louise, c'était un tyran, pas drôle et affreusement sévère.

— Quand je pense à tous les soucis que j'ai causés à papa, je me dis qu'il n'était pas sévère et que Louise a tort, dit Claude.

Les frères et sœurs ont eu les mêmes parents, ils les appelaient par les mêmes prénoms, Mathilde, Henri, Gabrielle, et cependant Mathilde, Henri et Gabrielle furent pour – ou même avec – chacun de leurs enfants des personnes différentes.

Les enfants différaient aussi, et entre eux des hiérar-chies s'imposaient, des affinités se dessinaient et s'es-tompaient. Les grands et les petits resteraient toute leur vie les grands et les petits. Le temps ne défaisait pas la forme originelle qu'avait prise en naissant le cortège des enfants d'Henri et de Mathilde.

— Louise me parle encore comme si j'avais six ans, j'en ai soixante-dix-neuf mais je suis toujours pour elle le gamin qui n'a rien vu et ne comprend rien ! s'amuse Guy.

— Joseph était pareil avec moi, dit Claude. Il était le grand à qui tout est dû et qui devait forcément avoir plus que moi. Quand je me suis mis à bien réussir dans les affaires, c'était une chose incroyable.

Au-dessus de la horde trônaient Jules et Jean. Mais puisque le cadet était réservé quand l'aîné était toni-truant, c'était Jules qui légiférait. Claude, Guy et Marie avaient pour lui un respect absolu. Jules avait remplacé Henri. Il était le chef de famille. L'était-il parce qu'il était l'aîné ou parce qu'il en avait le caractère ? En avait-il le caractère parce qu'il était l'aîné ? On peut se demander dans quelle mesure la place détermine l'expression de la personnalité et la personnalité elle-même ? Est-ce un hasard si derrière ces deux aînés parfaits (selon les cri-tères de la réussite dans leur milieu), André et Nicolas furent moins brillants et moins chanceux ? Y avait-il eu moins d'espace pour eux ? Moins de stimulations ou d'attentes ? Avaient-ils intégré et consenti à cette iné-galité devenue comme naturelle ? Leur effacement qui semblait inné, était-il en vérité acquis ? Et Joseph au contraire, superbe et infatigable parleur, plein d'appé-tit, avait-il justement voulu renouer avec la splendeur des aînés en s'intronisant le grand des petits ? Il s'était occupé de son sort. Il avait su demander ce qu'il voulait à son père. Il avait embrassé l'ambition. Sa domination s'exerçait sur les plus jeunes sans qu'il pesât à leurs yeux le poids de Jules. Moins détaché que lui des richesses matérielles, toujours preneur ou acheteur, mais en famille pas au prix du marché, Joseph était devenu le frère dont on se méfie un peu. Il avait de la superbe mais on dirait aujourd'hui : il roulait pour lui.

— Il était avocat et habitué à se battre, il voulait avoir raison, dit gentiment Marie.

Les plus jeunes pardonnaient les manières du numéro 5. Ils savaient à quoi s'en tenir mais ne lui reprochaient rien. Est-ce qu'on choisit d'être comme on est ?

— Le pauvre, sa femme l'emmerde ! plaisantaient Jérôme, Claude et Guy.

Car Paule voulait toujours ceci ou cela. Et la brillante épouse n'appréciait guère la tribu, ce n'était pas un secret.

1970

Tout le monde voulait ceci ou cela. En trente ans, l'existence s'était considérablement adoucie, ouatée par la consommation. Les rationnements de l'après-guerre étaient une préhistoire. Dire que Marie avait un jour manqué de lait ! On ne se le représentait plus. Cette période que l'on baptisa *trente glorieuses* diffusait des conforts inimaginables pour ceux qui étaient nés avant eux. Que d'innovations dans tous les domaines ! Les fils d'Henri profitaient de ces progrès tout en conservant une organisation familiale traditionnelle. Leurs épouses étaient au foyer comme leurs deux sœurs Louise et Marie. Chez les Bourgeois, le mariage ramenait la gent féminine auprès des enfants. Tout le monde s'en félicitait et les militantes du MLF faisaient figure de harpies délirantes et grotesques. L'assujettissement des femmes, mais de quoi parlait-on ? Chaque sexe avait son rôle voilà tout. Pourquoi qualifier ça de phallocratie et de machisme ? Les fils d'Henri ne voyaient vraiment pas le problème. Il y avait un grand naturel, une authentique naïveté dans leurs manières. Pourquoi remettre en cause l'admirable vocation maternelle dans l'ordre de la nature ? Ils n'imaginaient pas d'autres aspirations pour leurs épouses et pour leurs filles que de devenir mères de famille. Ils n'étaient pas loin de penser que les femmes savantes sont des casse-pieds. Que celles qui étaient à la fois ambitieuses et autonomes eussent souvent à payer leur audace par le célibat ne faisait pas réfléchir les frères Bourgeois à l'orgueil masculin. En attendant de se marier, les petites-filles d'Henri étaient institutrices, enseignantes ou infirmières : pas de rapports avec l'argent, le pouvoir ou la création, mais déjà – et toujours – l'implication dans le soin. Les femmes étaient au service des autres et le féminisme un combat des temps de bombance.

L'Histoire de France paraissait faire repos après les cataclysmes de la première moitié du siècle. Les souvenirs des deux conflits mondiaux s'estompaient. Le génocide des juifs d'Europe était enfin apparu distinct de l'ensemble des violences. De Gaulle et Adenauer avaient lancé la réconciliation franco-allemande. L'idée européenne progressait. Les guerres de décolonisation étaient finies et l'ère nucléaire advenue comme règne de la dissuasion donc de la non-bataille. Les trois militaires de la fratrie trouvèrent les rythmes de la paix.

Couronnement de sa carrière, le colonel Jules Bourgeois prit le commandement du 4ᵉ régiment cuirassé de Bitche. Jean était devenu sous-directeur du port de Brest. Guy était officier chargé des sports au 27ᵉ bataillon de chasseurs alpins. Alors que ses aînés finissaient la leur, le dernier fils d'Henri commençait une carrière modeste, agréable mais brisée. La discipline et l'ordre militaires ne connaissent guère les circonstances atténuantes : ni la fusillade d'Isly ni la mort accidentelle de sa femme et de sa fille n'excusèrent la nervosité passagère et l'impulsivité désastreuse du jeune lieutenant dans les années qui suivirent ces drames. Guy eut quelques mots avec son chef de corps, il fut mal noté et c'en fut fini de ses perspectives. Il en concevait peu d'amertume, plutôt de l'étonnement devant un idéal si vite évaporé. Mais il avait connu de plus grands soucis. Il savait ce qu'est le vrai malheur et se consolait dans son mariage avec la veuve d'un aviateur, mère de trois filles et qui venait de lui donner un fils. Les grandes gueules à l'armée font-elles des généraux ? Les aventures de Jules et Guy Bourgeois imposaient une réponse négative à cette question. Si talentueuses soient-elles, les grandes gueules doivent apprendre à se taire. L'hypocrisie ou la lâcheté semblent des vertus utiles pendant les moments palpitants de l'Histoire. Contrairement à certaines idées reçues sur leur classe, les Bourgeois n'en avaient ni le monopole ni la maîtrise, ils n'étaient qu'intelligents et sensibles. La révolte ou la clairvoyance pouvaient les faire hurler. L'abus, l'erreur, la bêtise les écœuraient. Jules en Indochine et Guy en Algérie furent barrés dans leur avancement parce qu'ils avaient dit ce qu'ils pensaient. Ils avaient éprouvé des sentiments et prononcé des mots inadmissibles pour leurs supérieurs. La grande muette portait bien son nom. En ce début de décennie, Jules et Jean s'apprêtaient à quitter l'habit de lumière pour entrer dans la vie civile et tout recommencer.

Le général de Gaulle quant à lui quittait la vie politique en réponse au non des Français lors du référendum sur la Constitution et la réforme des régions. En novembre, la vie se retirait du grand homme qui léguait sa gloire à la nation. Il mourut d'une hémorragie abdominale, soudaine et violente, peu avant le dîner, pendant l'habituelle partie de patience qu'il faisait à cette heure où son épouse s'activait à la cuisine. Mourait-il de n'être plus utile à la France ? Sa disparition, comme une borne routière sur le chemin du pays, marquait la fin d'une époque. Personne ne savait encore que les producteurs de pétrole allaient s'entendre pour augmenter les prix et créer la première crise économique d'une série qui n'aurait pas de fin. Les jeunes fils d'Henri Bourgeois atteignaient le pic de leur activité et ses filles étaient absorbées. Louise s'écartelait entre les adolescents rebelles et les petits tandis que Marie menait ses quatre garçons à la baguette sans savoir que trois filles viendraient encore emplir sa maison. Joseph devenait un avocat renommé de la capitale. Il s'était habitué à être un point de mire habillé d'éloquence. Au prétoire ou en famille, le prestige l'enveloppait. Il figurait le parent qui, ayant épousé une dame de la haute, s'éloigne fatalement de la fratrie, propulsé autant que transformé par son alliance. Nicolas était tranquille aux éditions familiales. Claude devenait une personnalité du monde des métaux. Il préparait le grand tournant de sa carrière, pesait le pour et le contre, et s'il doutait de lui-même son épouse ne tergiversait pas autant : l'ancienne joueuse de hockey n'avait pas perdu son esprit de hardiesse et le poussait à travailler avec les Américains. Jérôme s'était constitué une heureuse clientèle en province, tourbillonnant sous son toit de chaume entre ses six enfants et ses patients. André commandait un pétrolier et se jugeant trop longtemps séparé de Lilianne envisageait de décrocher. Avec force de passion, il l'expliquait à Claude que troublait ce brûlant désir pour une femme qu'il ne trouvait pas attirante. La fratrie avait éclaté. Dix vies se déployaient, chacun à la tête de la sienne, chacun devant ses choix, enfermé dans ses perceptions.

22 JANVIER 1972

Meurt-on comme on a vécu ? On le dit, mais c'est souvent une manière de morale plutôt qu'une vérité. Car on peut vivre heureux et mourir désespéré – ou l'inverse. On peut vivre en mécréant et s'éteindre croyant – ou l'inverse. On peut vivre entouré et mourir abandonné. Il est vrai cependant qu'en vivant seul on risque de mourir seul. Personne alors n'est témoin de ce qui vous arrive – une mauvaise chute, un malaise, un infarctus, un accident vasculaire cérébral –, personne n'est là pour vous sauver ou vous tenir la main. Celui qui occupe seul un appartement peut disparaître sans que nul n'en sache rien. Et si sa mort est brutale, elle crée cette situation où quelque chose d'irrémédiable s'est produit et pendant un laps de temps demeure inconnu de tous ceux qui sont concernés. C'est ce qui arriva à Nicolas. Le troisième des frères, le solitaire qui venait entre la paire disciplinée des aînés et le couple rigolard des suivants, vivait seul à l'âge de quarante-neuf ans et mourut chez lui, trois ou quatre jours avant qu'on le découvrît. Tous ceux qui l'aimaient ignoraient qu'ils n'auraient plus jamais l'occasion de le lui dire et d'en recevoir les marques en retour. Ils vaquaient comme si de rien n'était, insouciants, dans la vie qui sourit à ceux qui l'empoignent. La fratrie était dispersée sur l'ensemble du pays et même si le souvenir d'une disparition les traversait en ce jour anniversaire de la mort d'Henri, aucun ne s'inquiétait pour Nicolas.

Depuis qu'il avait noué avec Ursula un lien tendre et libre, la vie de Nicolas connaissait une embellie. Il ne l'aurait pas dit de cette manière mais c'était vrai. Il avait vécu plusieurs années dans une petite chambre à Auxerre, loin de tous et privé de tout, employé dans une entreprise de machines agricoles. Claude en avait eu le cœur serré, Nicolas s'en accommodait. Oh non ! être malheureux c'était bien autre chose que cela ! Il avait travaillé en Algérie, par des températures insoutenables, et sa jambe le lançait, le tiraillait, le brûlait, le picotait, le chatouillait. Il avait porté cette prothèse si lourde qu'elle lui cassait le corps. Il avait supporté les conditions de sa vie sans jamais se dire qu'elles étaient difficiles. Et il avait gardé les mots pour s'enchanter quand l'enchantement était venu. Ursula, cette grande fille simple et déliée, avec ses cheveux très courts ! Elle ne ressemblait à aucune femme qu'il eût rencontrée. C'était peut-être qu'elle était allemande. Ou goal dans une équipe de hockey (elle jouait avec Solange, ainsi Nicolas avait-il fait sa connaissance). Il ne s'ennuyait pas avec elle. L'énergie jamais ne manquait pour sortir, aller au cinéma ou au concert, se balader, dîner dehors. Elle était contente de tout et le montrait avec un énorme rire presque masculin. Elle était le contraire d'une épouse ! pensait-il parfois, lui qui avait eu le loisir de connaître toutes celles de ses frères pendant les mois d'août en famille.

— Nicolas est mort quand les choses commençaient à aller mieux pour lui, dit Claude.

Quarante ans après la mort de ce frère, ces mots recèlent une tristesse apparente.

— Il n'a pas eu de chance. La vérité, c'est qu'il n'en a jamais eu. Mais il ne disait rien, il en a bavé sans se plaindre. Il était gentil Nicolas, se rappelle Claude.

Gentil est un mot-clé de son vocabulaire, le plus grand compliment, bien plus élogieux qu'*intelligent*, *astucieux*, ou *sympathique*, qui sont d'autres qualificatifs plus en vogue aujourd'hui.

Nicolas n'avait pas eu de chance en 1944 quand il avait posé le pied sur une mine et entendu dans le même instant le déclic fatidique et la déflagration. Depuis ce jour, son corps n'était plus un corps triomphant. Il avait failli disparaître sur une route d'Italie, il avait payé de son intégrité. Il en restait une atteinte qui vint peu à peu à bout de la vie. Depuis un quart de siècle, la prothèse fatiguait le muscle cardiaque, l'amputation troublait la circulation sanguine. Semblable en cela à Henri avec qui il s'était tant heurté, Nicolas abritait le mal sans vouloir y penser. Et maintenant un homme heureux couvait sa mort. Rien ne l'avait annoncée, Nicolas avait à peine remarqué un essoufflement plus durable après une marche habituelle. La chrysalide se déchira un soir de janvier, dans une fulgurante brûlure sous l'omoplate. Le torse entier souffrait. Les artères n'étaient plus les fluides canaux où le sang coule vers les centres vitaux. L'autopsie apprit à sa famille que le troisième fils d'Henri et de Mathilde était mort d'une embolie pulmonaire. Il avait allumé la télévision et ne l'éteindrait plus jamais, il s'était installé dans le canapé pour dîner, et c'était ainsi, assis et mort devant le poste, que les pompiers l'avaient trouvé lorsque la gardienne de l'immeuble s'était alertée de ne pas avoir vu M. Bourgeois depuis plusieurs jours.

Encore un parmi les Bourgeois que la mort prenait soudainement, du jour au lendemain, sans avertissement, avec cette brutalité inouïe qui ne dure pas. À la manière de Mathilde ou d'Henri, Nicolas était passé de vie à trépas en un seul jour. Il était à l'œuvre. Il essuyait ses lunettes et les replaçait sur son nez, attachait autour de ses épaules les courroies de sa prothèse, s'en allait en métro à son bureau, rentrait le soir dans son petit appartement de la rue Bois-le-Vent. Il partait dans un livre. Quand il croisait les jambes, il repensait peut-être à ce jour sous la lumière italienne, mais ce n'était pas un voyage de noces ! Il affrontait l'existence avec courage. De quel bois sont faits ceux que le passé ne démoralise pas ? Du même bois fragile et mortel qui va se coucher sous la pierre.

JUIN 1973

La pierre de Montmartre rassemble, pour l'éternité des corps, Henri, Mathilde et Nicolas. Mais Gabrielle est vaillante au milieu d'une nuée : quatre générations de Bourgeois vivants. Pour fêter ses quatre-vingts ans, elle loue le restaurant du Pré Catelan. La folie des grandeurs ou le goût du luxe ne sont pas les raisons d'une telle dépense. Depuis la mort d'Henri, les maisons de famille ont été vendues, aucun lieu n'est assez spacieux pour recevoir la formidable descendance de trois personnes et deux amours : Mathilde, Henri, Gabrielle.

Et j'ai maintenant la loupe à la main. Je scrute les clichés qui ont donné l'éternité de l'image à des instants. Instants fêtés : les vacances d'été, les anniversaires, les épousailles qui sont des rencontres et les naissances qui sont des apparitions. Instants quotidiens : des enfants qui jouent sur la plage, une femme qui sourit au photographe (son époux), un chemin de randonnée où l'on marche le nez au vent, la rue à Paris où circulent des voitures de plus en plus diverses, une famille entière réunie. Chaque photographie a figé la rivière des moments mais les moments sont passés à jamais. Celui qui contemple l'image contemple le passé perdu et mesure la durée qui l'en sépare. Il traverse l'écoulement compressé dans sa mémoire, la rivière l'enveloppe. Il tombe dans un puits, il a le vertige, refuse de regarder. La mélancolie l'envahit et le sentiment qu'une tragédie se joue dans son dos. Car il n'a rien vu. Pendant qu'il était occupé à vivre, le temps était invisible, son passage lui échappait, il baignait en lui sans le penser et en ignorant l'avenir. Et maintenant l'avenir semble contenu dans le passé, en regardant le vieux cliché on le croit. Quoi de plus vrai lorsqu'il s'agit de la mort ? me dis-je. La photographie dit la vérité de la vie : tous mourront.

J'approche le verre grossissant au-dessus d'une photographie en grand format et j'entre dans le couloir du temps. Ma main cherche le bon emplacement de la loupe. Ma vision s'accommode et je distingue les visages qui sont minuscules. Ce qui n'existe plus resurgit. Ce qui a été oublié est rappelé. Le temps épais, saturé d'événements et de personnages, se reconstitue. Qui est celui-là sur la droite ? Ah comme Solange était jolie ! Belle à la manière d'Anouk Aimée sur la plage de Deauville. Oncle Jules avait déjà grossi. La chevelure d'André est grise, celle de Joseph blanche. Je contemple l'œuvre du temps sur les vivants. Je vois les cheveux noirs de Claude et le visage bruni de Guy. Le couloir du temps n'est pas un lieu hospitalier, ses murs sont râpeux et l'on s'y blesse en criant : Non ce n'est pas vrai ! Ce n'est pas possible ! Tout cela n'a pas disparu ! La beauté ne s'est pas évanouie ! Cette vie-là ne s'est pas arrêtée. Celui-là n'est pas mort d'une maladie dont il n'avait alors aucune appréhension. La loupe se déplace poussée par la stupéfaction. Elle vous aspire dans le grand trou du passé. Je les regarde tous. Une vingtaine d'entre eux sont morts.

Leurs yeux ne voient plus la lumière tandis que je pourrais indéfiniment regarder leur image dans l'éclat mordoré que jettent derrière eux les riches lustres de la salle de réception. Mais je n'aurai jamais que ce reliquat de papier. Et un jour, une autre main se promènera avec la loupe au-dessus de mon propre visage d'enfant alors que je ne serai plus ni une enfant ni une conscience.

Je les vois tous, en 1973, sur la terrasse du Pré Catelan, côté jardin. La photographie rassemble près de quatre-vingts personnes. Dans une robe couleur pervenche, Gabrielle est assise entre ses deux filles Henriette et Clotilde. La famille entoure ce trio. Gabrielle a survécu à Mathilde et mêlé sans distinction tous ceux qui sont nés d'elles. Sur une rangée de fauteuils se tiennent droites et souriantes les jeunes mères qui portent sur leurs genoux leur progéniture en bas âge. Clarisse, Élise et Marie sont côte à côte. Chignon et barrette, médaille pieuse, un bébé dans les bras un autre dans le ventre. À leurs pieds, sur deux rangées, une flopée d'enfants assis par terre. Derrière elles, trois rangées d'adultes debout : les plus grands des cousins et tous les parents. Le foisonnement est stupéfiant. À l'époque il n'a impressionné personne, il était habituel.

14 JUILLET 2016

Il était moins habituel – à vrai dire complètement nouveau – de louer le Pré Catelan faute de maison familiale. Les temps avaient changé. Le patrimoine avait éclaté.

Dans l'espace étiqueté d'aujourd'hui, les Bourgeois sont rangés du côté des nantis et de fait ils s'y trouvaient. La richesse cependant ne les a pas intéressés. Aucun n'a livré sa vie au désir d'accumuler. Être fortuné ou même le rester n'était pas un objectif. L'argent a servi leurs existences sans les asservir. Ils ne lui ont pas sacrifié leur plaisir de travailler, leur temps en famille, leur rectitude ou leurs principes. Les militaires gagnaient peu, la vocation passait là-dessus, le prestige de l'uniforme et l'honneur de servir la France compensaient. Combien serai-je payé ? Ni Guy, ni Jules ne s'étaient posé la question quand ils avaient décidé de faire Saint-Cyr. Ils savaient que la solde ne serait jamais mirobolante. Joseph avait sûrement recherché le pouvoir, la gloire même, celle d'un Henry Torrès ou d'un Robert Badinter, et les revenus accompagnent souvent cette réussite, mais l'argent n'était pas le seul but. André avait préféré la vie familiale aux grands navires et aux voyages, il avait sacrifié une carrière pour un bonheur affectif. Claude aimait les personnalités et les rencontres encore plus que les affaires, il ne fut pas un homme d'argent. Jérôme soignait les pauvres gratuitement. Nicolas et Marie vivaient du nécessaire, l'essentiel venait du dedans, de l'amour, de la foi, du courage, de l'élan.

— Il y a toujours eu de l'argent, m'a dit un jour Claude pour résumer la situation économique et sociale de ses parents. Maman avait de l'argent. Papa était actionnaire de plein de trucs.

Il n'avait aucune idée des sources de cette richesse. D'où venait cette situation financière ? Il n'en savait rien !

Et je pouvais entendre, à sa manière imprécise de parler, combien l'aisance avait été réelle, c'est-à-dire acquise de longue date plutôt que poursuivie, évidente plutôt que problématique, et passée plutôt qu'à venir. Peut-être la richesse n'est-elle rien d'autre que cette indifférence : l'argent chez les Bourgeois n'était pas un sujet.

Sans en rien dire – ce qui eût été une inélégance ou une indiscrétion – Henri avait toujours su vivre avec l'argent, le gagner et le dépenser, le donner, le répartir entre ses enfants de sorte qu'aucun ne se sentît lésé. À sa mort, en 1968, le partage était fait depuis longtemps, les droits payés, la succession en ordre. Appartements et actions étaient distribués. Personne n'avait ni discuté ni réclamé une estimation, ni blâmé une décision. En 1969, le château tarabiscoté et les hectares de pommiers furent vendus, avec la maison de gardien, le piano, le billard, le cheval. La somme fut partagée entre les dix enfants. La partition avait démembré le patrimoine. Aucun des fils et filles d'Henri ne serait riche comme il le fut. Les règles de la vie économique et sociale aussi avaient changé. Enfin la fiscalité installait la redistribution. Les plus riches de France, le un pour cent qui possédait cinquante-cinq pour cent de la richesse en 1914, cent ans plus tard en détenait vingt-quatre pour cent. Henri avait vu apparaître la collection des impôts. Il n'avait pas dix-neuf ans en août 1917 lorsque sa mère payait le premier impôt sur le revenu. La baisse des revenus de l'État conjuguée aux besoins de financement de la guerre avait conduit le Sénat à adopter la création de l'impôt progressif sur l'ensemble des revenus. Depuis cette date, la taxation française croissait sans discontinuer. Henri était mort depuis quatorze ans lorsque le gouvernement Mauroy créait l'IGF : impôt sur les grandes fortunes. Le patriarche aurait eu à s'en acquitter tandis que la plupart de ses enfants possédaient des patrimoines inférieurs au seuil établi. Et cependant, me dis-je, les Bourgeois n'ont pas périclité et leur lignée ne s'est pas éteinte. Au contraire ! Ils ont vécu dans d'autres grandeurs. La plupart n'étaient pas dans les affaires, la réussite n'a pas eu besoin de les abandonner pour qu'ils s'appauvrissent. Renforçant les effets de l'évolution sociale, leur fécondité a mené les descendants dans des situations plus modestes. Ils ont fait des enfants bien plus que des fortunes. En 1989, la loi de finance créait l'ISF, dont le nom exprimait le besoin du moment : la solidarité. La CSG apparaissait. Certains petits-enfants d'Henri profitent du RMI et du RSA. Les Bourgeois ne sont plus les nantis, ils ont changé de monde.

5 JUILLET 1977

Quand les jeunes changent de monde, les anciens le quittent. Dix ans étaient passés depuis la mort d'Henri. Le dernier de ses petits-enfants avait six mois : une fille de la dernière fille. Marie avait passé enceinte l'été de la grande sécheresse, 1976, et Virginie était née quelques jours avant Noël. Les morts étaient loin, les mémoires sorties du deuil, la famille vive, proliférante, jeune. Une génération pourtant n'avait pas fini de disparaître. Le chemin glorieux qu'elle avait tracé dans le siècle arrivait à son terme. La femme de l'oncle Pierre s'était couchée un matin pour ne plus se lever et le très élégant frère d'Henri avait pris la mesure du réconfort qu'il perdait. Les anciens mouraient, c'était l'ordre des choses, celui qu'on accepte mieux. Avant de succomber ils souffraient, harcelés de maux divers. Ils luttaient en silence, ils s'acheminaient dignement vers la fin de leur vie. Ainsi fit Gabrielle. Au début du printemps, elle prit la décision de se faire opérer de la hanche. Elle préférait assumer le risque d'une opération à quatre-vingt-trois ans plutôt que vivre longtemps et mal. Quelle aide apporterait une vieille dame qui ne peut plus marcher ? Gabrielle voulait être vaillante. L'intervention se passa sans difficulté mais l'anesthésie créa une occlusion intestinale. On opéra encore. La fatigue s'emparait du vieil organisme malgré la volonté de la malade. Coûte que coûte il fallait sans se plaindre participer au mouvement de la vie familiale : Gabrielle suivit sa fille Clotilde, ses petits-enfants et arrière-petits-enfants sur la côte normande où son gendre Jules avait acheté une maison. La volonté de tenir son rôle amenait la vieille dame jusqu'à la plage. Ses petits-fils dressaient pour elle la même tente qui autrefois, devant la villa *L'Océanide*, l'avait abritée avec Mathilde. Gabrielle commençait de penser qu'elle allait rejoindre son amie dans la terre tombeau qui reprend les humains. Elle ne le disait à personne. Elle contemplait Clotilde, active, silencieuse et agréable dans le ballet des dix petits-enfants qui l'entouraient déjà. De mère en fille les mêmes manières : ne pas se plaindre, ne pas faire défaut, se taire. Mais le système digestif perturbé affaiblissait Gabrielle. Grand-mère, voulez-vous quelque chose ? demandait gentiment un enfant au moment du goûter. Je te remercie, rien, répondait Gabrielle.

Gabrielle mourut à l'hôpital d'Avranches. Une semaine avant sa mort, en prévision d'une hospitalisation éventuelle, elle était allée chez le coiffeur. Elle qui s'était autrefois parée pour plaire, se parait désormais pour ne pas déplaire. Elle luttait encore contre tout laisser-aller. Arrivée au terme de son existence, cette génération n'était pas si âgée, si détruite, qu'elle ne pût conserver la tenue qu'elle exigeait. Le temps n'était pas aux centenaires invalides, la maladie d'Alzheimer n'avait pas son nom, on parlait de gâtisme ou de sénilité justement parce que le phénomène était rare et non répertorié, le regard des parents s'absentait bien avant que leurs enfants eussent vieilli. La question de l'euthanasie n'était pas posée comme problème de société, celle de l'avortement occupait les esprits.

5 AVRIL 1971

Les femmes avaient changé. Les anges du foyer étaient devenus les démons de la réussite. On le répétait, on s'en émerveillait, on s'en moquait, on s'en félicitait, on le déplorait… On ne disait pas : le monde a changé, les femmes y répondent forcément autrement. Non ! On croyait sincèrement qu'elles n'étaient plus les mêmes. Car les faits étaient énormes, les transformations faramineuses. Comme on était loin désormais d'une Gabrielle droite sur sa chaise qui établissait les menus des repas.

Ces dames en pantalon non seulement ne restaient plus à la maison mais elles rentraient tard du bureau. Elles réclamaient de posséder compte en banque et carnet de chèques sans l'autorisation de leur mari. Elles planifiaient leurs grossesses. Les plus enragées, emportées dans la contre-culture, brûlaient leurs soutiens-gorges et ne s'épilaient plus ! Ces rébellions spectaculaires faisaient rire Claude et Guy, pourtant les plus modernes de la fratrie.

— Comme par hasard les féministes sont les plus moches. Il faudrait me payer pour sortir avec une de ces horreurs ! disait Claude.

Les malheureuses se faisaient plus de mal que de bien, pensait-il. Il n'était pas agressif mais naïf. Chercher à séduire lui semblait une obligation à laquelle hommes et femmes se pliaient, à la place où ils étaient. Se donner la peine d'être belle lui semblait donc un dû et son admiration une faveur à conquérir. Il était loin de comprendre la démarche militante : jeter à bas l'ancestrale obligation de plaire aux hommes. Quelle femme digne de ce nom voudrait faire une chose pareille ? se serait étonné Claude si on la lui avait expliquée. Il était sincère, parce qu'il était tout uniment lui-même – sans y réfléchir : né avant-guerre, dans une famille bourgeoise traditionnelle, il avait avalé avec son éducation une façon de penser, de sentir et d'agir. Ni la lutte des classes ni la bataille des sexes n'avaient fait leur nid dans son esprit pourtant généreux.

La bataille des sexes !! Ce n'était pas sérieux ! Comment ne pas rire de ces extrémismes ? Être écouté quand on est une femme s'avérait décidément difficile. Pourtant toutes ne rigolaient pas. Il s'agissait de questions graves. Et voilà que les plus audacieuses militaient pour le droit à l'avortement. *Un million de femmes se font avorter chaque année en France… Je déclare que je suis l'une d'elles.* Trois cent quarante-trois femmes, dont certaines étaient célèbres, venaient de signer ce manifeste dont le retentissement traversait les murs bourgeois.

— En quoi Catherine Deneuve a-t-elle besoin de se faire avorter ? s'étonnait Clotilde dont la sensibilité se concentrait sur la détresse matérielle qui ne pouvait être là un motif.

— Gisèle Halimi ! En voilà une qui est de tous les mauvais coups, remarquait Claude en entendant le nom de l'avocate qui avait défendu Djamila Boupacha et fait du procès de la poseuse de bombe celui de l'armée française en Algérie.

— C'est fini je ne lirai plus aucun livre de Françoise Sagan ! jura l'épouse de Jean.

Aucune de ces phrases n'était réfléchie. Les convictions intouchables en commandaient l'énonciation rageuse. On était dans le registre de l'évidence apprise, elle générait la réaction et corsetait le jugement.

L'année suivante, en octobre, le procès à Bobigny d'une jeune fille de dix-sept ans accusée d'avoir avorté mobilisa le MLF et les forces de l'ordre. Marie-Claire avait été violée. Fallait-il autoriser l'interruption d'une grossesse lorsqu'elle est consécutive à un acte de violence ? La question méritait qu'on s'y attardât. Gisèle Halimi – encore elle – défendait l'accusée. Le drame singulier révélait une posture dogmatique des catholiques. Chaque bonne raison d'autoriser l'avortement pouvait être récusée au nom de la foi.

— Cet enfant n'aura pas de père.

— Mais son cœur palpite comme celui d'un autre !

— Comment accueillir l'enfant d'un viol ?

— Un enfant est toujours une joie.

— C'est une grossesse impossible, aucune femme ne peut accepter pareil fardeau.

— Si Dieu a voulu cette conception, il donnera à la mère la force de la supporter. Il faut prier.

— La grand-mère gagne 1 500 francs par mois et la mère est lycéenne.

— C'est un grave devoir de soutenir la mère et de l'aider à pardonner.

Celui qui récite son catéchisme demeure arc-bouté. La vie commence dès la conception, elle est sacrée, et Dieu maître de la vie en a confié aux hommes la protection. Dès la seconde où il existe, dans la fusion de l'amour qui l'a conçu, le fœtus est une âme dont la charge nous incombe quelles que soient nos difficultés pour l'accueillir. Il faut appeler les choses par leurs noms : l'avortement est un crime. Ainsi pensaient la plupart des Bourgeois.

20 DÉCEMBRE 1974

Est-ce que l'avortement était vraiment un mépris de la vie humaine ? Solange et Claude n'en étaient pas certains. Bien sûr les épouvantables photographies que faisaient circuler les hebdomadaires opposés à la légalisation avaient de quoi effrayer. Des poubelles remplies de petits cadavres couverts de sang ? Personne ne voulait ça. Mais une réalité s'imposait : les avortements clandestins causaient la mort de milliers de femmes. Certaines restaient stériles pour la vie. Les statistiques prouvaient que la pénalisation n'était pas dissuasive. Celles qui ne voulaient pas d'un enfant faisaient tout ce qui était en leur pouvoir pour interrompre leur grossesse. Les riches payaient, partaient en Suisse ni vu ni connu, tandis que les pauvres mouraient des suites d'une boucherie. C'est injuste, disait Solange. C'est même dégueulasse, disait Claude.

L'iniquité et l'inefficacité de la loi de 1942 étaient les deux arguments humanistes et raisonnables en faveur de la légalisation. Il était temps que les femmes cessent de mourir pour vivre comme elles voulaient. Il était juste qu'elles devinssent sujets de leur vie familiale et sentimentale plutôt que ventres au service d'une société patriarcale et nationaliste qui avait été capable de les condamner à mort au nom de la protection de la vie. Les jeunes couples de la fratrie commençaient à le penser – certes dans la gravité et parce que d'autres qu'eux-mêmes avaient besoin de cette évolution – mais en famille le sujet était clos. Qu'on se le tienne pour dit : aucune difficulté morale ou matérielle ne justifiait le meurtre d'un être humain innocent et vulnérable. Les Bourgeois veillaient, leurs filles ne mettaient pas la charrue avant les bœufs, le capital de virginité était intact.

On peut encore éprouver un sentiment d'admiration en regardant la photographie de Simone Veil à la tribune de l'Assemblée nationale. Chemisier sombre à manches longues boutonné haut, collier de perles en sautoir, jupe foncée, elle est debout devant le texte de son discours et quatre microphones. Sa main droite s'allonge, posée sur la marge de ses papiers, tandis que la gauche recroquevillée sous le ventre presse ses doigts sur la fine pile de feuilles. Elle lit les mots qu'elle a choisis pour dire ce qui soulève la colère ou l'émoi. On devine qu'elle lève les yeux de temps en temps vers cette assemblée d'hommes auprès de qui elle s'est excusée d'évoquer des problèmes de femmes. *Je voudrais vous faire partager une conviction… aucune femme ne recourt de gaieté de cœur à l'avortement.* Distinction et fermeté sont manifestes dans ce cliché de la ministre s'adressant aux députés. Elle est une femme de devoir, d'humanisme et d'humanité. Pour l'instant, elle se tient droite et concentrée, grave et digne, pressentant la violence du combat à venir (mais pas sa bassesse). Elle ne sait pas que son courage sera indestructible. Si l'on s'en tient aux dates, Simone Veil a l'âge de Clotilde.

— Elle a été extraordinaire, dit aujourd'hui Louise, qui peut-être le pensa en 1974.

Au jeune président de la République venu le rencontrer dans sa bibliothèque, le pape n'a pas caché sa *préoccupation*. Et Valéry Giscard d'Estaing, catholique par l'éducation et la pratique, a bien compris que la préoccupation pontificale est une réprobation. Mais à l'instar de Charles de Gaulle huit ans plus tôt, en chef élu d'un État laïque, il s'est refusé à imposer à ses concitoyens des convictions qui lui sont personnelles. L'état réel de la société française appelle une évolution de la loi et Giscard d'Estaing s'en fait le champion : le divorce par consentement mutuel et le droit à l'avortement seront dorénavant des possibilités ouvertes aux Français. Évidemment les Bourgeois ne goûtaient pas la qualité de ces réformes. Ce qui était légalement permis devait coïncider avec ce qui à leurs yeux était moralement autorisé. En somme, me dis-je, l'espace public et le territoire des convictions intimes n'étaient pas distincts dans leur esprit. La séparation de l'Église et de l'État pas assimilée ou mal acceptée. On le verrait en 2012 lorsque le garde des Sceaux réclamerait le mariage pour tous, non pas le sacrement de l'Église mais le contrat civil. Les Bourgeois marcheraient contre ce projet, comme ils avaient marché trente ans plus tôt pour défendre l'école privée. Leur religion les faisait descendre dans la rue.

1919-2015

Combien de fois en cent ans vit-on deux millions de personnes dans les rues de Paris ? Les doigts d'une main suffisent pour faire le compte : le chiffre gigantesque est atteint quatre fois. Ni la Coupe du monde de football, ni le Pacs ou la réforme du mariage civil n'ont rassemblé les Français comme l'ont fait deux victoires, un combat et un hommage. La paix et la liberté en furent les éternels motifs. La paix retrouvée, la liberté à sauvegarder.

C'est d'abord le 14 juillet 1919, pour le défilé de la victoire. Les trains ont amené tout le pays à Paris. Paris est la capitale des peuples victorieux. Toutes les armées alliées y sont représentées. Pétain monte un cheval blanc. Vive le Maréchal ! crie la foule au passage du vainqueur de Verdun. Tambours et trompettes accompagnent le brouhaha des hommes qui vibrent dans la fin de la guerre. La fratrie Bourgeois n'est pas encore née.

Arrive le 26 août 1944. Les Parisiens fêtent la libération de leur ville. Les grandes jambes du général de Gaulle le portent de l'Étoile à la Concorde. Sur les Champs-Élysées, la foule acclame le libérateur. Un baiser, un mot, des fleurs : les femmes viennent à lui avec ces présents. Des milliers de mains s'agitent dans l'air, tous les bras sont levés, il y a des drapeaux partout, les visages sourient à la liberté. Claude Bourgeois n'oubliera jamais ce jour de liesse. Les Américains sont dans la ville. Ils hissent les enfants et les jeunes filles tout en haut de leurs chars. Claude reçoit des chewing-gums et dit *Thank you very much* en rougissant. Quarante années passent de l'été au printemps, du gaullisme au socialisme.

Le 24 juin 1984, ce n'est plus la joie mais la colère qui a mené les gens dans la rue. On ne fête pas, on manifeste, on marche pour l'école libre. Aux yeux des Bourgeois, le ministre Savary touche à un droit sacré. Jean et Françoise, Jérôme et Clarisse, Marie et Frédéric sont venus à Paris pour le dire. Des trains et des cars les ont transportés, ils logent chez Jules, Claude, Louise, ils sont debout aux premières heures, ils se battent pour leurs petits-enfants. La liberté est encore la bannière. *Pays libre école libre. Être libre c'est pouvoir choisir.* Quatre cortèges convergent vers la Bastille. Mgr Lustiger se tient place d'Italie à sept heures quarante-cinq. Quelle signification donnez-vous à votre présence ici ? Simone Veil répond aux journalistes. La grande dame veut pour les parents la liberté de choisir l'école de leurs enfants, avec tout ce que cela implique. L'éternel bourdonnement du rassemblement ne change pas, ni les cris qui le traversent ou les mots scandés tout à coup, *La Marseillaise* toujours. À la fin du jour une nuée de ballons bleu-blanc-rouge s'envolent dans le ciel au-dessus de la colonne de la Bastille. Les enfants d'Henri lèvent les yeux. *L'école libre vivra.* Les manifestants l'ignorent encore : le 14 juillet, le président de la République annoncera le retrait du projet. Liberté. Résistance. Espérance. Les mêmes mots, redits, les mêmes choses, demandées.

Le monde change de siècle et de millénaire : le 11 janvier 2015, la marche républicaine semble la marche du nouveau siècle. Il y a encore des drapeaux et de jeunes enfants aux fenêtres, des milliers de bougies sur la place de la République, des gens à leur balcon qui crient. La police est acclamée. Sans tambour ni trompette, dans un recueillement qui fige les visages, les gens marchent et attendent. Des centaines de caméras filment les milliers de dos serrés les uns à côté des autres dans les manteaux d'hiver. Les couleurs sombres du deuil l'emportent. Dix-sept personnes sont mortes dans les attentats djihadistes. Toutes les artères de la République à la Nation sont bloquées par la foule unie pour la démocratie. Lettres blanches sur fond noir : *Je suis Charlie. Les idées sont à l'épreuve des balles. La liberté d'expression n'a pas de religion.* Le rêve est puissant. La lucidité n'est pas absente. *Presse sois libre si tu es Charlie. Informe-nous sur les dangers du TAFTA, CETA, TISA.*

Dans la foule, par dizaines, les descendants d'Henri sont présents. Ses petits-enfants et les enfants de ses petits-enfants marchent au milieu des autres, à côté des Charlie kurdes, tibétains, indiens, juifs, musulmans, avec les clowns qui veulent rire, avec ceux qui n'ont pas peur, avec ceux qui *préfèrent mourir debout plutôt que de vivre à genoux*. Ils disent non au terrorisme. Le mot *solidarité* brille en lettres multicolores. Quelle société voulons-nous construire ? La foule chante *La Marseillaise*. Le matin les cloches des églises ont sonné longuement. Maintenant, sur la place de la République, un type tague : *Dieu prix Nobel de la guerre*. En 1919, il n'aurait pas eu le droit de l'écrire. En 1944, il l'aurait dit autrement. En 1984, les fils d'Henri s'en seraient offusqués. En 2015, ses petits-enfants comprennent ce qu'il veut dire.

7 JANVIER 2015

Le monde entier l'avait vu : deux bruits étouffés *pop pop* étaient venus du couloir. La tablée des journalistes avait entendu mais sans identifier le son d'un coup de feu. Toute l'histoire de France les portait à la confiance. La longue avancée des Lumières vers la liberté, l'égalité et la fraternité, la séparation de l'Église et de l'État, le combat féministe vers la parité fortifiaient en eux la certitude que l'on pouvait penser, dire, écrire, rire et dessiner sans qu'une censure vînt s'en mêler. Les deux frères vêtus de noir des pieds à la tête, cagoulés, sinistres comme la bêtise, fanatisés dans l'obscurantisme, étaient entrés dans la salle de rédaction de *Charlie Hebdo*. La bande des esprits libres discutait. Ils avaient parlé ce matin-là du nouveau roman de Michel Houellebecq. Ne faisait-il pas le lit du Front national ? Et qu'est-ce qu'on en avait à faire des pannes érectiles de François ? La porte s'était ouverte. Les démons noirs avaient surgi. Ils ne connaissaient pas le visage de celui qui avait dessiné le Prophète. Stéphane Charbonnier s'était levé et le fanatisme avait tiré sur le dessinateur. L'ignorance avait tiré sur ceux qui regardaient le monde avec les outils que le travail et le temps leur avaient acquis : le crayon, le stylo, l'Histoire, la Révolution, le progrès, la laïcité, la littérature, la psychanalyse, la pensée – ses concepts et ses espérances. Le plaisir, l'intelligence et l'humour étaient tombés, le silence avait remplacé les rires, le souffle de la violence avait répandu par terre les feuilles de papier, les godillots avaient marché sur les croquis, et le sang était apparu là où l'encre des feutres caracolait.

La psychanalyste était venue ce jour-là. On ne rate pas le début de l'année dans une deuxième famille. Elle fumait clope sur clope. D'énormes rires la traversaient. Ses mains minuscules passaient et repassaient devant son visage. Sa chevelure noire, longue et décoiffée, lui donnait un air de pythie. Elle était maigre et longue, mobile et concentrée, rapide et subtile. Un gros calibre a tiré sur sa finesse, sa capacité d'entendre, de débusquer, de réfléchir, sur les éclats de sa joie et sa voix libertaire. Elle savait que raconter guérit. Elle disait le contraire de ce qu'on faisait chez les Bourgeois : il faut tout dire, n'avoir peur de rien, s'affranchir, libérer toutes ses forces, éclater. Elle prônait ce qu'Henri s'interdisait et je me dis : il incarnait le XIXe siècle, elle était le XXe et sa mort ouvre le XXIe.

24 MAI 1980

Les années quatre-vingt étaient flamboyantes. Les puissances de la vie soulevaient dix fratries lancées dans la course telles des petites bêtes heureuses, en prise directe avec l'univers. Depuis la disparition de Gabrielle, la mort n'existait plus. Il y eut ce répit. Toutes les ressources personnelles étaient intactes – sensorielles, affectives, cognitives, imaginatives –, aucun accident n'en avait altéré le jaillissement originel. Quarante cousins s'emparaient de la vie sous les yeux ravis de leurs parents. Ni l'habitude, ni la lassitude, ni le désespoir, ni la peur ne les troublaient. Ce fut le temps des fêtes. L'abondance des personnes faisait plus d'événements, plus d'anniversaires, de succès, et des mariages, des naissances et des baptêmes. Et chacun de ces moments rassemblait les membres de la famille, frères et sœurs, *pièces rapportées*, cousins cousines, neveux et nièces. Ils avaient tous les âges et les générations se chevauchaient. Les enfants d'Élise avaient l'âge de ses cousins, elle-même celui de sa tante. Le pullulement submergeait l'ordre naturel. Le nombre, c'était le foisonnement des formes, la diversité des caractères, c'était la répétition et la variation, et l'énergie, le fouillis, les opinions inconciliables, les façons de voir et de comprendre, les engueulades.

452

— Papa faisait de sa maison l'antichambre du paradis, la perfection sur terre, ça n'était pas marrant !

— Tu exagères toujours !

— Pourquoi crois-tu que Nicolas est parti ? Il ne supportait plus papa !

— J'adore ma sœur mais elle est cinglée.

— Ça y est le cirque commence !

C'est le *cirque Bourgeois*, disaient Jérôme, Claude et Guy, révélant par cette remarque le recul qu'ils avaient pris et que n'avaient pas Jules et Jean, pour qui la famille était ce que toute famille doit être. Pourtant le cirque était bien là. On entendait Louise vénérer son mari. Yves a dit, Yves a fait, Yves ne veut pas, Yves par-ci, Yves par-là. On distinguait le rire homérique de Guy, la voix pointue de Solange et celle de Marie qui commandait ses quatre fils. On admirait le silence patient de Clotilde et l'autorité de Françoise qui se faisait tendrement obéir comme si elle avait pris la relève de Jules dans la chambre de Jean. Belle brune aux formes amples, toujours habillée de fleurs et de couleurs, vaillante, battante, fille d'amiral, épouse de capitaine de vaisseau et mère d'un fusilier marin, Navale avait fait sa vie, qu'elle menait avec une discipline militaire. Alors Jean s'autorisait la douceur, son intelligence du monde observait. Voyait-il que son frère aîné devenait intransigeant ? Oncle Jules ne disait pas n'importe quoi et n'acceptait pas qu'on lui parle n'importe comment.

— Je ne suis pas ton petit copain ! disait-il aux jeunes trop familiers.

Il commençait à ne plus aimer son époque et ne cherchait pas à s'y adapter. Il n'embrassait pas.

— Qu'est-ce que c'est que cette nouvelle mode ?

À ses neveux et nièces, même les plus petits, il tendait la main. Jules venait d'avoir soixante ans, Louise cinquante, Marie quarante.

Ils fêtèrent leurs cent cinquante ans. Depuis que Jérôme avait acheté la maison des ballets roses et Marie une grande meulière à Compiègne, la colonie pouvait se rassembler chez eux. Il faisait beau et la dernière fille d'Henri avait tout organisé, des tables étaient installées dehors, toutes les femmes avaient cuisiné. Les familles étaient arrivées : une trentaine d'adultes et une cinquantaine d'enfants dans un jardin. La fratrie en était à ce moment inévitable où elle parlait d'elle-même.

— Jérôme est complètement cinglé, il a toujours été cinglé !

— Après sa chute, pendant un an Jérôme n'a dit que des conneries. Je le suivais partout comme le lait sur le feu !

— La première fois que j'ai rencontré Jérôme, il était venu me chercher en voiture à la gare de Loudun. Nous roulions dans la deux-chevaux, je parlais et il ne répondait pas ! Je m'étais dit : il est bizarre ! Un peu plus tard, j'ai appris qu'il était sourd de l'oreille droite ! (C'était une des belles-sœurs qui parlait de son arrivée dans la famille.)

— Jérôme est sourd comme un pot !

Le rire homérique éclata.

— Guy siphonne le rire !

Les fillettes jouaient sur la pelouse avec leurs cordes à sauter. Les garçons essoufflés et suants se poursuivaient autour de la maison. Regarde dans quel état tu es ! disait une mère en attrapant son fils qui frôlait la tablée. À côté des adultes, le bel âge parlait, minaudait, frimait, se séparait désappointé. Le fils de Louise était amoureux de sa fausse cousine – la belle-fille de Guy – et faisait l'intelligent. Immanquablement le sport entrait dans la conversation des adultes et Claude parlait de tennis.

— Quand je suis revenu d'Écosse à vingt ans je t'ai foutu six-zéro six-zéro ! disait-il à son frère aîné.

— Jamais de la vie !

— Ahrrrr ! Ne me dis pas que tu ne te rappelles pas !

Et se remémorant la scène :

— Personne ne m'a jamais fait ça ! Personne ne m'a jamais fait ça ! Tu étais hors de toi ! Tu ne comprenais rien à ce qui t'arrivait.

Battre Jules, c'était un sacrilège. Jules jouait bien.

Le compliment de Claude avait ramené des souvenirs plus conformes.

— Je reconnais que tu étais devenu fort au tennis.

— C'est moi le plus fort de la famille, dit Claude en rougissant. La vérité, c'est qu'à la maison on se croyait tous très forts parce qu'on ne connaissait rien au tennis. On n'était jamais sortis de chez nous, on jouait entre nous, c'était le tennis de château ! Pendant ce temps, dans les clubs, il y avait des joueurs qui nous auraient collé deux roues de bicyclette sans états d'âme. J'ai découvert ça en Écosse et quand je suis rentré je battais tout le monde à la maison.

— Oui mon Claude, c'était toi le plus fort !

— Ça lui fait tellement plaisir, dit Solange en posant sa main sur la nuque de son mari.

Le silence avait suivi cette phrase et les femmes – toujours elles – avaient desservi les tables. On en était au café, bientôt ce seraient les discours.

— Des discours ! Des discours ! crièrent les enfants de Louise.

Ils avaient envie d'entendre les conneries des adultes ! Jules se leva. Son visage s'était enflé, ses cheveux blancs plus clairsemés étaient coiffés en arrière sans raie, il portait de grosses lunettes d'écaille, une chemise blanche, et malgré le printemps et la décontraction de la fête, une cravate et une veste. Une tenue stricte, la rigueur, la politesse formaient sa citadelle contre le temps : honneur, courage, vertu, foi, ces mots écornés par le flux des révoltes ou la prospérité, y vivaient sans altération. Il commença : *La jeunesse n'est pas une période de la vie, elle est un état d'esprit, un effet de la volonté, une qualité de l'imagination, une intensité émotive, une victoire du courage sur la timidité, du goût de l'aventure sur l'amour du confort. On ne devient pas vieux pour avoir vécu un certain nombre d'années, on devient vieux parce qu'on a déserté son idéal.*

— Qui a écrit ça ? demandait Joseph à sa femme.

8 JUILLET 1985

J'ai peu parlé de Joseph. Voilà trente ans qu'il était marié à Paule. Était-elle l'épouse qu'il avait cru choisir ? Avait-il eu ce qu'il croyait trouver ? Paule ! Elle était coupante comme une lame et même les grâces dont elle était capable pouvaient être effrayantes. Joseph avait-il demandé en mariage sa position sociale ? Bien sûr tout le monde l'avait soupçonné. Des dix enfants d'Henri, il était le plus ambitieux et l'ambition est capable de créer l'amour : le jeune secrétaire de la Conférence était sincèrement épris. Un grand jeune homme, brillant et beau, de la famille Bourgeois dont le nom était connu : sa demande fut agréée. Joseph obtint la main de Paule. Elle termina son droit et devint femme au foyer. Elle n'était pas une femme soumise mais elle n'avait pas exercé. Une fille naquit puis un garçon, le choix du roi c'était assez, en comparaison de ses frères, Joseph eut une famille restreinte et un appartement vaste. La jolie Jeanne dormait dans un lit à baldaquin, une domestique venait la réveiller parce que Paule se levait tard. Les femmes matinales vieillissent prématurément, disait Paule à ses belles-sœurs.

Au fond qui écoutait Paule ? D'elle on disait : ce dragon. Une bonne âme protestait : Elle peut être charmante quand elle veut. La phrase faisait rire. Parce que Paule ne voulait pas souvent être charmante ! Et puis elle n'avait pas d'affection pour la tribu Bourgeois. Joseph en fut-il malheureux ? Pensa-t-il qu'il avait perdu son âme et les siens avec elle ? Du moins vécut-il avec raffinement, parce qu'il aimait les beaux meubles, les objets précieux, les livres anciens, et parce qu'il agissait comme il convient pour les acquérir. Il était un notable qui réussit puis se rend à la salle Drouot avec son épouse dont on vante le goût exquis. Joseph exauçait-il toujours Paule ? Et s'il l'avait fait, que restait-il de sa vie ? L'esprit de sérieux l'avait saisi et il s'était

éloigné de ses frères. Le mariage est un choix détermi-
nant.

26 DÉCEMBRE 1981

Y a-t-il une manière de vivre que la mort ne ridiculiserait
pas ? Une vie que la mort ne priverait pas de sa signification ? Je n'ai jamais pu me déprendre de deux réponses.
La vie pour l'œuvre et la vie pour le soin d'autrui étaient
à mes yeux les deux seules qui tenaient le coup devant
la tombe et valaient donc d'être vécues. Les Bourgeois
avaient une autre proposition : la vie pour Dieu. La foi
les absorbait. Jules incarnait l'officier chrétien : celui qui
se bat dans le respect de la vie. Fidèle à ce qu'Henri avait
transmis, il avait pu penser : Mon épée au roi, mon âme
à Dieu, mon honneur à moi. La Patrie avait remplacé le
roi. L'Indochine avait blessé le chrétien. Et l'Algérie avait
été une affaire peu glorieuse qui avait écorné l'honneur.
Abandonner à la torture et à la mort les combattants de
l'intérieur qui s'étaient ralliés aux Français, aucun officier ne l'avait fait sans déchirement. L'armée s'était sentie
salie, manipulée, trompée. La honte avait cuit le cœur
de Jules. Le conflit entre l'honneur et la discipline avait
été fatal. Jules en parlait peu. Plutôt se taire et agir. La
politique lui avait volé son honneur, l'État ne méritait
plus sa confiance, mais Dieu avait le pouvoir de sauver
son âme. Sa foi s'affermit, sa pratique s'amplifia. Il allait
de plus en plus souvent prier sur les petites chaises dures
de son église, égrenant son chapelet, les lèvres imper-
ceptiblement mobiles, actif dans la paroisse, confessé

chaque semaine, obéissant comme autrefois son père aux consignes pontificales, attentif au respect de Dieu et au langage qui serait inadéquat. On n'adore que Dieu, répliquait Jules à l'enfant joyeux qui avait le tort d'adorer le gâteau au chocolat ou la glace à la vanille. Et lorsque Claude se laissait aller à quelques expressions blasphématoires – *putain de moine* ou *je veux bien me faire moine si*, ou le classique *nom de Dieu* –, Jules reprenait son frère. Un chrétien ne jure pas ! Et Claude lui donnait raison. Mon frère est un saint homme.

Depuis qu'il avait pris sa retraite d'officier neuf ans plus tôt, le saint homme consacrait ses journées à la formation des jeunes syndicalistes de la CFTC. Il enseignait avec sérieux la doctrine sociale de l'Église. Le succès de l'Union de la gauche aux élections de mai avait versé une ardeur renouvelée dans les interventions de Jules. Des ministres communistes au gouvernement, l'idée lui était insupportable. Ses convictions se durcissaient. Dans sa maison, Dieu était dans toutes les règles. Et bien sûr Dieu vint dans le cœur de Paul et de François. Dieu étendit sa présence et réclama leur vie aux fils de Jules. Ils se donnèrent corps et âme, avec la bénédiction de leurs parents.

Et maintenant, sous la voûte de l'église polonaise à Paris, l'officiant appelait Paul Bourgeois. Me voici, répondait Paul. Il se présentait, élu pour recevoir le septième des sacrements de l'Église, il appelait sur lui l'Esprit saint. L'allocution de son évêque fortifiait sa certitude, son interrogatoire la testait. Oui, moi Paul Bourgeois, homme ordinaire, je m'élève au-dessus de la vie ordinaire, je me détache des biens matériels, de l'amour humain et de l'amour physique. Devant témoins, devant ses parents, ses cousins, ses oncles et tantes, Paul s'engageait au célibat, à la chasteté, à la pauvreté et à l'obéissance. Il donnait sa promesse. Un monde s'engloutissait dans un renoncement et tous ceux qui aimaient y vivre sentaient la gravité de ce moment. Elle traversait Jules et Clotilde au milieu des leurs. Leur fils se dépouillait. Que l'action de Dieu s'exerce en moi, je suis disponible. Paul s'étendait par terre sur le ventre, visage contre la pierre, les bras en croix, dans cette posture d'offrande complète de soi à la vie divine. L'assemblée familiale chantait la supplication litanique qui invoque les saints. Les jeunes femmes en escarpins, Solange, Clarisse, Marie et Mathilde tapaient discrètement des pieds pour se réchauffer. Il faisait froid, c'était le lendemain de Noël. Absenté dans sa prière, Paul ne craignait ni le froid de la terre ni celui de la mort, l'amour et la sagesse de Dieu l'enveloppaient, sa vie devenait consacrée. Il entrait dans l'ordre, au service de l'Évangile. Il priait avec acharnement et Jules, Clotilde, Jean, François, Jérôme, Yves, Louise, Marie, Frédéric, Élise, tous ceux de la famille qui en étaient le mieux aptes, s'acharnaient à le suivre. Paul demeurait prosterné. Clotilde regardait son fils : vingt-sept plus tôt, au mois d'avril de l'année 1953, son premier garçon était né, il était devenu un fidèle par le baptême, et voilà qu'il changeait de nature, l'imposition des mains de l'évêque lui faisait le don de l'esprit, il devenait capable d'agir en la personne du Christ Tête. Paul c'est Dieu ! L'ancienne impression de ses sœurs devenait réalité. L'étole et la chasuble lui étaient remises. Son corps entrait dans les vêtements sacerdotaux. Le saint chrême marquait à jamais le fils de Jules et de Clotilde. Ordonné prêtre. Le lendemain l'abbé Paul Bourgeois célébrerait sa première messe.

1990

Il célébrerait aussi dans sa famille toutes les messes de retour à Dieu. Car les Bourgeois avançaient dans le grand courant du temps. Ils avaient ramassé le butin de leur jeunesse et moissonné ce qu'ils avaient semé. Chaque instant te dévore : le temps les malaxait, les fatiguait, les creusait. Le temps les affaiblissait petit à petit. S'en apercevaient-ils ? Leurs cheveux avaient blanchi. Leur teint s'était taché. Une chose qu'ils faisaient si facilement, ah non ils n'y parvenaient plus. Ils se flétrissaient doucement au moment où leurs enfants adultes devenaient de jeunes parents. La force physique et la fécondité passaient du corps des anciens à celui des jeunes. Le temps était comme une pluie, il avait fait pousser les jambes et les bras de la progéniture, délié les jeunes langues timides, ouvert les portes des maisons. Les oisillons s'envolaient et convolaient. Le temps était comme un feu qui consumait la génération qui ne grandissait plus qu'en esprit. Le 16 mars de l'année 1990, Marie eut cinquante ans. Les frères et sœurs téléphonaient. Ils avaient perdu leur mère depuis un demi-siècle, ils auraient pu se dire que le cœur de l'homme est solide. Celui qui croit mourir de chagrin survit. Au mois d'avril, Louise eut soixante ans. Ses six enfants s'étaient dispersés, elle vivait seule avec Yves. L'Europe entamait des jours nouveaux : un mur abattu et l'Est était tombé dans les bras de l'Ouest. L'abomination communiste qu'avaient dénoncée Jules et Jean avait mené à un désastre. L'effondrement stupéfiait le monde. Le cavalier et le marin eurent le triomphe modeste. Ils étaient dorénavant et pour le reste de leurs vies des militaires en retraite, des hommes qui avaient gardé le style de leur rigueur mais ne commandaient plus qu'à leurs petits-enfants. Et je pense à eux tous comme des figures qui s'estompent : Jules, Jean, Louise, Marie, pareilles personnalités se faisaient rares. Quatre ans après Louise, en juillet 1994, Claude fêta ses soixante ans. Un cliché rassemble les frères et sœurs, élégants, coupe de champagne à la main. Tous sourient, comme s'ils trinquaient à un avenir qui en vérité pour eux se restreint. Ce sera la dernière fois. Ils l'ignorent, y compris ceux qui vont bientôt mourir. L'assassin rôde autour d'eux, ils l'oublient. Quarante enfants les portent, ils ont l'énergie de toutes ces vies qu'ils protègent. Quoi de mieux ? Ni la vie ni la mort ne devraient effrayer.

16 OCTOBRE 1995

Car elles marchent la main dans la main et l'on porte la mort en soi comme on porte un enfant, une graine, une promesse tacite et toujours tenue. Elle nous emporte à la manière d'un coup de vent, comme un bateau vers un nouveau monde. André avait embarqué sur de nombreux navires, il gagna sa mort comme on gagne un rivage, abordant lentement, en le voyant se rapprocher, sur le pont, passager soumis au mouvement inéluctable qui lui échappe. Avec ses poumons qui ne s'emplissaient plus, cette inspiration limitée, cette douleur pectorale fulgurante et inattendue, André éprouvait le déclin. Dans le miroir, son visage où pointait la barbe parfois l'étonnait. Pauvre vieux, quelle tête tu as. On porte sur ses traits son propre anéantissement. On s'installe dans la laideur mais c'est du trépas qu'il s'agit. À ce spectacle on se demande qui l'on est et qui l'on était. André avait passé l'heure des décisions et des bilans. Il avait fait la clarté dans son existence. À la passion avait succédé la paix. Il s'était séparé de Lilianne – une séparation de corps –, il vivait seul avec peu, heureux de voir ses filles quand elles lui rendaient visite. Sans se plaindre, comme un fils d'Henri qui se respecte, avec parfois un pauvre sourire parce qu'il était plein de pensées. Pourquoi dit-on *avancer dans la vie* ? C'était dans la mort qu'il avançait, dans le dépouillement, vers la dépossession, jusqu'à se perdre dans la grande ouverture sombre. Il faut du temps pour rendre son âme à Dieu. On ne se presse pas, d'ailleurs tout se ralentit avec l'âge. André s'était habitué à cette lenteur. Le coup de bistouri dans son diaphragme l'y avait bien forcé. L'erreur appartenait au médecin mais la conséquence au malade. André avait plié sa volonté aux exigences de ses poumons. Sans instruments, la fougue en lui était morte. Et puis un jour de l'automne, André à son tour était mort. Il était le second des frères à serrer le cœur des autres.

Au bord de la grande ouverture sombre se tenaient Jules, Jean, Joseph, Louise, Jérôme, Claude, Guy et

Marie. Leur foi était infracassable : le dernier sommeil donne la vie éternelle. André entrait dans la joie de son maître.

Jules n'en doutait pas. La mort n'anéantit personne, elle est migration de l'âme qui rencontrera bientôt le Seigneur. *J'ai mené le bon combat, j'ai tenu jusqu'au bout de la course, j'ai gardé la foi.* Il pouvait prononcer les mots de saint Paul. Comme l'apôtre, il avait témoigné. Chaque matin il assistait à la messe et communiait, le corps du Christ le purifiait et le sauvait. Il était prêt à se présenter devant lui. Dieu choisissait le jour et l'heure, l'homme choisissait de s'y préparer ou d'être surpris. À soixante-dix-neuf ans, Jules prenait soin de son âme. Mais peu de son corps. L'esthétique et la santé passaient loin après la qualité spirituelle. Il n'était pas méticuleux avec les nourritures terrestres. Il n'aurait pas aimé d'ailleurs que Clotilde eût ce souci prosaïque et pesant. S'il fallait écouter les médecins, chacun passerait sa vie à faire ce qu'il faut pour rester en vie ! Alors Jules était trop fort, sa lourde carcasse fatiguait son cœur qu'une opération avait déjà rafistolé quinze ans plus tôt. Mais oui, on lui avait de haut en bas ouvert le poitrail, scié le sternum et écarté les côtes, il était balafré comme Frankenstein et son cœur battait sous le tracé qui l'avait sauvé en 1982. À la fin de septembre, Jules et Clotilde étaient rentrés de Normandie. L'automne avait refermé la merveilleuse parenthèse estivale qui rameutait autour d'eux dix-neuf petits-enfants et les premiers de la génération suivante. Le silence de l'appartement reposait Clotilde. Les arbres du Ranelagh lâchaient dans l'air chaque jour plus frais leurs feuilles roussies. Le froid devenait méchant. En novembre Jules se sentit fatigué. Qu'est-ce qui le faisait tousser de cette manière ? Il disait chaque matin qu'il allait mieux mais une immense faiblesse l'envahissait. Était-ce le vent glacial, était-ce un mauvais virus, était-ce l'âge tout simplement, ou bien l'ensemble comme une conspiration, en tout cas le cœur laissa tomber. Jules Bourgeois, né en 1920 dans les jours qui suivaient la guerre que l'on tint pour le véritable commencement du xxᵉ, n'entrerait pas dans le nouveau tourbillon des incertitudes, dans le siècle numéro vingt et un.

Maintenant son fils aîné disait la messe. Ses frères et sœurs, ses enfants et petits-enfants priaient pour le repos de son âme. Son vieux camarade de campagne en Indochine évoqua la vie de l'officier, rappelant les heures glorieuses qui contrastaient avec sa discrétion sur le sujet. Jules : modeste comme le centurion de l'Évangile qui ne se sentait pas digne de recevoir son Seigneur. Clotilde se tenait silencieuse dans l'église où elle s'était mariée avec lui un demi-siècle plus tôt, comme Henri et Mathilde quatre-vingts ans avant, sur les mêmes pierres où s'étaient posés leurs pieds. Décidément il fallait être aveugle pour oublier que nous ne faisons que passer.

3 FÉVRIER 2004

Vint l'heure de Joseph. Soixante-seize ans après sa naissance dans la chambre de ses parents à la porte de Passy, l'enfant né en automne mourut en hiver dans la chambre de sa femme à la porte d'Auteuil, sans avoir jamais quitté le 16e arrondissement. La vie qui lamine et apetisse était passée sur Joseph Bourgeois comme un poids lesté d'appétits dévoyés. On peut mourir assombri même quand on est né chanceux. On peut devenir un vieil homme ombrageux quand on était un garçon rigolard, virer au personnage plein d'orgueil et de courroux. Joseph s'était affligé de cette façon. Du grand escogriffe de vingt ans, décoiffé, crasseux et sympathique, il ne restait plus trace. L'ascension sociale lui avait brûlé les ailes et le tempérament. L'esprit de sérieux l'avait durci. On perd souvent sa vie à la gagner, Joseph avait eu de l'appétence et certaines richesses coûtent l'existence et la joie. On a raison de faire apprendre aux enfants la fable du savetier et du financier. Le jeune homme dégingandé et plaisant était un monsieur qui connaissait le droit et ses droits. Le métier qu'il avait fait toute sa vie l'avait remodelé et configuré, Joseph était devenu procédurier et chicanier. La vieillesse amplifia ce travers qui faisait peine à ses frères. Était-il jaloux ? S'ennuyait-il ? Pour un oui ou pour un non, il écrivait des missives de plaignant, pleines d'ergotages et de leçons, des pages et des pages alambiquées, dans lesquelles il écoutait son style emphatique et s'en félicitait. Mais cette colère même ne le protégeait pas. En janvier, Joseph s'était alité pour ne plus se lever. Une fois encore le cœur était fautif. La pompe ne travaillait plus. La respiration se faisait mal. Les jambes étaient pleines d'eau, les chevilles enflées. Le mouvement interne s'alentissait. Joseph s'affaiblissait. Sa femme et sa fille étaient auprès de lui, son fils venait chaque soir. Claude, mélancolique – parce qu'il n'avait jamais oublié le joyeux camarade qu'avait été Joseph –, était allé s'asseoir au chevet de son frère. Quelle querelle n'est pas la preuve que nous oublions la mort tout le temps que nous sommes en vie et choisissons de nous affronter plutôt que de coopérer ? Joseph – et Paule – s'étaient-ils jamais posé cette question ? Et maintenant il mourait, dans ce froid blanc de février, parce que la vie n'est pas une chose que l'on possède, on peut se donner tout le mal qu'on veut on ne la retient pas longtemps et sa génération avait commencé de mourir. L'année 2004 ouvrait ses premiers jours. Après Nicolas, André, Jules, Joseph descendait du manège.

2000

Le manège tournait de plus en plus vite. La France avait attendu l'éclipse solaire de l'été (un fait réel) et le bogue de l'an 2000 (un fait imaginaire). La tempête de Noël avait dévasté les forêts. La destruction de la terre, le commerce international, les télécommunications, les miracles de la science, tout s'emballait. Le compteur des ans avait changé le chiffre des unités de mille. Plus les jours sont uniformes, plus les années passent sans qu'on les voie, pensaient les Bourgeois. Jean, Louise, Jérôme, Claude, Guy et Marie avaient clos leurs carrières. Le marin, le fantassin, le médecin et les mères avaient accompli leur tâche.

Qu'est-ce que la retraite ? La partie de la vie pendant laquelle une personne a fini de travailler. La communauté lui reverse la pension qu'une vie laborieuse a accumulée. La voilà libérée du fardeau de l'homme : gagner sa vie à la sueur de son front. La voilà libre pour la vie spirituelle. Dieu n'avait jamais perdu les âmes des Bourgeois. Ils étudiaient, ils priaient, ils se rendaient utiles, membres actifs de leurs paroisses et de leurs familles, au service de leurs enfants, des nécessiteux, des malheureux, des abandonnés. Seul Claude ne voyait pas les choses de cette façon. Il s'était rendu malade rien qu'à l'idée de quitter *son* service des approvisionnements. Toute la dernière année de son activité, un mystérieux mal lui faisait cracher une bile jaune dont la provenance autant que la fabrication restaient inexplicables. Il était soucieux sans être capable de le penser. Je ne sais pas ce que j'ai, je crache ! disait celui qui n'avait jamais fait sienne l'existence de l'inconscient. Retraite ? Le mot effrayait Claude Bourgeois comme s'il voulait dire *mort*. Le jeune garçon qui ne foutait rien à l'école, le bon à rien puni par ses maîtres, le pauvre enfant privé de rentrer chez lui, était devenu cet homme qui toute sa vie n'avait fait que travailler et ne voulait pas s'arrêter. Qu'à cela ne tienne ! Claude créa une entreprise et aussitôt sa santé se rétablit. Il se sentait vivre. Il partait de chez lui chaque matin, suivait le cours des matières premières, appelait ses vieux clients, proposait un prix, bouclait une affaire, discutait une réclamation. Il ne voulait pas mourir, il ne voulait pas vieillir, il ne voulait pas changer. La figure du petit persécuté était enfouie quelque part en lui, serrée dans son cœur comme une image dans la poche, juste sous la surface, réveillée pour un rien. Le huitième enfant de Mathilde renfermait en lui l'idée que le malheur s'abat d'un coup, sans avertissement, et souvent pour toujours. La disparition de Jules emplissait de tristesse cette structure mélancolique de sa personnalité que Claude ignorait avec superbe. Mais la mort ne cesserait plus de lui donner raison. Celle de Joseph le ferait bientôt, celle de Jérôme – qu'on n'attendait pas – et celle de Jean – qu'on craignait – enfonceraient le clou du chagrin. La roue de l'existence passait des crans. Quatre encore et la fratrie Bourgeois aurait achevé son temps sur la terre. Mais oui, le mécanisme ne grippe jamais.

20 AVRIL 2014

Jean était mort le 20 avril et pendant quatre jours son corps s'était encore trouvé proche des siens : sur la terre. L'inhumation est la véritable séparation, me dis-je. Enterrer est un acte violent, encore plus affolant que la mort elle-même. Enterrer ses morts : les perdre encore un peu plus, admettre que le corps n'est rien. On n'enterre pas les livres, ni les objets, tandis que chair et sang sont nos matières périssables.

Personne n'accepte de le considérer réellement : nous sommes exactement semblables aux fleurs. Ronsard l'a dit de la beauté d'une femme, on a galvaudé ses mots et l'analogie paraît niaise alors qu'elle est tragique. Il ne s'agit pas de splendeur éphémère mais d'apparition et de mortalité. Nous durons ce que durent les fleurs : un moment minuscule. Si importants (attachants) une fois que nous sommes nés, nous voilà aussi contingents que ces reines à corolles, pistils et pétales. Nous ne sommes pas plus nécessaires qu'éternels ou résistants. Comme elles, nous apparaissons par les hasards de fécondations invisibles. L'attraction universelle lovée dedans les corps nous pollinise. Nos tiges à nous s'allongent aussi et toutes nos formes se déploient, la floraison nous révèle. Notre épanouissement vient et avec lui notre fertilité. Notre être entier atteint sa maturité magnifiée, c'est l'apogée. Chacun croit qu'il s'y maintient, tendu vers cette perfection, mais le cycle est invincible et le déclin s'amorce. D'abord imperceptible, il prend les rênes. L'usure, la douleur, les flétrissures minuscules se dessinent les unes sur les autres. Nous devenons ce grimoire de notre vie. En vérité nous mourons sur pied, comme la rose dans le vase – que nous admirons puis jetons aux ordures. Nous sommes de passage dans le vase. Le temps de notre vie est compté. La nature a été plus généreuse avec nous qu'avec les fleurs. C'est que nous sommes plus complexes à fabriquer. Mieux vaut nous réparer que nous recréer, ainsi fait la nature. Nous nous auto-réparons jusqu'à la fin.

1966-2016

Clotilde a rangé des papiers et m'envoie une photographie qui, dit-elle, me revient. Je suis assise sur les jambes croisées de Nicolas, par un après-midi d'été en Touraine, dans le jardin du château tarabiscoté. Sa prothèse lui fait préférer le fauteuil en rotin aux chaises longues et nous dominons. Sa main droite tient une cigarette tandis que l'autre est posée sur mon ventre pour me retenir de tomber en avant. Un bonnet de coton blanc me protège du soleil, l'élastique me passe sous le menton – comme une bride imposée. J'agrippe fermement un seau et un râteau. Mes yeux noirs sont grands ouverts face à l'objectif, mon petit visage sérieux, celui de Nicolas sourit derrière ses lunettes métalliques. Je suis attentive à ce moment. Où passent les moments ? Où a disparu celui-là ? Un demi-siècle l'a recouvert. Je pense à la traversée ahurissante des fils et filles d'Henri, nés entre deux guerres, grandis au-dessus de leurs morts, triomphants. Ils ont chevauché le temps sans renâcler. Ils ont écouté, obéi, appris, brigué, aimé, combattu, déploré, souffert, festoyé, chacun son tour et tous ensemble, à dix. Ils ont assumé leur éducation et leur avenir. Ils ont porté le lourd héritage. Qui habite aujourd'hui le boulevard Émile-Augier ? L'air qui les a caressés vibre-t-il de quelque chose qui leur fut propre ? Quelle empreinte demeure dont la matérialité me rasséréneraît ? Il faut nous rendre à l'évidence : le passé est derrière nos yeux, notre mémoire est nécessaire.

5 AVRIL 2015

Venez choisir un souvenir et fermer Saint-Pâtre avec nous, écrivent à la famille entière les six enfants de Jérôme et Clarisse. La maison est vendue, Jérôme est mort, Clarisse déménage en ville, les enfants sont installés depuis longtemps : que faire de tout ce mobilier ? Des lits – simples, doubles, superposés –, des armoires, des guéridons, des commodes, des tables – grandes, petites, basses, roulantes –, des bureaux, des chaises, des bergères et des fauteuils, des lampes, des miroirs, le piano, l'escalier sculpté de la grande bibliothèque, une gigantesque tapisserie murale, tout ce dont la vie s'accommode et qui sert à dormir, manger, étudier, s'asseoir, se sentir au chaud chez soi, dans son goût et ses couleurs, toute l'existence de Clarisse et de Jérôme en famille. Des décennies de vie s'interrompent et les objets le clament. Que ressent Clarisse ? Quelle émotion peut bien la saisir au spectacle de cette vie matérielle dispersée ? Comment fait-elle pour survivre à cet éparpillement de ce qui avait été construit, voulu, décidé, choisi ? Bien sûr ce pourrait être un allègement joyeux, un dépouillement libératoire, si seulement il ne s'agissait pas du deuil et de la fin de la vie. Si seulement il ne s'agissait pas d'avancer moins encombrée dans la dernière partie de son existence de veuve. Mais Clarisse est magnifique, qui ne semble pas accablée, au milieu d'un peloton d'adolescents – ses petits-enfants –, s'agitant comme au temps des fiestas qui animèrent sa maison. C'est la dernière garden-party.

Les meubles attendent avec des étiquettes. Certains ont déjà trouvé acquéreur, d'autres se laissent regarder. Le mobilier de famille fait parler. À la mort d'Henri, son bureau avait été donné à Jérôme, puis à la mort de Gabrielle, un secrétaire de dame qui avait appartenu à Mathilde, où sont-ils ? Seuls à disposer d'un tel espace, Jérôme et Clarisse faisaient office de garde-meuble. Claude leur confia un lit Louis-Philippe trop encombrant pour un appartement parisien. Et maintenant Louise s'inquiétait : Jérôme allait-il vendre tout cela ?

Ce n'était pas "ce pauvre Jérôme" mais Clarisse qui vendait, fit remarquer quelqu'un. Jérôme fait ce qu'il veut, de toute façon il vend à la famille, répliqua Claude en parlant de son frère au présent. Il continuait de s'étonner.

— La mort de Jérôme, c'est quelque chose que je n'ai pas enregistré.

Un collier de voitures s'aligne sur les bas-côtés de la route à la sortie du village, dans le tournant où s'ouvre le portail. La famille est venue. Les Bourgeois viennent toujours. Ils sont un corps constitué, un corps de temps, un corps de sang. Les cousins bavardent et mangent debout sur la pelouse dont l'herbe est haute. C'est déjà le jardin d'une maison abandonnée mais l'image rappelle les fêtes d'autrefois. Un instant, de loin, il me semble que le temps s'est figé. Comme si nous étions le 20 juin 1984 et que les quasi-jumeaux fêtaient leurs cent ans. Mais Clotilde a quatre-vingt-douze ans et reste assise dans un fauteuil près du feu, tranquille et silencieuse. Claude erre sans savoir quoi faire, quoi dire, quoi penser, comme s'il cherchait l'adorable maître des lieux, *cet imbécile de Jérôme*. Élise et François sont morts, Marie-Frédérique s'appuie sur une canne. Sous la perruque rousse, son visage est livide et ses os fragiles comme du verre. Les petits-enfants d'Henri et de Mathilde ont commencé eux aussi de mourir. Les arrière-petits-enfants ont des enfants. Non, le temps n'est pas figé, il digérera toutes les cohortes. Avec lui chacun devient le passe-muraille, traverse la paroi vers l'inconnu, se mue en terre et en mémoire.

Six sont morts et les quatre autres ont passé l'âge de faire des projets. J'ai compris ce qu'ils ne savaient pas pendant qu'ils vivaient et mesuré ce que j'ignore. Le secret des autres est immense.

TABLE

OUVRAGE RÉALISÉ
PAR L'ATELIER GRAPHIQUE ACTES SUD
REPRODUIT ET ACHEVÉ D'IMPRIMER
EN MAI 2021
PAR NORMANDIE ROTO IMPRESSION S.A.S.
À LONRAI
POUR LE COMPTE DES ÉDITIONS
ACTES SUD
LE MÉJAN
PLACE NINA-BERBEROVA
13200 ARLES

DÉPÔT LÉGAL
1re ÉDITION: FÉVRIER 2020
N° impr.: 2102399
(Imprimé en France)